俞振飛詩詞曲聯輯注

江沛毅 编注

中西書局

图书在版编目(CIP)数据

俞振飞诗词曲联辑注 / 上海戏剧学院附属戏曲学校编；江沛毅编注. —上海：中西书局，2017.7

ISBN 978-7-5475-1230-2

Ⅰ. ①俞… Ⅱ. ①上… ②江… Ⅲ. ①诗词—作品集—中国—当代②散曲—作品集—中国—当代③对联—作品集—中国—当代 Ⅳ. ①I217.2

中国版本图书馆 CIP 数据核字（2017）第 032367 号

俞振飞诗词曲联辑注

上海戏剧学院附属戏曲学校　编

江沛毅　编注

责任编辑　唐少波

装帧设计　梁业礼

出版发行　上海世纪出版集团
中西书局(www.zxpress.com.cn)

地　　址　上海市陕西北路 457 号(200040)

印　　刷　上海长城绘图印刷厂

开　　本　700×1000 毫米　1/16

印　　张　21.75

字　　数　430 000

版　　次　2017 年 7 月第 1 版　2017 年 7 月第 1 次印刷

书　　号　ISBN 978-7-5475-1230-2/I·154

定　　价　72.00 元

序　一

◆ 吴新雷

江沛毅学弟积十八年之力编著《俞振飞年谱》（由上海文化出版社于2011年7月出版）以后，又将历年搜得的俞老诗、词、曲、联作品辑为一集，并详加校订注释，以便读者理解、赏鉴。如今出版问世，嘉惠艺林，其史料价值和学术意义是不言而喻的。

俞老是昆曲泰斗，又是京剧大师，是文人兼学者型的表演艺术家。正如刘厚生先生在费三金所著《俞振飞传》的序言中说："俞振飞是中国传统文人同高级艺人的结合。他自幼受到严格的传统文化的训练，能书画，善诗词，不仅是昆剧演员，还是昆剧学者、研究家；不仅能个别地授徒传艺，还能上大学讲坛讲课。他的文化修养之厚，艺术情趣之高，在以他为中心的上下三代著名艺人中，如果不是唯一，也肯定是极少数人之一。"俞老出生书香门第，家学渊源，熟练地掌握了诗格曲律的音韵学原理，常年吟咏，出口成章。我们知道，在中国韵文史上，除了唐诗宋词元曲以外，对联也是要讲究格律的。俞老既擅长诗、词、曲的创作，当然也曾写过对联。如1989年所撰《敬挽徐炎之联》云："顾曲君应推独步；老怀我惭感孤行。"为此，江沛毅学弟数年如一日，花了诸多精力，把这些作品全都收录起来，足见心力。另外，他还觅得诸家题咏作为附录，正好裒集在一起，以飨读者。

综观本书中所录俞老的诗作，有七言、五言、四言，有律有绝，或感遇、喜庆，或唱酬、赠答，风格多样，情味动人。内中有题画怀旧之作，如《题梅畹华所绘〈风尘三侠图〉》、《张君秋属题所写画帧，率题二绝》等；又有歌颂现实的作品，如《国庆三十周年献词二首》、《庆祝党的十二大召开》等，寓意谋篇，均臻上乘。特别是1981年写的《八十自寿（组诗）》，计为三十二首七言绝句，各诗都冠以小序，系统地反映了作者的生平大要和从艺生涯的前后历程。内涵丰富，艺术概括力特强，等于是史诗式的自叙传。如组诗之二写家庭教养说：

> 生于苏州义巷。幼丧母，严父躬自鞠养。三岁时，父取以《邯郸记·三醉》中“趁江乡”一曲催眠。余于昆曲感受之早如此。
>
> 义巷深深月上阶，蛎窗蜗屋远长街。
> 邯郸一曲催眠稳，不在娘怀在父怀。

又组诗之七写初上戏场说：

> 初演《望乡》，朋辈皆为除汗。其后不久，复有彩爨，乃从沈月泉师学，饰演《紫钗记·折柳阳关》之李益。汤若士先生《四梦》，余皆曾演之，而以《紫钗》为最先。
>
> 粉墨重施四座娱，阳关惜别李君虞。
> 因缘敷演临川梦，唱叹何如梦有无。

再如组诗之十二写登上大学讲坛说：

> 一九三一年初，余脱离程剧团南归，在上海暨南大学讲授昆曲、京剧，历时三年馀，至一九三四年春为止。
>
> 江乡春暖赋南归，乍放新桃鳜正肥。
> 我上词坛温旧学，魏梁馀韵一时稀。

此外从20世纪20年代到40年代随程砚秋、梅兰芳登场演剧，50年代主政上海市戏曲学校培育接班人，1959年为国庆十周年献礼与言慧珠联袂演出《墙头马上》，1960年与梅兰芳合作摄成电影《游园惊梦》，1980年舞台生活六十年庆典，以及“推陈出新，循时而进”等等，均有诗纪事。这么一长串的三十二首连缀而成的组诗，其涵盖面之广、时代跨度之大，真是当世无与伦比的鸿篇巨制呵！

俞老知书识画，彩笔生花，尤工于填词。本书中涉及的词牌，有【柳梢青】、【卜算子】、【太常引】、【满江红】、【洞仙歌】、【百字令】、【蝶恋花】、【金缕曲】、【疏帘淡月】、【减字木兰花】、【思佳客】、【清平乐】、【浣溪沙】、【画堂春】、【忆旧游】之类。其中有单片的短调令词，也有上下两片的长调慢词。俞老写来均能运用自如，得心应手。1981 年 11 月，为纪念昆剧传习所成立六十周年，苏州博物馆开辟昆剧史料陈列室，展出了许多珍贵的史料。俞老欣然为展览会填词，调寄【百字令】（即【念奴娇】）：

琳琅一室，记吴门胜事，曲坛掌故。五亩园中闻古调，甲子匆匆初度。玉茗馀风，稗畦逸响，此是沧桑谱。幽兰再放，芳馨漠漠凝驻。

莫笑老兴婆娑，吹花嚼蕊，不减歌场趣。龙簴雁筝鹳鸽舞，忘了霜颠迟暮。六合清光，九州生气，应唱凌云赋。新词题向，苏台明月深处。

上片写景叙事，彰显苏州昆剧传习所的历史功绩。下片抒情寓意，庆贺新时期昆曲事业“吹花嚼蕊”，生气勃发。

俞老具有高度的曲学修养，既有《习曲要解》等理论著作，又擅长创作南北曲小令。如 1977 年 2 月，他写了北双调【折桂令】念台胞。又如 1978 年 4 月，他到南京参加“三省一市昆曲工作座谈会”，作了“关于昆曲发展的道路”的主题发言，同时写下了南曲【锦缠道】：

秣陵春，聚群英，又听笙歌阵阵。把九畹幽兰认，依稀是风蕊飘香，露茎流韵。十二年，也曾雨雪沉湮，受尽了四凶摧损。一声雄雷震，喜山川腾踔，花叶缤纷。展望征途新，愿素心千朵为革命吐清芬。

此曲以艺术笔法描绘了党中央一举粉碎“四人帮”后各昆剧院团主创人员首次聚会的欢快场面。“又听笙歌阵阵”、“风蕊飘香”、“一声雄雷震”、“展望征途新”诸句，表示了与会者要把被“四人帮”摧损的艺术生命夺回来的雄心壮志，反映了昆曲艺苑重睹芳华的美好前景！曲意寄托遥深，读之令人欢欣鼓舞。

俞老宅心仁厚，素喜书画吟咏，平生所作诗词甚多，但大多数被毁于“文革”中，十分可惜。本书所辑，实为劫后遗存和“文革”后留下的部分作品，吉光片羽，弥足珍贵。在经济利益至上的今天，应该感谢沛毅学弟多年以来的辛勤劳动，由于他这种难能可贵的冷板凳功夫，使我们得以再一次领略俞老的深厚文化底蕴和学识修养。并且我觉得，以此书与《俞振飞传》、《俞振飞年谱》、《俞振飞书信选》配合起来互读，当能对俞老的艺术思想、人生情趣、心路历程获得全面的认知。

以上把我粗浅的心得体会写出来，愿与读者诸君相互切磋，同吟共赏！

2013年早春时节写于南京大学文学院

补记

沛毅仁弟所著《俞振飞诗词曲联辑注》，经过数年的不断增订和修改，从原先的内部刊印，改由中西书局正式梓行，这对于继承、弘扬俞派艺术，建构俞学研究体系，不啻是一桩好事。我是这部书稿的最初阅读者，当时曾写了一篇读后感聊作序言，现在想借正式出版之机，再叙说几句久久盘旋于胸臆的心情。

人们论及俞老的演艺成就，无不以“书卷气”三字一言以蔽之，这是极为精当的，也是非常值得我们予以关注、深究的。俞老出身于书香门第，幼年随粟庐公精研昆曲、攻读圣贤，同时拈毫临池，摹写《张迁碑》、《龙门造像十二品》诸碑帖，复先后师从饮誉画坛的陆廉夫、冯超然二位名家习绘。诗词文赋，书翰丹青，各逞妍丽。传统儒学的规范化教育，已使其获得了一整套雅文化的滋养和陶冶。同时又随侍鲤庭，随粟庐公出入于文人墨客之间，聆听他们谈诗论画，鉴赏古玩。父辈们种种温柔敦厚的气质和充满学术研究气氛的环境，对俞老有着潜移默化的熏染。六龄习曲，十四岁兼学搬演，二十八岁正式“下海”，随之而奠定的艺术观，也充分体现了传统文化中“儒道交融”的思想。于是，在长达七十年的舞台生涯中，俞老运用自己的人文修养提升了整个京昆剧表演中小生行当的艺术品位，戏、文、歌、舞相互渗润，互为一体，最终催生了富有“书卷气”的个性化的俞派表演艺术，树立起风格独具的“俞派”旗帜。《礼记》曰：“德成而上，艺成而下。”俞老则形成而上，器成而道。所以我认为所谓的“书卷气”，虽然伸手摸不着，但是举目看得见、心灵感受得到，它并不十分玄妙，绝非是无源之水、无本之木，实际上就是古老中国精英文化的流风馀韵。因此，我们谈俞老的

"书卷气"，是离不开它的母体中国文化的。解读俞老，也必须探究其"本"、追溯其"源"，把它放在中国文化的大背景下透视，才能捕捉到经典的本体特质和审美特性。而阅读本书，可以为大家提供一把解密的钥匙。

沛毅弟从业馀曲友成为戏校专业编研人员，迄今恰为十年，先后参与编著并出版了《昆曲精编剧目典藏》（共二十卷）、《墙头马上——五十年传承典藏》、《传薪千秋——倪传钺教学研讨纪念文集》、《昆曲辞典》、《俞振飞年谱》、《名伶名剧赏析》、《越剧发展史》、《京昆通识教育学习资料汇编》、《尹桂芳越剧典藏·尹桂芳舞台演出本》（一）等，有集体合作，也有个人专著，成绩颇丰。现在他除了日常课务外，还在努力从事戏曲文献资料的收集、发掘、整理、辑佚、汇编等工作，心无旁骛，终日乾乾，不改初衷，令人欣慰。在此，也祝愿和期盼沛毅弟百尺竿头更进一步，有更多更新的研究文章和著作问世！

2016年盛暑于南京龙园寓所

（作者系南京大学中文系教授、博士生导师）

序　二

◆ **戴敦邦**

沛毅仁弟在耗时十八年著成《俞振飞年谱》之后，再贾馀勇，将历年辛勤搜集的俞老的诗词、楹联、散曲，加以辑订、编注成书，乃幸事也。

俞老幼承庭训，承华家学。作为饮誉海内外的京昆泰斗，他除了精于演艺之外，文化素养之高世所罕匹，这具体表现在书法、绘画、诗词、音律诸方面。而多领域、全方位的渗透和滋养，也造就了其表演艺术中最为人们津津乐道、最具魅力的特色——书卷气。吾认为，这是一个他人在今后几十年甚至更长的时间内，无法企及、更难超越的高度。这绝非是吾的危言耸听，试想不谙书法之道、诗词格律，如何能在舞台上演绎一个“酒渴思吞海，诗狂欲上天”的诗仙李太白的形象？即使能演下来，遑论傲岸风度、潇洒气质。

昔时的艺人社会地位低微，为在艺事与人格上的自重自珍，多能自强不息。除在本行当里刻苦磨炼、精益求精外，还触类旁通，以汲取更多艺术营养，来丰富自身舞台艺术。“四大名旦”以及诸多京剧名角均能习书作画，中规中矩，绝非充作斯文。中华传统文化中的诗词书画，本身即是相互贯通融合，体现着诗中有画、画中有诗的意境和魅力。前辈们的成功，就是如此各自攀上了顶峰。环顾时下对中华传统文化的缺失与漠视，以及种种误导，已经形成难以跨越的断层。偶一闪现的苗子，总被一一捧杀而窒息。艺术家不可能批量生产，只能是几个世纪种种灵秀集于一身的个别而已。

由于种种原因，俞老众多的韵文作品散佚殆尽，现在所能读到的基本上是“文革”结束以后的，这不能不说是一种遗憾。沛毅以《俞振飞传》一书附录的《俞振飞诗词选》，以及大型画册《昆剧泰斗俞振飞》所收为蓝本，辛苦遭逢，殷勤抉剔，共得计一百零三题、一百五十一首（副），新增六十馀首。不仅数量大为增加，而且时间跨度从 1940 年 11 月开始，一直延伸到 1990 年 1 月，长达整整半个世纪。这些诗词作品或隐身于故纸堆间，或庋藏于私家手中，或遁迹于拍卖图录。沛毅一一辑佚钩沉，并作笺注，使读者在欣赏俞老表演艺术的同时，可以从另外一个侧面领略京昆艺术的兴衰更替。当然，这与沛毅自身能够写作诗词不无关系，吾想也许这就是所谓的“别具只眼”吧。

沛毅曾亲炙俞老，并幸获“曲尽其妙”的题词。就着这些因缘，他对俞老和俞派艺术的执著与感情，自甘为“孝子贤孙”。虽是戏言，足见深情。于是，沛毅向有关方面提请成立“俞振飞艺术研究会”，惜乎未果。他曾这样表示：不因为有了研究会才去研究，没有研究会也应该可以做好研究工作！据吾所知，除了诗词曲联之外，沛毅还在致力于辑佚俞老的其他文稿，已颇为可观。而他最大的目标就是编辑出版《俞振飞文集》，乃至《俞振飞全集》！

吾与沛毅每双周曲叙于田笙曲会，擫笛习歌之馀，更多的是坐而论道。某次对吾谈及粟庐老人致俞老函中语，深为赞叹：“问学一道，惟认定一‘真’字，万古不磨。道也者，道此也；学也者，学此也。然‘真’字反面即‘假’字，一涉于‘假’，一任他百般能事，终须一败涂地。”并嘱吾书成条幅，拟悬诸壁间，作为座右铭。吾体味再三，心生感慨。在天下熙熙皆为利来、天下攘攘皆为利往的当今，缺乏的正是求真务实的态度和“苦坐冷板凳”的功夫！此亦是从艺之正道和为艺事应有的奉献！

是为序。

独寞居士于癸巳大雪

补记

俞振飞先生把已处于危亡的中国昆曲艺术引领上一个历史的顶峰，俞先生自身也造化为一位划时代的艺术大师。已被世界人民公认为世界非物质文化遗产经典的昆曲，更被尊为“百戏之祖”。其艺术养分滋养着但凡称得上艺术的诸行当门类，圈内的“俞家唱”亦成为当今昆曲传唱演习的唯一样板了。

艺术大师的铸就，需天赋、际遇、勤奋不可缺一的主客观因素条件，以及再难复制的家学渊源，乃至沧桑经历。但除自身本专业的技能，唱念做舞打等不可一日等闲的苦练外，亦须注重兄弟旁系艺术的涉猎，更要同样勤学钻研、持之以恒，融化于自家的舞台表演技艺中，更是做人为艺的必要。这种长期以至于终身的潜移默化，似乎也应该称之为艺德吧！但此关捩处，后学们至易忽视。台上角色的书卷气，必与演员日常生活喜好追求，乃是至关的相辅相成的融合。舞台上的一笑一颦举手投足，不是一味模仿就能成就大业的。俞先生精熟琴棋书画等中国古代文人的基本素养要义，所以才能活脱脱塑造出逝去久远的历史俊杰人物。俞先生是名副其实的昆曲泰斗，也是很难逾越的高峰。

今天文化艺术被国家重视的程度，可谓关怀备至，投入财力、物力，也可说远胜昔时。但从各类艺术领域的从艺者整体水平来看，则可谓丘陵不乏，而难见高峰崛起。以愚见，在培养艺术后人的模式上划一的教学大纲与大同小异的教材、师资的断档，在培养学子上唯有其共性，而缺少个性。个性的缺失，何谈艺术上的创新与建树，此乃为显见之弊端。但国家将有关培养诸方面人才之大计，由高层作出全面的高端筹划并实施，前途与希望已初见成效。

本书的编注者沛毅仁弟，亦可称之为昆曲业内，由自学成才的另类了。他原本是位昆曲的业馀爱好者，醉心于“俞家唱”。从最初的兴趣转而深入钻研，参加曲会社团，师从前辈曲家，广结因缘，系统研习，获益良多，对昆曲艺术遂有独到的见地。加之幼承庭训，于吾国传统文化中的诗词一道，每多涉猎。虽惜缺乏相关学历，实则拥有真才实学。幸而经师长们的举荐，并通过公开考核、招聘，录用为上海戏剧学院附属戏曲学校专职编研人员，专著频出，吾深为之庆。

戴敦邦再序，乙未冬至于田笙

（作者系国画家、上海交通大学教授、田笙昆曲研习会会长）

目 录

为沂万兄作山水扇页并题[1]

一九四零年十一月

秋意不觉暝，微风吹客衣[2]。
渡头流水去，鸦背夕阳归。[3]

注释：

① 据成扇原件，现藏上海图书馆。扇页另有“庚辰秋十月，沂万吾兄法正，弟俞振飞”等款识。诗题系编者所拟。

沂万兄：即刘沂万（1914—2011），业馀昆曲唱家。浙江湖州南浔人，毕业于上海圣约翰大学（父刘承幹系嘉业堂主人，近代著名藏书家和刻书家）。酷嗜昆曲，先后随施传镇、赵桐寿、许伯遒习老生、小生。与俞振飞最相友善，获其亲授凡四年。得俞派唱法门径，工官生，有“昆曲清工最后一人”之誉。热心宣传昆曲，尝驾车尽购俞振飞所录高亭、百代唱片，遍赠曲友，传为佳话。1935年，与朱履和、许伯遒等创办风社。从徐凌云学习身段，彩爨《惨睹》、《见娘》、《小宴》、《写状》等剧。又从王瑶卿、王幼卿、溥侗等人学习京剧。精研曲韵，注重理论与实际读音相结合，撰有《关于曲韵问题》。颇多创见，最早提出昆曲唱法之音、字、节、气四要素。曾应邀在江苏省戏曲学校、上海市戏曲学校讲授曲韵。晚年任上海市文史研究馆馆员。

② 客衣：客行者的衣着。唐高适《使青夷军入居庸》诗：“不知边地

别，只讶客衣单。”

③“鸦背夕阳归”句：唐温庭筠《春日野行》诗：“蝶翎朝粉尽，鸦背夕阳多。”

题梅畹华所绘《风尘三侠图》[①]

一九四八年一月

梅博士畹华以剧艺之暇，精研绘事，造诣极深，而所作不多。[②]其于仕女人物允能传神阿堵[③]，盖为名贵。此帧缚色[④]清妍，风姿飘洒，脱尽垣蹊[⑤]，允称杰构[⑥]，得者其宝云。

真才子与真天子，[⑦]只在匆匆一顾中。[⑧]
难得风尘称巨眼[⑨]，还将妙笔写英雄。

注释：

① 据画作影印件，香港《大成》第一八一期（1988年12月1日）。此图系梅兰芳绘于癸亥（1923年）秋月，俞振飞应嘱于丁亥腊月（1948年1月）题诗，另有“丁亥腊月，涤盦俞振飞题并识”等款识。诗题系编者所拟。

梅畹华：即梅兰芳（1894—1961），杰出的京剧表演艺术家。名澜，字畹华。原籍江苏泰兴，生于北京。出身京剧世家。八岁学戏，十一岁登台。工青衣，兼演刀马旦。早年曾试演《一缕麻》、《邓霞姑》等时装戏。继王瑶卿之后，在长期的舞台实践中，对京剧旦角的唱腔、念白、舞蹈、音乐、服装、化妆各方面均有创造发展，形成独特的艺术风格，影响极广，世称“梅派”。代表作有《宇宙锋》、《贵妃醉酒》、《霸王别姬》、《洛神》、《抗金兵》、《游园惊梦》、《断桥》等。曾先后赴日、美、苏等国进行文化交流。抗战期间，蓄须明志，拒绝演出，表现了民族气节。中华人民共和国成立后任中国京剧院院长、中国戏曲研究院院长、中国文联副主席、中国剧协主席。所著论文编为《梅兰芳文集》，常演剧目编为《梅兰芳演出剧本选集》，另有自述传记《舞台生活四十年》。

《风尘三侠图》：梅兰芳据民间传说所绘。所谓“三侠”，即李靖、红拂、虬髯客三人。隋末布衣李靖参谒杨素时，家妓红拂得见，敬慕其才略，遂私奔相从。途中又结识侠士虬髯客，因见其言行不凡，便结为兄妹，同赴太原辅佐李世民创建基业。唐无名氏作有传奇小说《虬髯客传》，明张凤翼《红拂记》、凌濛初《北红拂》和《虬髯翁》等剧本，即取材于此。

② “梅博士畹华以剧艺之暇”等句：1929 年底，梅兰芳应邀赴美国演出，引起轰动。美国波莫纳学院和南加利福尼亚大学授予其名誉文学博士学位，遂有“梅博士”之称。又，梅兰芳为提高艺术修养，先后师从齐白石、陈半丁诸名家习绘，尤工梅花、仕女、佛像等。

③ 传神阿堵：图绘人物，能生动逼真地传达其神情意态。多用以形容艺术手段。南朝宋刘义庆《世说新语·巧艺》：“顾长康（恺之）画人，或数年不点目睛。人问其故，顾曰：‘四体妍蚩，本无关于妙处，传神写照，正在阿堵中。’”阿堵：六朝人口语，犹言这、这个。

④ 缚色：敷色，上色。

⑤ 垣（yuán）蹊：矮墙、小路。这里有束缚的意思。

⑥ 杰构：佳作。鲁迅《中国小说史略·题记》：“大器晚成，瓦釜已久。虽延年命，亦悲荒凉，校讫黯然，诚望杰构于来哲也。”

⑦ “真才子与真天子”句：指李靖、李世民。《虬髯客传》载：虬髯客初见李世民即赞曰：“真天子。”

⑧ “只在匆匆一顾中”句：红拂于李靖、虬髯客于李世民，均即相视一眼，而为之钦慕不已。

⑨ 巨眼：旧时将红拂用为“慧眼识英雄”的典实。

挽黄蔓耘联[①]

一九五六年八月

抛汝父汝弟汝女，留滞在南[②]，千里外偕吾重返故乡，岂惟同志，又且同心，始终鼓励吾支持吾，共为文艺戏剧而奋斗，长恨中途分比翼；
伤吾母吾姊吾儿，淹缠于肺[③]，两月来惊汝如登覆辙[④]，孰信斯人，乃撄[⑤]斯疾，今后痛哭汝思念汝，继将钻研锻炼的精神，完成遗愿慰幽灵。

注释：

① 据唐葆祥《俞振飞传》（上海文艺出版社 1997 年版）。该联另有“蔓耘爱人，精神不死。一九五六年八月振飞挥泪书挽”款识。

黄曼耘（1901—1956）：业馀京昆名家。上海闵行人，早年求学于北京师范学校。酷嗜京剧，曾从王瑶卿习艺，以“听枫舍主”之名登台。1936 年春，与俞振飞相识并结婚，潜心研习昆剧。专工旦角，师从朱传茗、沈传芷。常演剧目有《琴挑》、《思凡》、《跪池》、《藏舟》、《赠剑》、《断桥》等。兼擅丹青绘事，俞振飞演出戏装花式，多由其亲绘图样后再延工绣制。1950 年底寓居香港，演出大量京昆剧目，同时拜张大千为师。1956 年 8 月，罹患肺癌病逝于上海。

② “抛汝父汝弟汝女，留滞在南”句：1955 年 4 月，黄蔓耘随俞振飞自香港归来，其父亲、弟弟及女儿均留居港岛，未与同归。

③ “伤吾母吾姊吾儿，淹缠于肺”句：俞振飞生母、姊姊及儿子均因肺疾病故。

④ 覆辙：翻车的轮迹。犹言覆车。一般比喻失败的教训，这里指黄蔓耘亦患肺疾。

⑤ 撄（yīng）：触，犯。

俞振飞与黄蔓耘合演《琴挑》(1954 年)

悼念黄曼耘二首[①]

一九五七年

一九五六年八月，吾妻黄曼耘因癌症逝世。每睹遗墨，抚然[②]久之，不能释怀。

（一）

喜写平安[③]傍琐窗[④]，归装甫卸住春江。[⑤]
米盐夫妇[⑥]惊长别，剔看银釭[⑦]影不双。

（二）

中年哀乐[⑧]晚[⑨]清愁，止水心情[⑩]几度秋。
每向图帧[⑪]寻昔梦，梦回唯见月当楼。

注释：

① 据唐葆祥《俞振飞传》附录《俞振飞诗词选》（上海文艺出版社 1997 年版）。

② 抚然：茫然自失貌。抚，通“怃”。

③ 喜写平安：指黄曼耘生前所绘的竹子。唐段成式《酉阳杂俎续集·支植下》：“卫公（李德裕）言北都惟童子寺有竹一窠，才长数尺。相传其寺纲维（寺庙中的司事僧）每日竹报平安。”旧时画竹，大多题以“竹报平安”。亦指平安家信，简称“竹报”。

④ 琐窗：镂刻有连琐图案的窗棂。

⑤ “归装甫卸住春江”句：1955 年 4 月，俞振飞、黄蔓耘自香港归来，参加梅兰芳、周信芳舞台生活五十周年纪念活动，并与梅兰芳拍摄昆曲影片《断桥》。同年 8 月，寓居上海。甫：刚刚。春江：即春申江，上海市境内黄浦江的别称。相传战国时楚国春申君黄歇疏凿此江而得名，后以“春江”、“申江”、“歇浦”等名代称上海。

⑥ 米盐夫妇：即柴米夫妻，比喻清贫的生活。米盐：米和盐，比喻繁杂琐碎。《汉书·咸宣传》：“（咸）宣为左内史，其治米盐，事小大皆关其手。”颜师古注：“米盐，细杂也。”

⑦ 银釭（gāng）：银白色的灯盏、烛台。泛指灯。梁元帝《草名》诗：“金钱买含笑，银釭影梳头。”

⑧ 中年哀乐：《晋书·王羲之传》：“中年以来，伤于哀乐。”

⑨ 晚：晚年。

⑩ 止水心情：即“心如止水”意。止水：静止不流动的水。《庄子·德充符》：“人莫鉴于流水，而鉴于止水。”原用以比喻心胸宁静纯洁，后形容抑郁寡欢的心绪。

⑪ 图帧：指黄蔓耘生前所绘画幅。

挽程砚秋联①

一九五八年三月

三十年无愧相知，风风雨雨，暮暮朝朝，共几番把激愤情怀，托豪竹哀丝②，滔滔尽化《荒山泪》③；

千万唤有谁承应？海海江江，腾腾沸沸，都一般以英雄姿态，作高歌怒吼，浩浩新翻《薤露歌》④。

注释：

① 据俞振飞《谈程腔——悼砚秋同志》，《戏剧报》1958 年第 7 期。

1958 年初，俞振飞参加中国戏曲歌舞团访欧演出。先期赴京集训，与程砚秋共同修改、排练《百花赠剑》。3 月 9 日晚，试演于北京文联大楼。后惊悉程砚秋不幸因心脏病，猝然逝世，哀痛逾恒。13 日，赴嘉兴寺殡仪馆，参加公祭仪式，并书撰此联以挽。是联“歌”字重。

程砚秋（1904—1958）：满族，杰出的京剧表演艺术家。原名承麟，艺名程菊农，继改艳秋，字玉霜。后易名砚秋，字御霜。幼年家贫，从荣蝶仙学京剧。长期在北京演出，艺术上勇于革新。曾受教于梅兰芳、王瑶卿，并得罗瘿公等人帮助。根据自身嗓音特点，创造出幽咽婉转、若断若续的新腔，形成个人风格，世称“程派”，影响深远，与梅兰芳、尚小云、荀慧生并称为“四大名旦”。擅演《锁麟囊》、《青霜剑》、《金锁记》、《鸳鸯冢》、《荒山泪》等。抗战期间，深居农圃，拒绝演出。中年后兼致力于戏曲理论研究，对舞台艺术和剧种源流等有所论述，后编为《程砚秋文集》。中华人民共和国成立后任中国戏曲研究院副院长。

② 豪竹哀丝：形容管弦乐声悲壮动人。豪竹：粗大的竹管制成的乐器，指豪壮的管乐声。哀丝：悲哀的弦乐声。丝竹是弦乐、管乐的通称，古时有“丝不如竹”之说，意即弦乐不如管弦乐动听。唐杜甫《醉为马坠诸公携酒相看》诗：“酒肉如山又一时，初筵哀丝动豪竹。”

③《荒山泪》：程砚秋于 1929 年所演剧目，金仲荪编剧。述明末课税繁重，高良敏、高忠进父子入山采药，皆遭虎害。老妻惊之，孙儿亦拉去充役。仅存其媳张慧珠，忧愤成疯，自刎而亡。这里借此剧名，表达内心无限悲痛。

④《薤（xiè）露歌》：乐府《相和曲》名。相传是齐国东部（今山东东部）的挽歌，系送王公贵人出殡时扶柩人所唱。薤露：谓人的生命短促，有如薤叶上的露水，一瞬即干。

程砚秋与俞振飞《牡丹亭·游园惊梦》剧照

从周教授以御霜题畹华墨梅见示，感赋呈正[①]

一九六二年

长忆京华两故人，披图[②]犹见墨痕新。
御霜会得冰心[③]处，缀玉轩[④]中万古春。

注释：

① 据陈从周《寒梅秋菊永清芬》，见《春苔集》（花城出版社 1985 年版）；《墨梅图》影印件见《程砚秋唱腔集》（上海文艺出版社 1986 年版），原件现藏南京博物院。

1936 年 4 月，梅兰芳为祝贺陈叔通六十华诞，绘赠《墨梅图》。题曰："叔通先生法家教政，丙子清明后一日梅兰芳。"1938 年 11 月，程砚秋应陈叔通之命，补题曰："知君自有冰心在，凭藉梅花写出来。叔通先生属题，率拈十四字请教。戊寅十月初二日程砚秋。"图后归陈从周，俞振飞应嘱题是诗，但未署年月。另据陈正薇等人观款题跋，落款为"壬寅仲夏"、"壬寅重九"等，遂暂酌定为 1962 年。

从周：即陈从周（1918—2000）。浙江杭州人。古建筑、园林专家。毕业于之江大学，曾任同济大学教授、博士生导师。从事古建筑、园林艺术教学和研究，认为"造园有法而无式，变化万千，新意层出，园因景胜，景因园异"。主持修复上海豫园东部、龙华塔、宁波天一阁、如皋水绘园等多处名胜，应邀为美国纽约大都会博物馆设计园林"明轩"。兼擅国画，系张大千大风堂门人。酷嗜昆曲，肆力宣传，于散文、诗词等亦有研究。著有《徐志摩年谱》、《苏州园林》、《园林谈丛》、《说园》、《绍兴石桥》、《春苔集》、《书带集》、《帘青集》、《山湖处处》等。

御霜：程砚秋初字“玉霜”，后易为“御霜”。畹华：梅兰芳字“畹华”。

② 披图：展卷阅读、翻看。

③ 冰心：心地纯洁，性情淡泊。

④ 缀玉轩：梅兰芳书斋名，因别署缀玉轩主人。

附录一：

寒梅秋菊永清芬

陈从周

又到了新的一年。我听到了一个在我看来是很好的消息，就是上海文化出版社要在本年内出版《梅兰芳唱腔集》和《程砚秋唱腔集》。梅程二位对京剧艺术的杰出贡献，用不着我再来饶舌了，我要说的是他们在国画上的造诣也是很深的：梅以寒花著称，程以秋菊独步。出版社想在这本书的前面能印上他们的国画，这就不免要谈到这幅梅了。

画原属陈叔通老人所有。三十多年前，我有一次在其侄陈植师家问学时他拿了送给我。叔通老人晚年住北京，留在沪上的一些书画都分送了亲友，我算是其中之一。程砚秋同志早年曾受知于叔通老人，梅兰芳同志与叔通老人的私交亦厚。丙子年（1936）是叔通老人六十生辰，所以梅程合作此画以献。画上有汤定之（涤）写的“冰雪聪明”四字。梅兰芳曾学画于汤定之。我记得过去上海思南路梅宅，就挂有汤的一幅墨松。王福厂先生又题了“一时二妙”，是指梅画的梅花，程砚秋用正楷写的“知君自有冰心在，凭着（藉）梅花写出来”二句。后若干年，梅程已经去世了，俞振飞同志看到了这幅画，感慨万千，在画上题诗一首：“长忆京华两故人，披图犹见墨痕新。御霜（程的别号）会得冰心处，缀玉轩中万古春。”

俞振飞同志前不久还在询问此画的下落，我说早在“文化大革命”前，已经交给南京博物院收藏了，因为梅兰芳是江苏人也。现在我又自该处摄照制版，公诸于世，是从有到无，又从无到有。我将此画归于公家，在自己是“无”了，但在浩劫中没有失去，这又是“有”了。事情往往就是那么奇妙啊！陈正薇是梅兰芳的学生，也在画上写了一个观款。这样，这幅画中有三代人了。我希望梅程二位的唱腔集问世后，必有世代的传人。新岁之首，写此以祝祖国艺术永衍清芬。

一九八三年一月

附录二：

俞振飞题梅程墨迹

陈从周

梅兰芳大师诞辰一百周年。我有一张程砚秋题梅兰芳画的梅花，后来俞振飞又加了题。当年梅先生以此画送给陈叔通太师丈，陈直生（植）师丈又送给了我。“文化大革命”前我捐赠给了南京博物院。因为梅先生祖籍泰州，由南京博物院保存较合适。

俞振飞的题诗我有副本，录之如下：

长忆京华两故人，披图犹见墨痕新。
御霜会得冰心处，缀玉轩中万古春。

从周教授以御霜题畹华墨梅见示感赋呈正　俞振飞

（原载《新民晚报》1994 年 11 月 24 日）

北双调【折桂令】念台胞[①]

一九七七年二月

喜神州又春回灿烂辉煌。欢呼的是驱除“四害”[②]，莺燕飞翔。我这里念台胞远在南方，止不住心潮涌情怀激荡。咱本是同胞骨肉，偏成了天各一方。恍然见日月潭[③]的澄波摇漾，阿里山[④]的林海苍茫。基隆港[⑤]掀不完层层风浪，淡水河[⑥]望不断队队帆樯[⑦]。多少年朝思暮想，把台胞紧系心房。为祖国的统一，为人民的愿望，咱坚决齐心协力，冲破那重关叠障。总有日横渡海峡，亲兄弟欢聚同堂。只待把和风膏雨[⑧]，洒遍了台澎[⑨]，好教它千岛百屿，共沐这金色的阳光。

注释：

① 据唐葆祥《俞振飞传》附录《俞振飞诗词选》（上海文艺出版社 1997 年版）。该曲由江苏省戏曲学校教师王正来制谱后，俞振飞曾在上海市政协会议、人委礼堂等演唱。并由电台录音，作为对台广播的节目内容。

折桂令：曲牌名，亦名《蟾宫曲》、《天香引》等，属北曲双调。或单用作小令，或用在双调套曲内，如昆剧《石秀探庄》石秀进庄时所唱。著名戏曲学家王季思曾谈论道：折桂令原调较长，又可增删，篇幅较宽，是比较宜于铺陈的赋体，以抒豪迈的心情。

② 四害：俗称“四人帮”，即以江青、张春桥、姚文元、王洪文为首结

成的阴谋集团，妄图篡夺党和国家最高权力。1976 年 10 月，该集团被粉碎，标志着长达十年的“文革”正式结束。

③ 日月潭：在台湾省中部南投县山中。是台湾最大的天然湖泊，由玉山和阿里山间的断裂盆地积水而成。湖中光华岛，将湖分作两部分，北部似日，南部似上弦月，故名“日月潭”。周围翠山环抱，波平如镜，景色优美，为台湾著名的风景区。潭南青龙山有玄奘寺，供奉唐高僧玄奘的头顶骨。

④ 阿里山：纵贯台湾本岛西部，在玉山以西。以谷深林茂、山势雄伟著称。主峰大塔山附近是著名风景区，森林茂密，存有三千年以上的古红桧树，号称“神木”。

⑤ 基隆港：在台湾省本岛北岸。旧名“鸡笼”。因群山拱抱，外窄内宽，形似鸡笼而得名。又因一年内有两百多天下雨，又有“雨港”之称。是台湾省重要海港和渔业基地。

⑥ 淡水河：在台湾省本岛北部。上游大汉溪，源出大霸尖山东侧，曲折北流，在台北附近汇合新店溪、基隆河，西北经淡水入台湾海峡。

⑦ 帆樯：船的风帆和桅杆。泛指船只。

⑧ 和风膏雨：春天的微风，滋润土壤的雨水。膏雨：典出《诗·曹风·下泉》“芃芃黍苗，阴雨膏之”。《左传·襄公十九年》：“如百谷之仰膏雨焉。”

⑨ 台澎：台湾省包括台湾岛、澎湖列岛和龟山岛、绿岛、兰屿、彭佳屿、钓鱼岛等岛屿，故称“台澎”。这里泛指台湾岛。

南正宫【锦缠道】江苏、浙江、湖南、上海三省一市昆曲工作座谈会题词[1]

一九七八年四月

秣陵[2]春，聚群英，又听笙歌阵阵。把九畹幽兰[3]认，依稀是风蕊[4]飘香，露茎[5]流韵。十二年，[6]也曾雨雪沉湮[7]，受尽了四凶[8]摧损[9]。一声雄雷震，[10]喜山川腾踔[11]，花叶缤纷。展望征途新，愿素心千朵为革命吐清芬。

注释：

① 据唐葆祥《俞振飞传》附录《俞振飞诗词选》（上海文艺出版社 1997 年版）。其中“锦缠道”误作“绵缠道”。

锦缠道：词牌、曲牌名。曲牌系南曲正宫【锦缠道】套数的首牌，可连用二至四支自成套数。其声情悲壮，尤宜于老生、正末等角色。

三省一市昆曲工作座谈会：1978 年 4 月 8 日至 23 日在南京举行。由江苏省昆剧院主办，邀请浙江省、湖南省和上海市的昆曲工作者讨论昆曲艺术的继承和改革问题，历时十六天。参加座谈和演出观摩活动的有苏昆、上昆、浙昆、永昆和湘昆的领导、主要演员，以及四省市相关文化部门负责人等，共计二百二十馀人（北方昆曲剧院因尚未恢复，故未赴会）。通过这次座谈会，昆曲艺术再一次走上了正规发展的道路。俞振飞代表上海代表团在开幕式上致辞，题为《当好园丁同植新兰花》。其后又就继承传统、昆曲革新及培养接班人等问题作长篇发言。并应邀为大会示范演出《彩毫记·太白醉写》、《贩马记·写状》二折。

② 秣陵：属今江苏省南京市区域。古县名，秦始皇三十七年（前 210）改金陵邑置。自汉、晋以迄南朝，治所屡有变革，隋以后废。

③ 九畹幽兰：《楚辞·离骚》："余既滋兰之九畹兮，又树蕙之百亩。"王逸注："十二亩曰畹。"一说：田三十亩曰畹（见《说文》）。后以"九畹"作为兰花的典实。

④ 风蕊：风中的花蕊。

⑤ 露茎：带露的茎叶。"风蕊"、"露茎"皆形容兰花摇曳的姿态。

⑥ "十二年"句：指 1966 年"文革"爆发至昆曲工作座谈会召开的这段时间。

⑦ 沉湮：亦作"沉烟"。埋没，隐而不彰。

⑧ 四凶：即"四人帮"，详见《北双调【折桂令】念台胞》注②。

⑨ 摧损：毁坏，损害。

⑩ "一声雄雷震"句：1976 年 10 月，"四人帮"被粉碎，十年"文革"结束。

⑪ 腾踔（chuō）：跳跃，凌空。

千秋岁·奉祝香港《文汇报》三十周年纪念[①]

一九七八年九月

文章华国，[②]三十年、香海称雄擘[③]。如椽大笔[④]多风格。放歌颂胜利，传檄[⑤]诛奸慝[⑥]。兴四化，更报道、神州万里皆春色。

注释：

① 据书迹影印件，《香港〈文汇报〉创刊三十周年纪念集》，香港文汇报社1978年9月出版。另有“调寄《千秋岁》，奉祝香港《文汇报》三十周年纪念。一九七八年九月，七十七叟俞振飞撰贺并书”等款识。诗题系著者所拟。

千秋岁：词牌、曲牌名。词牌又名《千秋节》，双调，七十一字或七十二字，上下片各八句，仄韵。曲牌属南中吕宫，五十七字八仄韵，其定格为三、五、七、四、四、九、六、六、五、八。比照此作，两者均不符，姑存待考。

香港《文汇报》：创刊于1938年1月25日的上海《文汇报》，因大力宣传抗日爱国，翌年五月被日伪压迫停刊。1945年8月复刊后，由于坚决反对内战，积极支持民主爱国运动，1947年5月被国民党政府查封。当时，李济深、何香凝、蔡廷锴等人创建的中国国民党革命委员会，正在筹办其机关报。双方经过商议，乃于1948年9月9日创刊香港《文汇报》，由徐铸成主持报政。持续出版至今。

② “文章华国”句：三国曹丕《典论·论文》：“盖文章经国之大业，不

朽之盛事。”宋滕岑父《和岑子上郑广文诗》：“文章可华国，谁云只小技。”

③ 雄擘（bò）：宏图。

④ 如椽（chuán）大笔：像椽子那样大的笔。比喻大手笔，或喻笔力雄健的文辞。《晋书·王珣传》：“珣梦人以大笔如椽与之，既觉，语人云：‘此当有大手笔事。’俄而帝崩，哀册谥议，皆珣所草。”

⑤ 传檄（xí）：传布檄文。《史记·张耳陈馀列传》：“诚听臣之计，可不攻而降城，不战而略地，传檄而千里定。”这里指传播信息意。

⑥ 奸匿：同“奸慝（tè）”。邪恶的心术或行为。《汉书·王莽传赞》：“太后寿考，为之宗主，故得肆其奸慝。”亦指奸恶的人。《左传·昭公十四年》：“赦罪戾，诘奸慝，举淹滞。”孔颖达疏：“奸，邪；慝，恶。”

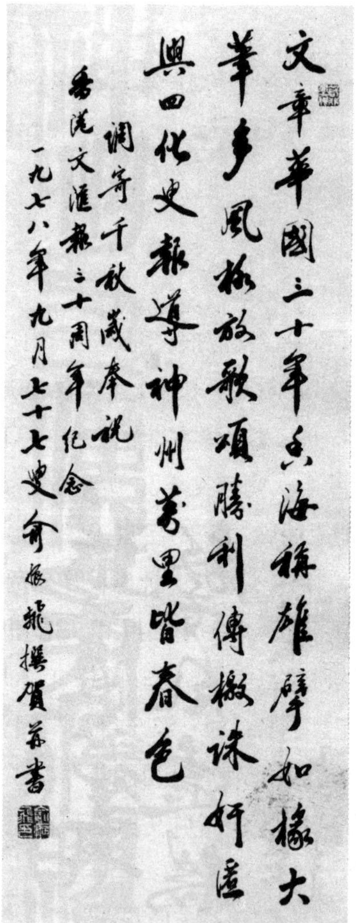

寄语台湾诸曲友[①]

一九七九年春

魏梁[②]馀韵说嘉隆[③]，檀板[④]金樽[⑤]有古风。
寄语南天诸老友，何时弦管[⑥]会江东[⑦]。

注释：

① 据唐葆祥《俞振飞传》附录《俞振飞诗词选》（上海文艺出版社 1997 年版）。据作者 1987 年中秋节所书是诗书件，字句有所不同。兹录："魏梁馀韵说嘉隆，金缕铜琶有古风。寄语南天诸旧雨，何时歌管会江东。"

曲友：明清以来，广大业馀昆曲爱好者相约结社集会，习唱研究，成员之间互称"曲友"。清顾禄《桐桥倚棹录》曾记载"浒墅关曲友"于苏州山塘凤凰台赛曲故事，足见"曲友"这个专名在乾嘉以前即已流行。长期以来，形成了一套完整唱曲的方法和原则，涉及识字正音、腔调板眼、口法技巧等诸多方面，并形成相关曲派。其中在艺术或学术上造诣深厚者，称为"曲家"。而擅长粉墨登场串戏者，称为"串客"。按诸史实，曲友是昆曲的群众基础和社会力量的体现。

② 魏梁：指魏良辅、梁辰鱼。魏良辅（1489—1566）：明代戏曲音乐家。字上泉、尚泉，原籍豫章（今江西南昌）人，寄居昆山、太仓（今属江苏）。熟谙南北曲。嘉靖年间在张野塘、过云适等人协助下，吸收海盐、弋阳等腔以及江南民歌小调的某些特点，对流行在昆山一带的戏曲腔调进行加工整理，形成一种舒徐宛转的新腔，称"水磨腔"，即"昆山腔"。新腔既保

留和发挥原来南曲纡徐环回的特点，又兼收北曲雄健刚劲的风格。“声则平、上、去、入之婉协，字则头、腹、尾之毕匀；……启齿轻圆，收音纯细。”在演奏上，把弦索、箫管、鼓板结合，音乐更为多彩。对后世戏曲音乐的发展影响较大，因有“国工”、“曲圣”、“鼻祖”之誉。所著《曲律》（一名《南词引正》），为论述昆腔唱法的重要著作。

梁辰鱼（约 1519—约 1591）：明戏曲作家。字伯龙，号少白、仇池外史，昆山（今属江苏）人。以例贡为太学生。熟悉戏曲音律。约在音乐家魏良辅对昆腔进行整理加工的同时，他创作了以昆腔演唱的传奇《浣纱记》。从而把昆山腔的清唱技巧和音乐风格运用到了舞台表演的实践中，为昆腔新声的传播插上了腾飞的翅膀，从音乐方面弥补了原先水磨调“冷唱”的不足。同时，又把传奇文学与新的声腔、表演艺术综合在一起，借锣鼓之势与舞台之场面形态，第一次将昆曲搬上剧坛。由于对昆腔的发展和传播有相当影响，后人往往以“魏曲梁词”并称。另作有杂剧《红线女》、《红绡记》（佚），散曲集《江东白苎》和《二十一史弹词》，诗文集《鹿城集》、《远游稿》（佚）。

③ 嘉隆：指明朝嘉靖（1522—1566）、隆庆（1567—1572）年间。这是昆曲的发展时期。

④ 檀板：乐器名。演奏音乐时打拍子用，亦称“拍板”。多用檀木所制，故称。唐梨园乐工黄幡绰善奏此板，又名“绰板”。

⑤ 金樽：亦作“金尊”。酒樽的美称。

⑥ 弦管：弦乐器和管乐器。亦泛指乐器或音乐。《淮南子·原道训》：“夫建钟鼓，列管弦。”

⑦ 江东：长江在芜湖、南京间作西南南、东北北的流向，隋唐以前，是南北往来主要渡口的所在，习惯上称自此以下的长江南岸地区为江东。这里泛指昆曲较为流行的江浙地区。

赠女弟葛兰[①]

一九七九年四月

余[②]与葛兰女弟获交二十馀载。近闻研习梅派艺术，誉满香岛[③]。今在春申[④]握晤[⑤]，聆其曼声[⑥]一曲，深得缀玉轩主[⑦]三昧[⑧]，快慰[⑨]何已。

雾鬓云鬟[⑩]彩袖长，俨然[⑪]缀玉早梅芳。
娟娟[⑫]陌上花开[⑬]日，老去重逢认国香[⑭]。

注释：

① 据俞振飞寄关大棠诗稿影印件。

女弟：女弟子，即女学生。

葛兰（1933—　）：香港著名影星。本名张玉芳，浙江海宁人。幼年学习声乐，1949年随父迁居香港。后进入泰山影业公司，拍摄《七姐妹》、《曼波女郎》、《青春儿女》、《野玫瑰之恋》、《啼笑因缘》等近四十部影片。并以兼具“演歌舞”三者著称，多首歌曲传唱至今。1964年退出影坛。同时，酷嗜京昆。1952年4月，经卜万苍绍介，拜俞振飞为师。曾演出昆曲《断桥》、京剧《人面桃花》等。其母许韶华系梅夫人福芝芳挚友，幼年即随母出入梅家，又与陈正薇最相友善。

② 余：我。《左传·宣公十七年》：“余将老。”

③ 香岛：即香港。旧因地产沉香并在此出口而得名。

④ 春申：即春申江，代指上海。详见《悼念黄蔓耘二首》注⑤。

⑤ 握晤：握手晤谈。

⑥ 曼声：柔美的歌声。

⑦ 缀玉轩主：指梅兰芳。梅氏书斋名“缀玉轩”。

⑧ 三昧：指事物的诀要或精义。如称在某方面造诣深湛为“得其三昧”。唐李肇《唐国史补》卷中：“长沙僧怀素好草书，自言得草圣三昧。”

⑨ 快慰：痛快而感到安慰；欣慰。

⑩ 雾鬓云鬟（huán）：亦作“雾鬓风鬟”。形容女子细密柔美的头发，一般用以借指美女。宋辛弃疾《木兰花慢·题上饶郡圃翠微楼》词：“云雨珠帘画栋，笙歌雾鬓云鬟。”这里是指葛兰的演出妆扮。

⑪ 俨（yǎn）然：宛然，仿佛。

⑫ 娟娟：美好貌。

⑬ 陌上花开：出自宋苏轼《陌上花三首（并引）》。五代时吴越王钱镠春日致其妃书云：“陌上花开，可缓缓归矣。”妃乃归。吴人用其语为歌，含思婉转。

⑭ 国香：《左传·宣公三年》：“以兰有国香，人服媚之如是。”后多称兰花为“国香”。这里喻指葛兰。

俞振飞与葛兰《人面桃花》剧照

奉贺顾生铁华彩爨昆曲《百花赠剑》、《贩马记》[①]

一九七九年七月

一九七九年七月，亚洲戏剧节举盛会于香岛[②]。欣悉铁华仁弟[③]彩爨昆曲《百花赠剑》、《贩马记》两剧，赋此为贺，即希哂正[④]。

白苎江东溯魏梁，[⑤]偶然粉墨一登场[⑥]。
海生[⑦]赵令[⑧]传神处，裙屐[⑨]会[⑩]看四座狂。

注释：

① 据顾铁华所藏书迹原件；影印件见薛正康、许寅《俞派小生的“书卷气”——知书识画明诗善字而精于戏》(《文化与生活》1980 年第 1 辑)，另有“涤盦俞振飞，时年七十又八”等款识。诗题系编者所拟。

顾生铁华：即顾铁华（1937— ），香港资深京昆名票。毕业于上海交通大学土木工程系。曾赴西德专攻工商管理学，创建跨国集团联中企业有限公司。早年随甘贡三、张澍声习昆曲、京剧，后拜俞振飞为师，深得乃师“书卷气”之真传。昆乱不挡，戏路甚宽。擅演京剧《白蛇传》、《群英会》、《黄鹤楼》、《龙凤呈祥》、《监酒令》、《春闺梦》、《九龙山》、《鸿鸾禧》、《飞虎山》等，昆剧《百花赠剑》、《贩马记》、《迎像哭像》、《琴挑》、《断桥》、《惊变》、《惨睹》、《惊梦》，并编演《拾画记》、《西厢记》、《顾曲周郎》、《合纱》、《泛舟》等。设立顾铁华振兴昆曲基金，辑印《粟庐曲谱外编》。先后创建香港中国传统戏曲艺术院、香港振兴京昆传承中心，邀请专业师资授课，旨在传播京昆艺术。

彩爨（cuàn）：又作“彩串”。指化妆演出。爨：戏曲名词。宋杂剧、金院本中的表演名称，如《讲百花爨》、《文房四宝爨》等。见南宋周密《武林旧事》、元陶宗仪《辍耕录》。旧以爨、爨弄泛指演剧。

《百花赠剑》：明传奇《百花记》之一折。写安西王府总管叭喇怀疑新任参军海俊系朝廷间谍，乃设计将其灌醉。又扶入百花公主帐中，意欲陷害。不料侍女江花右为海俊之妹，遂得掩护。公主见他年少英俊，顿生爱意。并以身相许，赠剑定情。

《贩马记》：吹腔剧目。褒城县令赵宠下乡劝农，其妻李桂枝夜闻牢囚啼哭，乃私自提问，询知即是父亲李奇。桂枝俟赵宠回衙，代写诉状申诉。适新任按院李保童本李奇之子，昭雪沉冤，阖家团圆。

② 香岛：即香港。详见《赠女弟葛兰》注③。

③ 仁弟：对学生的敬称。

④ 哂（shěn）正：请人批评指教的谦辞。哂：微笑。

⑤ “白苎江东溯魏梁”句：谓通过魏良辅、梁辰鱼等人的努力创新，使昆曲得以发展。白苎江东：梁辰鱼著有散曲集《江东白苎》二卷、续稿二卷，收小令五十六首，套数三十七套。辞藻华美，不免于雕琢之弊。白苎：亦作“白纻”。乐府吴舞曲名。南朝宋鲍照《白纻歌》之五：“古称《渌水》今《白纻》，催弦急管为君舞。”魏梁：详见《寄语台湾诸曲友》注②。

⑥ 粉墨一登场：用粉墨化妆，登台演戏。明臧懋循《元曲选序二》：“关汉卿辈争挟长技自见，至躬践排场，面傅粉墨。”

⑦ 海生：指《百花赠剑》中的江海俊。剧中百花公主称其为“海生”。

⑧ 赵令：指《贩马记》中的赵宠。因其官居褒城县县令，故称为“赵令”。

⑨ 裙屐（jī）：下裳、木底鞋。原指六朝贵族子弟的衣着，后泛指富家子弟的时髦装束。这里指广大的观众。

⑩ 会：应当，总会。

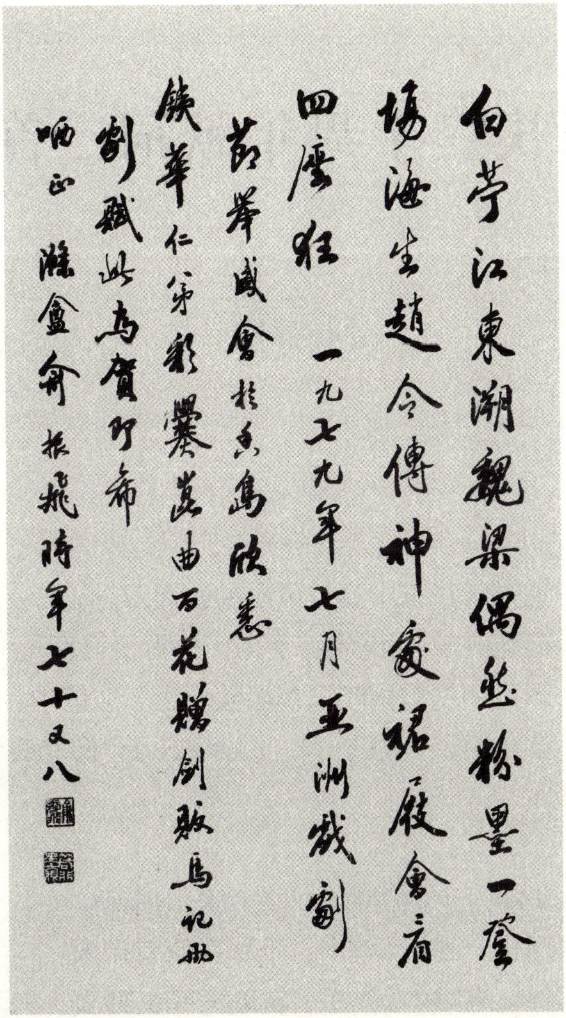

国庆三十周年献词二首[①]

一九七九年十月

（一）

锦样年华三十春，风雷钟鼓促双轮。[②]
百花齐放[③]家家艳，四化[④]争看日日新[⑤]。
佩蕙纫兰[⑥]添韵事，《墙头马上》忆前尘。[⑦]
会当[⑧]重作翩跹[⑨]舞，海澨[⑩]跂予[⑪]仰北辰[⑫]。

（二）

华年三十焕青春，大地缤纷雨露新。
四化宏图初发轫[⑬]，千秋盛业有传人。
舒怀高唱中兴[⑭]乐，实践方知义理真。[⑮]
我亦临风吹玉笛，兰花香里祝芳辰。

注释：

① 据唐葆祥《俞振飞传》附录《俞振飞诗词选》（上海文艺出版社 1997 年版）。《人民戏剧》1979 年第 10 期刊有该诗第一首手迹。

② “风雷钟鼓促双轮”句：形容社会主义建设一日千里，日新月异。风雷钟鼓：宋曾丰《游乌石寺》诗：“钟鼓风雷上，星辰灯火前。”

③ 百花齐放：谓千百种花同时开放，争奇斗艳。后借喻事物繁茂纷呈。清无名氏《〈帝城花样〉自序》：“百花齐放，皇州春色，尽属春官矣。”

④ 四化：周恩来总理分别在 1964 年、1975 年第三、第四届全国人民代表大会的政府工作报告中两次提出，要在 20 世纪内全面实现社会主义的工业、农业、国防和科学技术的现代化。党的十一届三中全会以后，我国进入改革开放的新时期。邓小平作为总设计师，继续坚持实现四化的奋斗目标，并明确提出要“走一条中国式的现代化道路”。

⑤ 日日新：一天一天地更新、发展。《大学章句·第二章》：“汤之铭盘曰：‘苟日新，日日新，又日新。’”

⑥ 佩蕙纫兰：佩：佩戴。蕙：香草。纫：连缀，贯串。兰：泽兰，秋天开花。战国楚屈原《离骚》：“扈江离与辟芷兮，纫秋兰以为佩。”唐徐铉《江舍人宅筵上有妓唱和州韩舍人歌辞因以寄》诗：“清风朗月长相忆，佩蕙纫兰早晚还。”

⑦ “《墙头马上》忆前尘”句：作者自注：“余于国庆十周年时，曾以昆剧《墙头马上》晋京献礼，距今已二十年矣。”《墙头马上》：1959 年为庆祝建国十周年，俞振飞、言慧珠根据元白朴所作杂剧《裴少俊墙头马上》，排演昆曲《墙头马上》（苏雪安编剧，朱传茗、方传芸导演，杨树彬执行导演，孙浩然舞美设计），并晋京献礼。1963 年 7 月，由长春电影制片厂摄成彩色艺术片。剧写李倩君与裴少俊相爱而私自结合，匿居花园七年并育有子女各一，终被裴父发现赶出。后少俊赴考得官，裴父亲为赔礼，阖家始得团圆。

⑧ 会当：该当，当须。含有将然的语气。唐杜甫《望岳》诗：“会当凌绝顶，一览众山小。”

⑨ 翩跹：亦作“蹁跹”、“翩仙”。轻扬飘逸貌。常用以形容轻快旋转的舞姿。

⑩ 海澨（shì）：海滨。这里指上海。澨：水边。

⑪ 跂（qì）予：举踵翘望。语本《诗·卫风·河广》：“谁谓宋远，跂予望之。”

⑫ 北辰：北极星。《尔雅·释天》：“北极谓之北辰。”《论语·为政》：“为政以德，譬如北辰，居其所，而众星共（拱）之。”唐虞世南《奉和月夜观星应令》诗：“天文岂易述，徒知仰北辰。”这里喻指党中央。

⑬ 发轫：比喻事情的开端。轫：止住车轮转动的木头。车启行时须先去轫，故称启程为“发轫”。《离骚》：“朝发轫于苍梧兮。”

⑭ 中兴：复兴。《诗·大雅·烝民》序：“任贤使能，周室中兴焉。”

⑮ “实践方知义理真”句：1978 年 5 月 11 日，《光明日报》刊登题为《实践是检验真理的唯一标准》的特约评论员文章。论述了马列主义的实践第一的观点，正确地指出任何理论都要接受实践的考验。该文引发了关于实践是检验真理的唯一标准问题的大讨论，从而为改革开放作了理论上的准备。义理：合于一定伦理道德的行为准则，或讲求经义、探求名理的学问。《礼记·礼器》：“义理，礼之文也。”

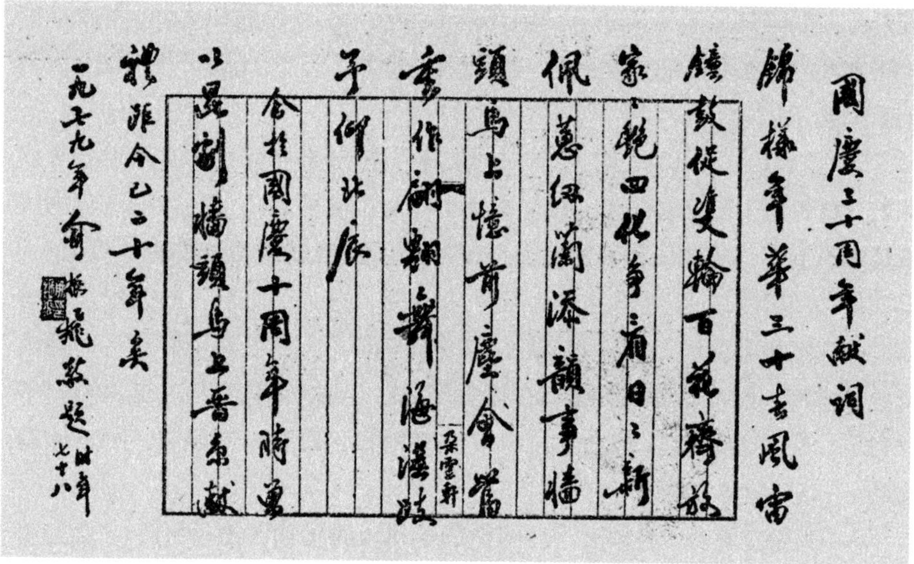

陆兼之《松老菊香俞振飞》书后[①]

一九七九年十二月

兼之同志此文深获我心，喜赋短句，且以自勖[②]。

粉墨当场[③]甲已周[④]，红盐[⑤]白苎[⑥]雪盈头。
词坛[⑦]未尽平生业，日月重光[⑧]兴更遒。

注释：

① 据手迹影印件，陆兼之《松老菊香俞振飞》，《艺术世界》1980 年第 2 辑，另有“一九七九年十二月，俞振飞时年七十有八”等款识。诗题系编者所拟。

陆兼之（1916—1986）：苏州人，昆剧作家。酷爱昆曲，曾随郑传鉴等人习花脸、老生，专工二面、老外，曾爨演《乐驿》等。兼擅文札，先后为华传浩、徐凌云记录整理《我演昆丑》、《昆剧表演一得》二书。1962 年由中国人民银行调入上海市戏曲学校研究室，参与编写革命现代戏《琼花》，以及昆剧教材校注工作。1978 年任上海昆剧团专职编剧，创作、改编《三打白骨精》、《画皮》、《白蛇传》、《红娘子》、《琵琶记》、《蝴蝶梦》、《牡丹亭》、《唐太宗》、《贵人魔影》、《烂柯山》、《玉簪记》等，并整理折子戏多种。同时，参加编纂《振飞曲谱》、《昆曲曲牌及套数范例集》，著有《厉樊榭年谱》。爱护后辈，热心指授，曾应苏州市文化局之邀，为沪、宁、苏诸地专业人员讲授昆曲填词法。俞老晚岁文稿等，大都出其手笔。又工篆刻。

② 自勖（xù）：自勉。勖：勉励。

③ 粉墨当场：化妆演出。详见《奉贺顾生铁华彩爨昆曲〈百花赠剑〉、〈贩马记〉》诗注⑥。

④ 甲巳周：指六十年。甲居十天干首位，子居十二地支首位。干支依次相配，如甲子、乙丑、丙寅之类，统称甲子。古人主要用以纪日，后人则主要用以纪年，故常以甲子指岁月、年龄。又其变有六十，从甲子起至癸亥止，满六十为一周，六十次轮一遍，因称为六十花甲子、花甲。

⑤ 红盐：红色粉墨。唐皮日休《奉和鲁望秋日遣怀次韵》诗："药囊除紫蠹，丹灶拂红盐。"这里指演出用的化妆用品。

⑥ 白苎：亦作"白纻"，乐府吴舞曲名。详见《奉贺顾生铁华彩爨昆曲〈百花赠剑〉、〈贩马记〉》诗注⑤。这里借喻戏曲表演。

⑦ 词坛：剧坛。这里喻指戏曲界。

⑧ 日月重光：喻指粉碎"四人帮"以后，国家面貌焕然一新。

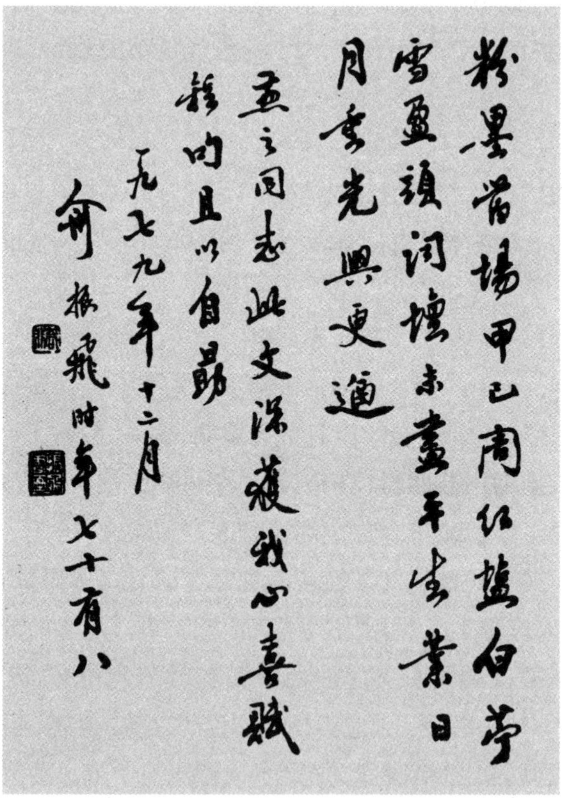

北中吕【迎仙客】题寄美国张充和[①]

一九七九年冬

素书[②]传海外，艳曲[③]唱江东[④]。都只为祖国河山春日永。更羡你集嘉宾弦歌共[⑤]，看黄发碧瞳[⑥]，一样把魏梁馀韵[⑦]，付与琴三弄[⑧]。

附录：

【折桂令】贺振飞先生舞台生活六十年[⑨]

张充和

（一）

领歌坛甲子周年，[⑩]两晋风流，[⑪]文采翩翩。[⑫]真幻[⑬]无涯，星眸如电，[⑭]何处成连[⑮]？想当初羲献薪传，[⑯]喜今朝桃李千千[⑰]。梦里临川，[⑱]醉里青莲，[⑲]曲里神仙。[⑳]

（二）

无论是旦行生行，未学排场，先学俞腔。[㉑]趋舍[㉒]行藏[㉓]，浩然无挡，掷地铿锵。愁煞人荡气回肠，喜煞人满座春阳[㉔]。一曲泱泱[㉕]，九畹芬

芳，滋树无疆。㉖

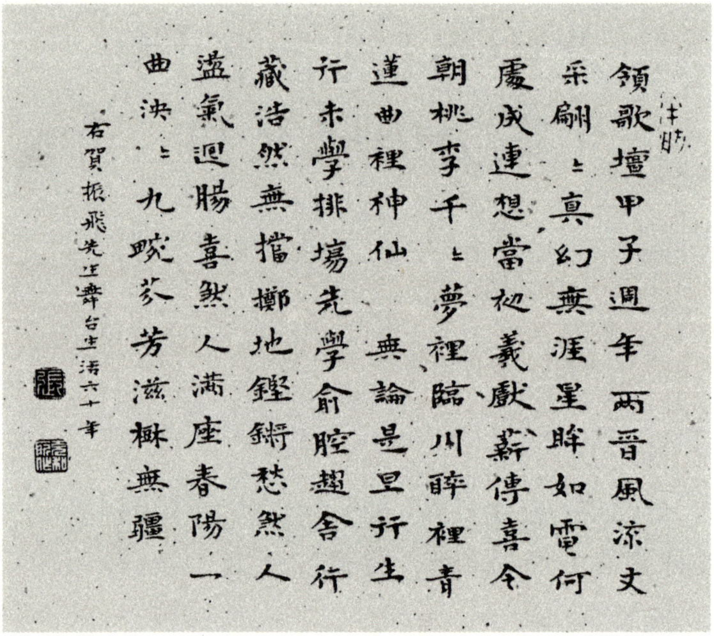

注释：

① 据唐葆祥《俞振飞传》附录《俞振飞诗词选》（上海文艺出版社 1997 年版）。1979 年，张充和闻知国内将举行俞振飞舞台生活六十年纪念活动，遂赋【折桂令】散曲两支，以为祝贺。俞老捧读之余，深感故人挚情，乃作此曲奉答。

迎仙客：词牌、曲牌名。曲牌属北曲中吕宫。全曲七句、五韵，定格为三、三、七、三、三、四、五。

张充和（1913—2015）：美籍业馀昆曲唱家、书法家。字季充，祖籍合肥。年十五，从笛师李荣圻度曲，习旦。北京大学中文系求学期间，曾参加谷音社等曲会活动，并发表散文、小说、诗词。抗战时期从事古典音乐和昆曲曲谱研究，并师从沈尹默研习书法。业余参加重庆、成都曲社清唱、彩爨演出，代表剧目有《游园惊梦》、《断桥》、《思凡》、《刺虎》等。胜利后参加沪、苏曲会活动，遍请昆曲师友题字，辑为《曲人鸿爪》三集。有“最后一位民国才女”之誉。后移居美国，先后在哈佛、耶鲁等二十多所大学执教，传授昆曲和书法艺术。著有《张充和手抄昆曲谱》、《桃花鱼》(中英文诗集)等。

② 素书：书信。古代用绢帛书写文章、书信，故称。汉蔡邕《饮马长城窟行》诗："客从远方来，遗我双鲤鱼。呼儿烹鲤鱼，中有尺素书。"

③ 艳曲：这里指昆曲。

④ 江东：这里泛指昆曲较为流行的江浙地区。详见《寄语台湾诸曲友》注⑦。

⑤ "更羡你集嘉宾弦歌共"句：张充和旅美期间，积极传播和推广昆曲艺术。并于1988年12月，成立美国纽约海外昆曲研习社，亲任艺术总监。致力于昆曲研究和宣传，每年举行会唱、演出。

⑥ 黄发碧瞳：美国纽约海外昆曲研习社中，不乏外国友人研习昆曲。同时，张充和丈夫傅汉思(Hans H. Frankel)系德裔美籍汉学家，亦能歌昆曲，经常习唱《长生殿·弹词》之【一枝花】等。

⑦ 魏梁馀韵：泛指昆曲艺术。魏梁：指明代戏曲音乐家魏良辅和明戏曲作家梁辰鱼。详见《寄语台湾诸曲友》注②。馀韵：遗留下来的韵致。宋欧阳修《岘山亭记》："至于流风馀韵，蔼然被于江汉之间者，至今人犹思之。"

⑧ 三弄：琴曲《梅花三弄》以泛声演奏主调，并以同样曲调在不同徽位上重复三次，故称为《三弄》。明杨抡《伯牙心法》："三弄之意，则取泛音三段，同弦异徽云尔。"这里是反复弹奏的意思。

⑨ 见书迹影印件，《西泠印社2016年春季拍卖会图录》。

⑩ "领歌坛甲子周年"句：指俞振飞从事昆曲演艺事业已六十周年。甲子周年：六十年。详见《陆兼之〈松老菊香俞振飞〉书后》注④。

⑪ "两晋风流"句：东、西晋时期，士子们崇尚自然，超然物外，率真任诞，风流自赏。这里喻指俞振飞儒雅风流的表演风格。

⑫ "文采翩翩"句：称誉俞振飞精工京昆表演艺术之外，又擅书画诗词。

⑬ 真幻：或真或假。

⑭ "星眸如电"句：形容俞振飞表演时双目炯炯有神。星眸：明亮的目光。唐章孝标《鹰》诗："星眸未放瞥秋毫，频掣金铃试雪毛。"如电：形容目光犀利。

⑮ 成连：春秋时著名琴师。唐吴兢《乐府古题要解·水仙操》载：伯牙曾学琴于成连，三年未能精通。成连因与伯牙同往东海中蓬莱山，使闻海水澎湃、林鸟悲鸣之声。伯牙叹曰："先生将移我情。"从而得到启发，琴艺大进，终于成为天下妙手。元耶律楚材《鼓琴》诗："清兴腾八表，成连何必寻。"

⑯ "想当初羲献薪传"句：1922 年 2 月，俞振飞参加"江浙名人会串"，演出《狮吼记·跪池》、《雷峰塔·断桥》、《连环记·小宴》、《牡丹亭·游园惊梦》诸剧，所得款项悉数捐赠昆剧传习所。薪传：传火于薪，前薪尽，火又传于后薪，辗转相传，火终不灭。比喻学术道业由师生递相传授。语出《庄子·养生主》："指穷于为薪，火传也，不知其尽也。"

⑰ 桃李千千：喻指俞振飞培育众多的学生。桃李：桃树和李树。《韩诗外传》卷七："夫春树桃李者，夏得阴其下，秋得食其实。"后遂以"桃李"比喻栽培的后辈和所举荐的人才。

⑱ "梦里临川"句：指俞振飞擅演汤显祖所著《牡丹亭》、《邯郸记》等剧。临川：即明朝著名戏剧家汤显祖。所著《紫钗记》、《南柯记》、《邯郸记》、《紫钗记》等传奇剧本，都有描写梦境的情节，故称"四梦"。临川是其故乡，即今江西省临川市。旧时多以出生地指代某人，以示尊敬。

⑲ "醉里青莲"句：指俞振飞擅演《太白醉写》一剧。青莲：李白号青莲居士。

⑳ "曲里神仙"句：俞振飞生于清光绪二十八年（1902）农历六月初十一日，是日俗传为翼宿星君（即梨园祖师"老郎菩萨"）生日，因有称先生乃星宿下凡者。

㉑ "无论是旦行生行，未学排场，先学俞腔"句：指俞粟庐、俞振飞父子两代创立的"俞家唱"，业已成为昆曲界各个行当，特别是小生行习唱的圭臬。排场：身段表演。清曹雪芹《题敦诚〈琵琶行传奇〉》诗："白傅诗灵应喜甚，定教蛮素鬼排场。"

㉒ 趋舍：指举止，行为。《淮南子·俶真训》："夫趋舍行伪者，为精求于外也。"宋王安石《扬雄》诗："趋舍迹少迩，行藏意终邻。"

㉓ 行藏：语本《论语·述而》："用之则行，舍之则藏。"后因以"行藏"指出处或行止。唐岑参《武威送刘单判官赴安西行营便呈高开府》诗："功业须及时，立身有行藏。"

㉔ 春阳：春天的阳光。汉荀悦《申鉴·杂言上》：“喜如春阳，怒如秋霜。”

㉕ 泱泱：形容声音婉转不绝。唐皎然《风入松》诗：“夜未央，曲何长，金徽更促声泱泱。”

㉖ “九畹芬芳，滋树无疆”句：喻指培育更多的昆曲事业接班人。语见《楚辞·离骚》：“余既滋兰之九畹兮，又树蕙之百亩。”后以“九畹”作为兰花的典实，这里代指昆曲。滋：培植。树：栽种。无疆：无穷。疆：止境。

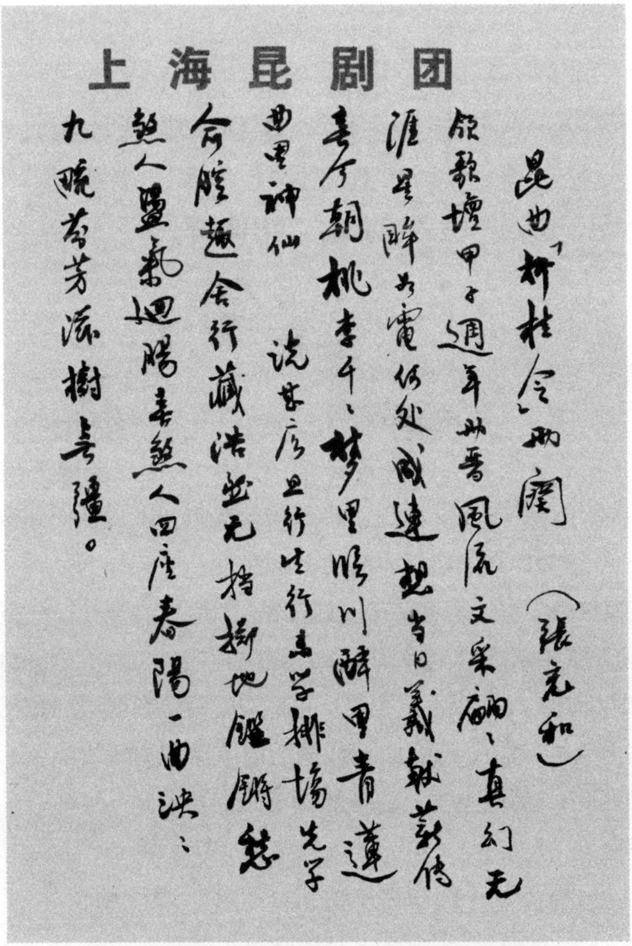

俞振飞书录张充和【折桂令】(与原作略有出入)

柳梢青 · 新年颂词[1]

一九八零年一月

万类[2]欣欣，八十年代，第一新春。歌舞风姿，虹霓气概，[3]冰雪精神。[4]　　长征路上千军，欢跃处、驱鞍驾轮[5]。楚尾吴头，[6]天空海阔，飞出朝暾[7]。

注释：

① 据俞振飞寄关大棠诗稿影印件。

柳梢青：词牌名。有平仄韵两体，双调四十九字或五十字。平韵体又名《早春怨》、《云淡秋空》、《雨淡云霄》，上片六句两平韵或三平韵，下片六句三平韵。仄韵体名《陇头月》，上片六句三仄韵，下片六句两仄韵。

② 万类：万物，常指自然界有生命的东西。

③ “虹霓气概”句：形容精神极其崇高，气概极其豪壮。虹霓：雨后或日出、日没之际天空中所现的七色圆弧。虹霓常有内外二环，内环称虹，也称正虹、雄虹。外环称霓，也称副虹、雌虹。旧时以虹霓色彩艳丽，比喻人的藻绘。

④ “冰雪精神”句：形容心地纯净洁白或操守清正贞洁。

⑤ 驱鞍驾轮：策马驱驰。这里喻指前进、奔腾。

⑥ “楚尾吴头”句：又作“吴头楚尾”。古豫章（今江西南昌）一带位于楚地下游、吴地上游，犹如首尾衔接，故称。亦泛指长江中下游一带地方。见宋洪刍《职方乘》、宋祝穆《方舆胜览》。

⑦ 朝暾（tūn）：初升的太阳。亦指早晨的阳光。

挽梅嫂福芝芳夫人[①]

一九八零年一月

五十年前始揖梅，[②]艳传[③]中馈[④]志奇恢[⑤]。
相夫[⑥]誉坛[⑦]东西域，教子[⑧]群成琬琰[⑨]材。
劫尽苍黄[⑩]瞻丽日，感深嘘拂[⑪]到寒荄[⑫]。
馨香[⑬]欲荐南云外，缀玉轩[⑭]遥雪涕[⑮]哀。

注释：

① 据俞振飞寄关大棠诗稿影印件。

福芝芳（1905—1980）：梅兰芳夫人。早年习八角鼓，后师从吴菱仙学习京剧旦角，曾与李桂芬演出《桑园会》、《武家坡》、《二进宫》、《三娘教子》等剧。1921 年与梅兰芳成婚后，生育五男四女，仅存葆琛、葆珍（绍武）、葆玥、葆玖四人。操持家务，抚育子女，并精心保存有关梅兰芳的剧本、曲谱、戏服、文稿等。1980 年 1 月 29 日，因脑中风病逝于北京。

② “五十年前始揖（yī）梅”句：意指自己很早即与梅兰芳相识订交。揖：古代的拱手礼。引申为交往。

③ 艳传：盛传。

④ 中馈（kuì）：《易·家人》：“无攸遂，在中馈。”原谓家中供膳诸事。引申指妻室。

⑤ 奇恢：又作“恢奇”。犹言魁奇。杰出，不平常。《史记·平津侯主父列传》：“（公孙）弘为人恢奇多闻。”

⑥ 相夫：辅助丈夫。

⑦ 抎（yǔn）：敲击，发声。

⑧ 教子：教育孩子。

⑨ 琬琰（wǎn yǎn）：美玉。比喻品德或文辞之美。该句喻指梅氏子女皆有所成就：葆琛为建筑工程师，著有《怀念父亲梅兰芳》（中国社会出版社 1994 年版）；葆珍（绍武）为外国文学研究员，著有《我的父亲梅兰芳》（百花文艺出版社 1984 年版）等；葆玥为京剧女老生；葆玖为京剧青衣，致力于梅派艺术的传承发扬。

⑩ 苍黄：本指青色和黄色。《墨子・所染》："见染丝者而叹曰：'染于苍则苍，染于黄则黄。'"后因以"苍黄"比喻事物变化不定，反复无常。

⑪ 嘘拂：关心，照顾。

⑫ 寒荄（gāi）：枯草的根。南朝梁沈约《愍衰草赋》："憔悴荒径中，寒荄不可识。"这里是作者自喻。

⑬ 馨香：指用作祭品的黍稷。《左传・僖公五年》："若晋取虞，而明德以荐馨香，神其吐之乎？"亦谓祷祝时心诚意切。

⑭ 缀玉轩：梅兰芳书斋名。

⑮ 雪涕：擦拭眼泪。《列子・力命》："公雪涕而顾晏子。"亦指晶莹的泪珠。

武汉京剧团成立三十周年祝词[1]

一九八零年一月

韶华[2]三十正青春，美誉喧腾[3]汉水[4]滨。

宝焰莲花[5]呈异彩，香囊麟角[6]说前因。

金猴赫赫[7]开重宇，赤兔萧萧[8]拂战尘。

历数[9]歌坛诸杰构，红氍毹[10]畔展颜频。

注释：

① 据唐葆祥《俞振飞传》附录《俞振飞诗词选》（上海文艺出版社 1997 年版）。

武汉京剧团：原为成立于 1950 年 1 月的中南京剧工作团，周信芳任总团长。1952 年 9 月改现名，高百岁任团长。主要演员有陈鹤峰、高盛麟、郭玉昆、杨菊平、李蔷华、关正明、高维廉、陈瑶华、董俊峰、叶盛茂、高世泰、李正福等。主要剧目有《追韩信》、《徐策跑城》、《走麦城》、《挑滑车》、《闹天宫》、《亡蜀鉴》、《宋江题诗》、《三打祝家庄》、《兄妹开荒》、《红军远征》、《豹子湾战斗》、《党的女儿》等。

② 韶华：美好的年华、时光。

③ 美誉喧腾：声名远扬。美誉：好声誉。

④ 汉水：一名汉江。长江最大的支流。东南流经陕西省南部、湖北省西北部和中部，在武汉市入长江。

⑤ 指《宝莲灯》一剧。剧叙华山三圣母与书生刘彦昌相爱成婚，生子沉

香。二郎神杨戬以圣母触犯天条，将其压于华山下。后沉香长大习艺，刀劈华山，救出圣母。

⑥ 指《锁麟囊》一剧。剧叙富家女薛湘灵出嫁日，慨将锁麟囊相赠贫女赵守贞。后因大水，湘灵与家人失散，受雇于卢府为佣。后始知真相，彼此相认。又寻得湘灵家人，阖家团圆。

⑦ 指《十八罗汉斗大鹏》一剧。剧叙唐僧师徒取经途中，行至狮驼岭，大鹏、青狮、白象兴妖作怪，唐僧、八戒被擒。悟空往求如来，得遣十八罗汉与众妖鏖战，妖怪终被收服。

⑧ 指《走麦城》一剧。剧叙魏、吴合兵，夹攻荆州。关羽轻敌，撤去人马，往攻樊城。吕蒙乘虚袭取，蜀将糜芳、傅士仁降吴，关羽败退麦城，后中伏遇害。

⑨ 历数：一件一件地列举。

⑩ 氍毹（qú shū）：一种毛织或羊毛与其他材料混织的有图案花纹的毯子，可用作地毯、壁毯、帘幕等。旧时演剧时用红色的氍毹铺地，有保护行头、确定表演区域等作用，因此用为歌舞场、舞台，或是演出的代称。

八十抒怀[①]

一九八零年四月

余从事戏曲工作虽经六十年，而于艺术精深之谛，犹未窥见，业绩所不敢言。因赋一章，以自策励[②]。

侧立歌坛甲子[③]巡[④]，繁弦急管[⑤]海天晨。
古香新艳[⑥]心同折，魏曲梁词[⑦]韵尚真。
万卷积山但初学，千花凝彩犹稚春[⑧]。
朝阳灿灿征途远，八十还当续问津[⑨]。

注释：

① 据书迹影印件，另有“一九八零四月，俞振飞时年七十有九”等款识。诗题系编者所拟。

② 策励：鞭策，勉励。

③ 甲子：六十年。详见《陆兼之〈松老菊香俞振飞〉书后》注④。

④ 巡：遍。《左传·桓公十二年》：“三巡数之。”杜预注：“巡，遍也。”

⑤ 繁弦急管：形容乐曲的节拍急促，音色丰富。弦：弦乐器。管：管乐器。唐白居易《忆旧游·寄刘苏州》诗：“修蛾慢脸灯下醉，急管繁弦头上催。”

⑥ 古香新艳：喻指昆曲这株幽兰日益焕发出新的光彩。

⑦ 魏曲梁词：指经明代戏曲音乐家魏良辅革新后的昆山腔和明戏曲作家梁辰鱼创制传奇剧本的《浣纱记》。详见《寄语台湾诸曲友》注②。

⑧ 稚春：初春。

⑨ 问津：寻访，探求。这里指继续努力。

书赠《解放日报》[①]

一九八零年四月

余自习曲登场，忽忽已六十年于兹[②]。承党和人民深切关怀，在沪举行纪念活动。俯仰[③]平生，汗颜[④]何似。赋此一律，藉表感愧之心，并以自勉云尔[⑤]。

一身喜在百花中，八十衰年头未童[⑥]。
劫后犹能承雨露[⑦]，人前偶或抚丝桐[⑧]。
光风霁月[⑨]湖山曙，美景良辰[⑩]海宇同。
老兴婆娑[⑪]心激荡，长征[⑫]愿唱大江东[⑬]。

注释：

① 据书迹影印件，《解放日报》1980 年 4 月 15 日。另有“一九八〇年四月，俞振飞书赠解放日报”等款识。唐葆祥《俞振飞传》附录《俞振飞诗词选》（上海文艺出版社 1997 年版），题为“自勉诗”；《人民日报》1980 年 4 月 26 日转载该诗，题作“自勉”。现据手迹改。

《解放日报》：抗日战争和解放战争时期中共中央机关报。1941 年 5 月 16 日在延安创刊，毛泽东题写报头。1949 年 5 月 28 日起，成为中共上海市委机关报。

② 于兹：犹言当今。

③ 俯仰：回顾。

④ 汗颜：脸上出汗。唐韩愈《祭柳子厚文》：“不善为斫，血指汗颜。”

后常用来表示羞愧的意思。

⑤ 云尔：语气助词，用在句末。

⑥ 童：秃。这里指人老。

⑦ 雨露：比喻党的恩泽。

⑧ 丝桐：琴。古代琴多用桐木制成，上安丝质琴弦，故称。汉王粲《七哀诗》：“丝桐感人情，为我发悲音。”这里指代舞台演出。

⑨ 光风霁月：雨过天晴时的明净景象。用以比喻太平时世。

⑩ 美景良辰：美好的景物和时光。南朝宋谢灵运《拟魏太子邺中集诗序》：“天下良辰、美景、赏心、乐事，四者难并。”

⑪ 老兴婆娑：喻指虽已年老，但是兴致高涨。婆娑：盘旋，徘徊。

⑫ 长征：“文革”结束后，社会主义建设事业翻开新的一页，称之为“新的长征”。

⑬ 大江东：昆曲《单刀会·刀会》中，关羽所唱【新水令】曲中有“大江东去浪千叠，趁西风驾着这小舟一叶。才离了九重龙凤阙，早来探千丈虎狼穴。大丈夫心烈，大丈夫心烈，觑着那单刀会赛村社”诸句。曲辞豪迈，声情激越。作者借以表达继续努力，贡献馀热之情。

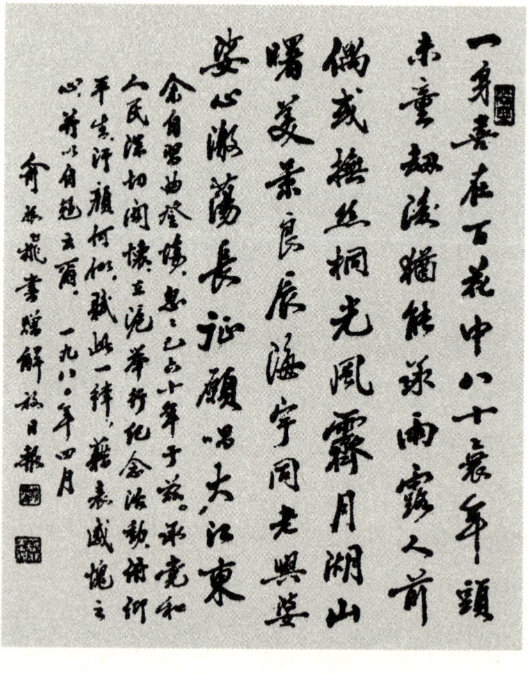

逢　　辰[①]

一九八零年四月

卅年[②]旧唱卅年新，弹指[③]匆匆甫八旬。
浩劫[④]成尘驱鬼蜮[⑤]，光风转蕙[⑥]重经纶[⑦]。
千军共奏长征乐，四化方瞻大地春。
莫笑苍颜歌不已，身沾雨露又逢辰。

注释：

① 据唐葆祥《俞振飞传》附录《俞振飞诗词选》（上海文艺出版社 1997 年版）。

② 卅（sà）年：指 1949 年迄今，昆曲事业得以复兴、发展的三十年。

③ 弹指：捻弹手指作声。比喻时间短暂。《翻译名义集·时分》："《僧祇》云，二十念为一瞬，二十瞬名一弹指。"

④ 浩劫：大的灾难。这里指十年"文革"。清赵翼《焦山江上》诗："终然浩劫入沧桑，纵有赤心天不谅。"

⑤ 鬼蜮（yù）：鬼和蜮都是暗中害人的精怪。《诗·小雅·何人斯》："为鬼为蜮，则不可得。"后以"鬼蜮"比喻用心险恶、暗中伤人者。

⑥ 光风转蕙：《楚辞·招魂》："光风转蕙，泛崇兰些。"王逸注："光风，谓雨已日出而风，草木有光也。"意即雨止日出时的和风。转蕙：蕊花摇曳。清方文《元旦试笔》诗："河边淑气微微动，渐有光风转蕙兰。"

⑦ 经纶：整理丝缕、理出丝绪和编丝成绳之统称。引申为处理国家大事。《礼记·中庸》："惟天下至诚，为能经纶天下之大经。"

述怀两首，寄台湾文艺界诸友好[①]

一九八零年五月

（一）

我似衰杨遇好春，[②]操持中馈有新人。[③]
欣然一啸梁尘[④]落，错认秦青[⑤]未老身。

（二）

湖山信美[⑥]足优游[⑦]，觞咏[⑧]不须计白头。
欲问南天诸旧雨[⑨]，何时同拍唱梁州[⑩]。

注释：

① 据姚基、吴军主编《神州吟——海峡两岸唱和诗词选》（中国广播电视出版社 1983 年版），题作《述怀》。唐葆祥《俞振飞传》附录《俞振飞诗词选》（上海文艺出版社 1997 年版），题为《述怀两首，寄台湾文艺界诸友好》，兹从之。

② “我似衰杨遇好春”句：唐著为“我以衰杨遇好春”。

③ “操持中馈有新人”句：喻指粉碎“四人帮”以后，国家有了新的领导人，从而各项事业蓬勃发展。中馈：《易·家人》：“无攸遂，在中馈。”原谓家中供膳诸事。这里引申为党中央。

④ 梁尘：比喻嘹亮动听的歌声。《太平御览》卷五七二引汉刘向《别

录》："汉兴以来，善歌者鲁人虞公，发声清哀，盖动梁尘。"南朝宋鲍照《学古》诗："调弦俱起舞，为我唱梁尘。"

⑤ 秦青：古时善歌者。《列子·汤问》："薛谭学讴于秦青，未穷青之技，自谓尽之，遂辞归。秦青弗止，饯于郊衢，抚节悲歌，声振林木，响遏行云。薛谭乃谢求反，终身不敢言归。"

⑥ 信美：确实很好。汉王粲《登楼赋》："虽信美而非吾土兮，曾何足以少留！"

⑦ 优游：悠闲，闲暇自得貌。《诗·大雅·卷阿》："优游尔休矣。"

⑧ 觞咏：语本晋王羲之《兰亭集序》："一觞一咏，亦足以畅叙幽情。"后以"觞咏"谓饮酒赋诗。

⑨ 旧雨：唐杜甫《秋述》："常时车马之客，旧，雨来；今，雨不来。"谓旧时宾客遇雨也来，而现在遇雨就不来了。后因以"旧雨"为老朋友的代称。

⑩ 梁州：唐教坊曲名（或称"凉州曲"）。唐顾况《李湖州孺人弹筝歌》："独把《梁州》凡几拍，风沙对面胡秦隔。"本为大曲，词调摘取其中一段用为小令，故名《梁州令》。另南北曲曲牌亦有《梁州令》，均属正宫。南曲用作引子，北曲仅见于诸宫调。这里泛指昆曲。

卜算子·赵朴初先生赠词，依韵奉和乞正[①]

一九八零年五月

余自习曲登场，忽忽已六十年于兹。承朴初先生书赠《卜算子》一首，心感之馀，汗颜何似。今依原韵奉和，敬乞教正是幸。

故事赵饴山[②]，击节[③]《长生殿》[④]。不是稗畦[⑤]绝妙词[⑥]，
爨弄[⑦]何须看。　　弹指[⑧]二十年，盛会堪同念。请赋湖山
曙色新，纵笔凌云健！[⑨]

附录一：

卜算子·为俞振飞舞台生活六十年作

赵朴初

二十年前，在北京人民大会堂观振飞同志演《唐明皇哭像》[⑩]，声容之妙，至今不能忘。是夕未演出前，有友人因事欲行。梅兰芳同志留之云："此戏不可不看！"顷闻上海文艺界有庆祝振翁舞台生活六十周年之盛会，欣作此词寄意，并希雅正。一九八零年三月。

忆昔玉堂[11]中，观演《长生殿》。隔座梅翁郑重言：好戏君须看！妙艺世无伦，梦寐时时念。儒雅风流[12]可得传？为祝身长健！

注释：

① 据书迹影印件，岳美缇《赵朴初俞振飞唱和词》(《艺术世界》1981年第3期)，另有“庚申四月，俞振飞时年七十有九”等款识。词题据俞振飞寄关大棠词稿影印件补录。唐葆祥《俞振飞传》附录《俞振飞诗词选》(上海文艺出版社 1997 年版)，题作“和赵朴初”。其中“爨弄”作“吹弄”，“妙艺”作“好艺”等，今皆据手稿改正。赵词词题据《赵朴初韵文集》(上海古籍出版社 2003 年版)。

卜算子：词牌、曲牌名。又名《缺月挂疏桐》、《百尺楼》、《眉峰碧》等。《词律》以为取义于“卖卜算命之人”，双调四十四字，上下片各两仄韵。以苏轼《黄州定惠院寓居作》、陆游《咏梅》等颇著名。另有《卜算子慢》，八十九字或九十三字。曲牌属南曲仙吕宫，字数与词牌半阕同，用作引子。

赵朴初(1907—2000)：安徽太湖人。社会活动家、宗教领袖、诗人、书法家。东吴大学肄业。曾任上海佛教会主任秘书、上海慈联会救济战区难民委员会常委兼难民收容股主任、上海净业教养院院长。参与发起组织中国民主促进会。1949 年后，历任华东军政委员会民政部副部长兼生产救灾委员会副主任，中国佛教协会秘书长、副会长、会长，中国书法家协会副主席，中国人民保卫儿童全国委员会副主席，中国人民争取和平与裁军协会副会长，中日友好协会副会长，全国政协副主席，民进中央副主席，中央参议委员会主席。长期从事佛学研究，擅长诗词、书法，著有《滴水集》、《片石集》、《佛教常识问答》、《赵朴初韵文集》等。

② 赵饴山(1662—1744)：即清诗人赵执信。字伸符，号秋谷、饴山，山东益都(今青州)人。康熙进士，官右赞善。因在佟皇后丧期内观看《长生殿》被革职。所谓“可怜一曲《长生殿》，断送功名到白头”，即咏其事。他是王士禛的甥婿，论诗意见与之不合，作《谈龙录》，对“神韵说”深表不满。诗主峻刻，著有《饴山堂集》、《声调谱》等。

③ 击节：打拍子。晋左思《蜀都赋》：“巴姬弹弦，汉女击节。”节：一种竹制乐器。后也用其他器物或拍掌来替代，即点拍。并以形容对别人诗文

或艺术的赞赏。

④《长生殿》：清洪昇所作传奇剧本。写唐明皇宠幸杨贵妃，任杨兄国忠为相，政治腐败。导致安禄山作乱，进攻长安，明皇出逃。行至马嵬坡时，将士愤慨，杀死国忠，并迫贵妃自缢。明皇退居上皇，追念不已，后重会天上。昆曲《定情》、《赐盒》、《惊变》、《埋玉》、《闻铃》、《迎像》、《哭像》、《弹词》等折皆出于该剧，盛演不衰。

⑤稗畦（bài qí）：洪昇（1645—1704）号“稗畦”（一作稗村），字昉思，又号南屏樵者。浙江钱塘（今杭州）人，清著名戏曲作家，康熙二十八年（1689）因所著传奇《长生殿》适在佟皇后丧葬期间演出，触犯禁忌，革除国子监生籍。后漫游江南，在吴兴酒醉落水而死。所作尚有传奇《回文锦》、《回龙院》、《闹高唐》等，均不存。杂剧尚存《四婵娟》一种。诗集有《稗畦集》、《稗畦续集》和《啸月楼集》。

⑥绝妙词：南朝宋刘义庆《世说新语·捷悟》：“魏武尝过曹娥碑下，杨修从。碑背上见题作‘黄绢幼妇外孙齑臼’八字。魏武谓修曰：‘解不？’……修曰：‘黄绢，色丝也，于字为绝；幼妇，少女也，于字为妙；外孙，女子也，于字为好；齑臼，受辛也，于字为辞。所谓绝妙好辞也。’”这里形容《长生殿》剧本文辞优美。

⑦爨（cuàn）弄：金元时院本的别称。元陶宗仪《辍耕录·院本名目》：“院本则五人，一曰副净，古谓参军；一曰副末……一曰引戏，一曰末泥，一曰孤装。又谓之五花爨弄。”后泛指演剧。明汤显祖《邯郸记·合仙》：“高歌踏踏春，爨弄的随时诨。”

⑧弹指：比喻时间短暂。详见《逢辰》注②。

⑨“纵笔凌云健”句：唐杜甫《戏为六绝句》其一：“庾信文章老更成，凌云健笔意纵横。”凌云：直上云霄，比喻志趣高迈或意气昂扬。

⑩《唐明皇哭像》：即昆曲《长生殿·迎像哭像》一折。叙唐明皇避乱入蜀，传位太子，改称上皇。因悼念杨贵妃，敕建祠庙，用旃檀香木雕成妃子生像，并迎进宫来，亲送入庙供养。回忆旧情，无限感伤，恸哭不已。

⑪玉堂：汉宫殿名。亦为宫殿的美称。此指人民大会堂。

⑫儒雅风流：文雅而飘逸。唐杜甫《咏怀古迹》其二：“摇落深知宋玉悲，风流儒雅亦吾师。”这里则指俞振飞所创造的具有浓郁“书卷气”的表演风格。

附录二：

赵朴初俞振飞唱和词

岳美缇

去年三月，赵朴初先生送给我们俞老师这阕《卜算子》词：“（略）。”词后还有一段跋文：“（略）。”

那一年，国庆十周年盛典，俞老师进京演出《墙头马上》，作为献礼。演出结束后，周恩来总理要求在大会堂的小礼堂内，再演一场传统折子戏，并亲自点了俞老师的《长生殿·哭像》。那天，周总理和中央许多领导同志及梅兰芳、夏衍等前辈艺术家都来观看、欣赏品味。演毕，满场掌声，久久不已。

要说《哭像》的剧情，简单已极。唐代安史之乱平定以后，太上皇李隆基在西蜀成都，追念缢死在马嵬坡的贵妃杨玉环，用名贵的檀香木雕成人像，迎进专祠供奉。整出戏就写唐明皇在“迎像”和“哭像”仪式中的悲伤怀念之情。剧本的文学性极高，排场的层次分明而细致；曲词典雅、朴素，特别是刻画人物的内心活动，步步深入，到了屈曲洞达的妙境。

俞老师对这出戏，下过几十年功夫，一句念白，一个唱腔，都从典型环境中的典型人物出发，有其独特的创造。整套曲子，十几个曲牌，一气呵成，声情并茂，唱出了往日欢娱和眼前凄凉的不同感情，唱出了心灵深处埋藏了多年的追悔、内疚和哀伤，直唱得承值左右的内侍、宫娥们纷纷落泪，甚至连无生命的木雕像也好似盈盈雪涕！当初俞老师的父亲粟庐老先生强调唱曲要唱曲情，否则只能称为“叫曲”。俞老师正是用他卓越的歌场艺术，塑造了一个动人心魄的舞台形象。所以梅兰芳先生说“此戏不可不看”！当时，我还是个不足二十岁的青年，有幸观摩了这出杰作，深深地被感染了，被征服了！今天读到赵先生的词句，使我脑海中清晰地重现了当时的感人景象。

俞老师在他舞台生活六十周年纪念之日，接到赵先生这首词，幸喜“史无前例”的十年过去了，知音者寄赠佳作，重提往事，不禁感奋交并，立即乘兴用原韵和了一阕：“（略）”。

和词中的赵饴山，是特别欣赏《长生殿》的清初诗人赵执信（字秋谷），稗畦则是原剧作者洪昇（字昉思）。运用典实，十分贴切。二老神交，千里唱酬，为艺坛留下了这段佳话。二老均擅书法，赵工苏体，俞则根柢北碑，从他们手书的词幅上，我更多地获得了向前辈学习文学艺术的机会。

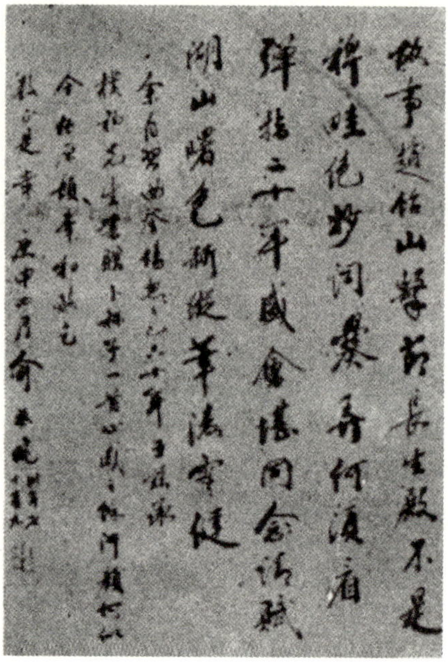

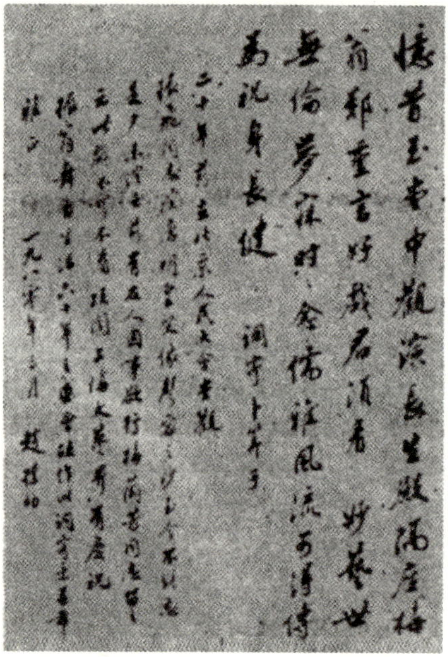

顾炳鑫君为刘觉同学写《西厢记·惊艳》剧影，率题[①]

一九八零年六月

艳影惊鸿[②]恍入眸，长康[③]笔底得风流。
琳宫梵宇[④]神仙境，平视[⑤]有人倘姓刘。

注释：

① 据俞振飞寄关大棠诗稿影印件。

顾炳鑫（1923—2001）：连环画、中国画家。上海宝山人。曾任上海人民美术出版社连环画创作室副主任、上海大学美术学院国画系主任。采用单线、黑白、钢笔画、铅笔画、中国水墨画等技巧，开辟连环画创作多样化的道路。出版有连环画《列宁在十月》、《英雄小八路》、《渡江侦察记》、《红岩》，木刻插图《药》、《阿Q正传》，以及《顾炳鑫画集》等。

刘觉（1940—　）：越剧小生，国家一级演员。江苏苏州人。1954年考入华东戏曲研究院越剧演员训练班（上海市戏曲学校越剧班前身），工小生。由竹芳森、魏凤娟、项彩莲、吕云甫诸师启蒙，并随昆剧“传字辈”沈传芷学习。后进入上海越剧院，师承徐（玉兰）派，曾参加梅兰芳主持的“表演艺术研究班”进修学习。主演《西厢记》、《彩楼记》、《盘夫索夫》、《桃李梅》、《三月春潮》、《鲁迅在广州》等，表演细腻，具有书卷气。曾任上海越剧院副院长。

《西厢记·惊艳》：剧叙西洛书生张君瑞游学，偶过普救寺，遂作一游。

适崔相国夫人护送灵柩返乡，暂居寺内。得遇其女莺莺小姐，惊其美貌，乃借寓西厢。

率题：谦辞。随便题写。

② 惊鸿：惊飞的鸿雁。喻指体态轻盈的美女。三国曹植《洛神赋》："翩若惊鸿，婉若游龙。"这里指剧中的崔莺莺。

③ 长康：东晋著名画家顾恺之（约 345—409），字"长康"。晋陵无锡（今属江苏）人。工诗赋、书法，尤精绘艺，多作人物肖像及神仙、佛像、禽兽、山水等。画人注重点睛，自云"传神写照，正在阿堵中"。其画笔迹周密，紧劲连绵如春蚕吐丝，号为"密体"。存世的《女史箴图》传为早期摹本，所传《洛神赋图》或为宋人所作。这里喻指顾炳鑫。

④ 琳宫梵宇：仙宫，亦指道院、佛寺。这里指普救寺华美的佛堂。

⑤ 平视：正视，直视。《三国志・魏志・刘桢传》："桢以不敬被刑。"裴松之注引《典略》："太子（曹丕）尝请诸文学，酒酣坐欢，命夫人甄氏出拜，坐中众人咸伏，而桢独平视。"该句称誉刘觉的表演。

缅怀程砚秋同志[①]

一九八零年六月

绝艺当年享盛名，繁弦急管[②]播秋声[③]。
扬舲海上霏珠玉，[④]执耜山中效耦耕。[⑤]
白首襟期[⑥]同啸傲[⑦]，素心[⑧]交谊感平生。
御霜[⑨]标格[⑩]今安在？垂老[⑪]更知惜旧盟。

注释：

① 据俞振飞《御霜簃的人品和戏品》,《御霜实录——回忆程砚秋先生》（文史资料出版社 1982 年版）。

② 繁弦急管：形容乐曲的节拍急促，音色丰富。详见《八十抒怀》注⑥。

③ 秋声：1923 年 10 月，程砚秋首次来沪演出。袁伯夔持赠一联：“艳色天下重，秋声海上来。”悬诸舞台两侧。1937 年 4 月，程砚秋组建秋声社。一般以“秋声”指代程派声腔。

④ “扬舲（líng）海上霏珠玉”句：指程砚秋首次来沪演出即获得各界好评，佳誉如潮。扬舲：犹扬帆。唐杜甫《别蔡十四著作》诗：“扬舲洪涛间，仗子济物身。”舲：有窗户的小船，泛指船。海上：即上海。霏：纷纷，形容极其多。珠玉：指代好评。

⑤ “执耜（sì）山中效耦（ǒu）耕”句：抗日军兴，程砚秋在北平失陷后，屡次拒绝为敌伪演出，并息影舞台，在京郊青龙山从事农业生产，直至

抗战胜利。执耜：指代耕种。耒耜是古代用来耕地翻土的农具，耜则是耒耜的铲，直接作用于土壤，形似后来的锸。耦耕：两人并肩而耕。后亦泛指农事或务农。《礼记·月令》：“（季冬之月）命农计耦耕事，修耒耜，具田器。”

⑥ 襟期：襟怀，志趣；犹心期。指人与人之间的相互期许。

⑦ 啸傲：谓言动自在，旷达无检束。晋陶潜《饮酒》诗：“啸傲东轩下，聊复得此生。”

⑧ 素心：纯洁的心地。南朝宋颜延之《陶徵士诔》：“弱不好弄，长实素心。”

⑨ 御霜：程砚秋原号“玉霜”，后改为“御霜”。

⑩ 标格：犹风范、风度。唐杜甫《奉赠李八丈判官曛》诗：“早年见标格，秀气冲星斗。”

⑪ 垂老：将近老年。唐杜甫《垂老别》诗：“四郊未宁静，垂老不得安。”

湖北省京剧团建立十周年纪念[①]

一九八零年九月

十年勤创业，艺苑出新声。
皎皎长江月，芊芊[②]鄂渚[③]英。
管弦传蜜意，忠烈见豪情。[④]
后继添群秀，铙歌[⑤]续远征。

注释：

① 据俞振飞寄关大堂诗稿影印件。

湖北省京剧团：始建于 1970 年 9 月，以原湖北省戏曲学校京剧科毕业生为主体，主要演员有陈鹤峰、贺玉钦、杨玉华、云艳霞、李炳南等老艺人，以及杨至芳、李春芳、朱世慧等。创作并演出《一包蜜》、《徐九经升官记》、《药王庙传奇》、《膏药章》、《洪荒大裂变》、《法门众生相》等新剧目，好评如潮，多次获得国家级大奖。1998 年，更名为湖北省京剧院。

② 芊芊：草木茂盛的样子。《列子・力命》："美哉国乎，郁郁芊芊。"

③ 鄂渚：《楚辞・九章・涉江》："乘鄂渚而反顾兮。"相传在今湖北武汉市黄鹄山旁三百步长江中。隋改郢州（治今武汉市武昌）为鄂州，即因渚而名。世称鄂州为鄂渚。

④ "管弦传蜜意，忠烈见豪情"句：作者自注："五、六两句指其创作剧目《一包蜜》、《张志新》，皆蜚声全国之优秀作品"。

⑤ 铙歌：军中乐歌。传说黄帝、岐伯所作。汉乐府中属鼓吹曲。马上奏之，用以激励士气。也用于大驾出行和宴享功臣，以及奏凯班师。亦指凯歌。

上海昆曲研习社纪念汤显祖四梦曲会四首[①]

一九八零年十月

（一）

予幼失慈母，父抱之低吟《邯郸梦·三醉·红绣鞋》[②]一曲，以作催眠。六岁偶歌此曲，父以为异。实长期以来，耳熟而能详者。予之习曲，可谓始于汤先生之词也。

儿时那复识宫商[③]，云影苍梧入睡乡。
七十六年非短梦，梦中长忆弄潇湘。

注释：

① 据陈声聪《荷堂诗话·俞振飞》（福建美术出版社 1996 年版），诗题系编者所拟。

上海昆曲研习社：上海业馀昆曲团体。1957 年 4 月成立，公推赵景深任社长，俞振飞等为常委。社员大都来自原平声、赓春、同声、虹社、啸社、风社等曲社，以传承与学习传统昆曲艺术为宗旨，研究与习唱相兼。举办拍曲班、讲座、彩串演出等，搜集、整理大批曲谱、身段谱、照片和音像资料，并记录出版《昆剧曲调》、《我演昆丑》、《昆剧表演一得》、《〈粟庐曲谱〉发凡笺注》等，在海内外享有较高的声誉。赵景深、朱尧文、樊伯炎、甘纹轩先后担任社长。

汤显祖（1550—1616）：明代著名戏曲家、文学家。字义仍，号海若、若士、清远道人。江西临川人。早年即有文名，曾拒绝首辅张居正延揽。万历十一年（1583）进士，任南京太常寺博士、礼部主事。万历十九年上《论辅臣科臣疏》，弹劾大学士申时行，降为广东徐闻典史。后改任浙江遂昌知县，又以不附权贵而被议免官，未再出仕。曾从泰州学派罗汝芳读书，后又受李贽的思想影响，并与僧人达观相友善，晚年滋长了佛教、道教的出世思想。在戏曲创作方面，反对拟古和拘泥于格律。诗文有《红泉逸草》、《问棘邮草》等。在中国乃至世界文学史上具有重要地位，有"东方莎士比亚"之誉。

四梦：汤显祖所作《紫钗记》、《还魂记》、《南柯记》和《邯郸记》四种传奇剧本。或向往个性解放，或抨击封建礼教，或歌颂生死至情，或揭露官场黑暗，以深刻的思想性和独特的艺术性，成为明代传奇创作的高峰。因剧中都有描写梦境的情节，故称"四梦"。

②《邯郸梦·三醉·红绣鞋》：昆曲《邯郸梦·三醉》中吕洞宾所唱【红绣鞋】曲辞："趁江乡落霞孤鹜，弄潇湘云影苍梧。残暮雨，响孤蒲，晴岚山市语，烟水捕鱼图。把世人心闲看取。"诗中"云影苍梧"、"弄潇湘"皆该曲中辞。俞振飞《艺林学步·不是"特异功能"》载："到我三岁那年，生母因患肺病去世了，二姐姐、三姐姐自告奋勇，愿意带领我这小弟弟，但父亲由于老来得子，特别钟爱，尽管自己已经五十六岁了，还是坚持亲手带。白天还好对付，到了晚上，我由于思念母亲经常哭闹，父亲抱着我感到束手无策，只好说：'不要哭，我来唱支曲子给你听。'他唱的是《邯郸梦·三醉》中的【红绣鞋】：'趁江乡落霞孤鹜……'。我听了曲子便不哭了，有时没等唱完一支，已经乖乖地睡熟了。这支'催眠曲'每晚都唱，足足唱了三年，始终奏效。这就是我接触昆曲的开端。"（《文史资料选辑》总第一一二辑，中国文史出版社1987年版）

③宫商：我国古代五声音阶（宫、商、角、徵、羽）的第一、第二音级。一般泛指音乐，这里指昆曲。

（二）

一九二零年，苏浙昆曲界穆藕初[①]等为创办昆剧传习所[②]彩唱筹款[③]，予延沈月泉[④]老师授以《牡丹亭·惊梦》[⑤]参加演出。次年传习所成立于苏州五亩园[6]。今穆、沈二先生去世已久，传字辈老艺人尚在者，亦届七十高龄。然南昆赖以不坠，未始非此举之力也。

记尝弦管[7]播春申[8]，似水流年正六旬。
穆沈相逢应抚掌[9]，魏梁[10]遗韵有传薪[11]。

注释：

① 穆藕初（1876—1943）：名湘玥，以字行。上海川沙人，祖籍苏州东山。实业家、业馀昆曲曲家。初入棉花行学徒，曾任上海江海关任办事员、江苏铁路公司警务长。后留学美国威斯康星大学、伊利诺斯大学等校，学习农科、纺织和企业管理，获农学硕士。先后创办上海德大纱厂、厚生纱厂、郑州豫丰纱厂等。创办植棉试验场，致力改良棉种和推广植棉事业。出任国民政府工商部常务次长、经济部农本局总经理等职。酷嗜昆曲，参加赓春曲社、道和曲社、重庆曲社活动，随严连生、俞粟庐、俞振飞等习曲，工冠生。发起创办昆剧保存社、粟社，出资灌录俞粟庐唱片十三面。并接办昆剧传习所，承担每月经费六百元，达数年之久。热心支持教育，曾捐银五万两，选拔并资助罗家伦、康白情等五人留学。译有《工厂适用学理的管理法》，著有《植棉浅说》等。

② 昆剧传习所：1921年秋，苏、沪昆曲家贝晋眉、徐镜清、张紫东等人鉴于昆曲后继无人，发起创办培养昆剧演员的学堂式的新型科班，定名为“昆剧传习所”。孙咏雩担任所长，汪鼎丞、吴梅等人组成董事会，合资千元，作为开班费用。半年后，穆藕初出资接办。培养了顾传玠、周传瑛、郑传鉴、倪传钺、王传淞、华传浩、朱传茗、沈传芷、张传芳、方传芸等“传字辈”演员，延续了昆剧的一脉香火，为保存、发展昆剧艺术作出了重大历史贡献。

③ 彩唱筹款：1922年2月10日至12日（作者称“一九二零年”，当系误记），昆剧保存社为昆剧传习所筹募经费，举行“江浙名人会串”。作者共演出《狮吼记·跪池》、《雷峰塔·断桥》、《连环记·小宴》、《牡丹亭·游园惊梦》诸剧。另外，捐赠大洋一百十七元。

④ 沈月泉（1865—1936）：昆剧演员、教师。原籍浙江吴兴（今湖州）。晚清昆剧名小生沈寿林之次子。初入小堂名班，后师承名小生吕双

全，工冠生、翎子生、巾生、鞋皮生，有“小生全才”之称。其嗓音宽亮圆润，吐字讲究声韵，喷口有力，擅演《见娘》、《吟诗脱靴》、《梳妆掷戟》等。后改业曲师，张紫东、贝晋眉、俞振飞等得其亲授。

⑤《牡丹亭·惊梦》：剧叙杜丽娘游园归来假寐，梦见书生柳梦梅执柳索题。两情缱绻，醒后回想梦境，萦思不已。

⑥ 五亩园：昆剧传习所所址。位于苏州城北平门桃花坞西大营门内。

⑦ 弦管：弦乐器和管乐器。亦泛指乐器或音乐。

⑧ 春申：指上海。详见《悼念黄蔓耘二首》注⑤。

⑨ 抚掌：同“拊掌”。拍手，表示高兴。《三国志·吴志·鲁肃传》：“（孙）权抚掌欢笑。”

⑩ 魏梁：指明代戏曲音乐家魏良辅和明戏曲作家梁辰鱼。详见《寄语台湾诸曲友》注②。

⑪ 传薪：亦作“薪传”。比喻学术道业由师生递相传授。详见《北中吕【迎仙客】题寄美国张充和》注⑯。

（三）

予与梅兰芳、程砚秋两同志先后皆以合演《惊梦》而订交，一在一九二二年（程），一在一九三一年（梅）。老友先我而去，念之慨然[①]。

平生知契[②]数程梅，粉墨[③]因缘梦作媒。
总是临川[④]词采[⑤]好，珠喉拗折见奇才。[⑥]

注释：

① 慨然：感慨貌。

② 知契：知己，好友。

③ 粉墨：指化妆演出。

④ 临川：指明朝著名戏剧家汤显祖。详见《北中吕【迎仙客】题寄美国张充和》注⑱。

⑤ 词采：犹文采。

⑥“珠喉拗折见奇才”句：汤显祖在创作上强调“曲意”，主张“意趣神

色说”，反对吴江派作家“按字模声”、“宁协律而不工”。他在《答吕姜山》中说：“凡文以意趣神色为主。四者到时，或有丽词俊语可用。尔时能一一顾九宫四声否？如必按字摸声，即有窒滞迸拽之苦，恐不能成句矣。”又：“余意所至，不妨拗折天下人嗓子”（王骥德《曲律杂论》）。拗折：拗口不顺。

（四）

若士先生与莎士比亚①异域同时，东西辉映。所著剧曲，皆情深意远，洵②世界艺林之魁杰，后人诵习③之楷模④也。

千古风流玉茗堂⑤，寓言四梦岂荒唐。
齐辉亦有莎翁在，⑥笔底庄谐⑦各擅长。

注释：

① 莎士比亚（1564—1616）：英国文艺复兴时期戏剧家、诗人。生于商人家庭。当过剧场杂差、演员、编剧等。现存剧本三十七部、长诗两首、十四行诗一百五十四首。主要作品有喜剧《仲夏夜之梦》、《威尼斯商人》，历史剧《理查三世》、《亨利四世》和悲剧《罗密欧与朱丽叶》、《哈姆雷特》、《奥赛罗》、《李尔王》、《麦克白》、《雅典的泰门》等。作品提倡个性解放、婚姻自主，所作人物形象鲜明、情节生动、语言精炼而富于表现力，对欧洲文学和戏剧发展有重大影响。

② 洵：诚然，实在。

③ 诵习：诵读以学习。唐薛用弱《集异记·王维》：“公主览读，惊骇曰：‘皆我素所诵习者，常谓古人佳作，乃子之为乎？’”

④ 楷模：模范，典范。楷：相传该树最早生长在孔子墓旁，树干挺拔，枝繁叶茂。模：该树春天青翠碧绿，夏季赤红如血，秋日变白，冬日变黑。色泽纯正，不染尘俗。相传此树最早长在周公墓旁。以树喻人，将模范行为称之“楷模”。

⑤ 玉茗堂：汤显祖寓所植有玉茗（白色山茶花），因名其书斋曰“玉茗堂”。其别集即名《玉茗堂全集》。

⑥ “齐辉亦有莎翁在”句：汤显祖长莎士比亚十四岁，而同一年逝世，

均以剧作名。汤氏又有“东方莎士比亚”之誉。

⑦ 庄谐：庄指严肃、端重；谐指有趣、诙谐。

附录：

荷堂诗话・俞振飞

陈声聪

昆曲大师俞振飞风流儒雅，亦能诗。庚申岁，汤若士诞生四百周年（按：应为四百三十周年），北京曲社及上海昆曲研习社均于九月二十一日集会纪念。君有绝句四首云：“（略）”四诗音雅节谐，无愧作者，亦隐括以见数十年南曲之小小沧桑。君父粟庐（宗海）先生本曲中耆宿，为吴癯安先生所师事，从学者众。先生独许其子之工，果成名。君并传其父之笛。父子二笛，当时天下称无双焉。

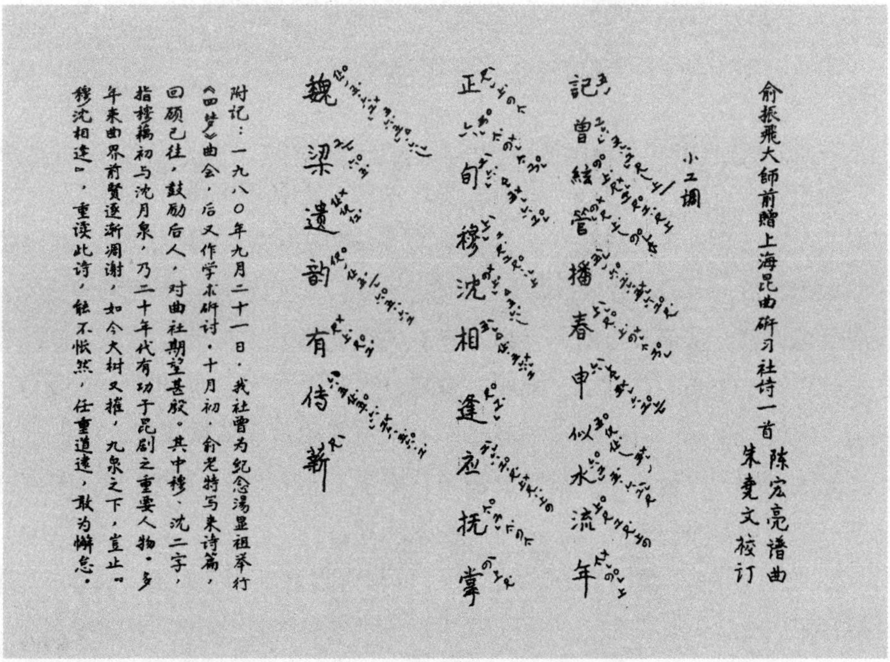

贺阳友鹤同志演剧生活六十周年[①]

一九八零年十一月

丝竹[②]纷纷唱好春，锦官城[③]畔曙天新。
十年已逝尘寰劫，[④]一老犹扶大雅轮[⑤]。
蜀调巴歈[⑥]尊典范，罗衣彩扇[⑦]见精神。
与君同话词场[⑧]史，冷暖甘辛俱足珍。

注释：

① 据俞振飞寄关大棠诗稿影印件。

阳友鹤（1913—1984）：川剧表演艺术家。艺名筱桐凤，四川彭县（今彭州）人。八岁入金兰科社学艺，工旦角。长期在成都、重庆演出。戏路宽广，文武兼长，闺门、青衣、鬼狐、刀马、花旦、奴旦皆能。唱腔刚健流畅，表演气韵连贯。擅演《刁窗》、《金山寺》、《铁笼山》、《八宝公主》、《打神告庙》、《貂蝉》等剧。在剧本、唱腔、表演、舞蹈等方面时有创新，并致力于服装、化妆的改革，对川剧旦角表演艺术的继承和发展多有建树。曾任成都市川剧院副院长，著有《川剧旦角表演艺术》。1980 年 11 月 20 日，国家文化部等单位为其举行舞台生活六十年纪念活动。

② 丝竹：弦乐器（如琵琶、二胡等）与竹制管乐器（如箫、笛等）。亦泛指音乐。

③ 锦官城：三国蜀汉时建，为管理织锦官署驻地。故址在今四川成都

市南，简称锦城。后人因以用作成都的别称。

④ “十年已逝尘寰劫”句：指十年“文革”已经结束。尘寰：尘世，人世间。唐权德舆《送李城门罢官归嵩阳》诗：“归去尘寰外，春山桂树丛。”

⑤ 犹扶大雅轮：即“大雅扶轮”。大雅：《诗经》中的一部分。旧训雅为正，谓诗歌之正声。扶轮：在车轮两翼护持。形容维护、扶持正统，使其得以推行和发展。清黄景仁《寿州赠知州张荪甫先生》诗：“大雅扶轮归老辈，小山承盖属舆台。”

⑥ 蜀调巴歈（yú）：指川剧。歈：歌。

⑦ 罗衣彩扇：演出服饰，指代舞台演出。罗衣：一种质地轻薄的丝制衣服。

⑧ 词场：剧坛。

集杜二首，以奉四川省江油县李白纪念馆补壁[①]

一九八零年十一月

（一）

孤舟一系故园心（《秋兴》），
日暮聊为《梁父吟》[②]（《登楼》）。
自是君身有仙骨（《送孔巢父谢病归游江东》），
锦官城[③]外柏森森（《蜀相》）。

（二）

白日放歌须纵酒（《闻官军收河南河北》），
百年粗粝[④]腐儒[⑤]餐（《宾至》）。
剑南[⑥]春色还无赖[⑦]（《送路六侍御入朝》），
诗卷长留天地间（《送孔巢父谢病归游江东》）。

注释：

① 据俞振飞寄关大棠诗稿影印件。

集杜：集取杜甫诗句成为一诗。集句：作诗方式之一。旧时截取前人一代、一家或数家的诗句（亦有用文句），拼集而成一诗。现存最早的集句，为西晋傅咸的《七经诗》。后人并有专门“集唐”、“集杜”、“集宋”之作。

四川省江油县李白纪念馆：位于四川省江油市北郊昌明河畔，占地三万馀平方米。筹建于1962年，1979年5月破土动工，1982年10月正式建成并开放。内有“归来阁”、“太白堂”、“晓雅斋”、“青莲池”等建筑，皆系仿唐风格，规模宏大，古朴雄伟。馆藏宋、元、明、清历朝李白著述版本近百部，明清以及近当代书画珍品近三千件。

补壁：为别人作书画的一种谦称。

②《梁父吟》：又作《梁甫吟》。乐府楚调曲名。《乐府诗集》：“《梁父吟》，盖言人死葬此山，已葬歌也。”今所传诸葛亮所作《梁甫吟》辞，乃述春秋齐相晏婴二桃杀三士事；李白所作辞，则抒写其抱负不能实现的悲愤。梁父：山名，在泰山下，即今山东省泰安市东南。古代皇帝在山辟基祭奠山川。

③ 锦官城：四川省成都市的别称。详见《贺阳友鹤同志演剧生活六十周年》注③。

④ 粗粝：糙米。泛指粗劣的粮食。

⑤ 腐儒：指迂腐保守的读书人。

⑥ 剑南：道名。唐贞观元年（627）置，以在剑阁之南得名。开元以后治益州（今成都市）。

⑦ 无赖：犹无聊，没有意义。

寿永嘉方介堪先生八十[1]

一九八零年十二月

永嘉文脉溯源深，[2]吕叶[3]长留大雅[4]音。
七里泷江[5]山叠翠，千寻雁荡[6]水鸣琴。
悠悠抱膝[7]消闲日，历历萦心[8]济世霖[9]。
我弱一年[10]居座末[11]，因风远寄祝词林[12]。

注释：

① 据诗稿手迹原件。另有“庚申冬月敬祝介堪先生八十寿辰，俞振飞时年七十又九”等款识。

永嘉：今浙江温州。东晋太宁元年（323）分临海郡置永嘉，治永宁（今温州市）。辖境相当今温州、永嘉、乐清等市县、飞云江流域及其以南地。后亦以永嘉代称温州。

方介堪（1901—1987）：篆刻家。原名文渠，字溥如，后改名岩，字介堪，永嘉城区（今温州鹿城区）人。早年入钱庄学徒，后师事谢磊明、赵叔孺治印。初法赵之琛、徐三庚，后转宗吴让之。擅长典雅整饬汉玉印和细圆朱文，平生治印逾四万方，兼工诗书画。曾任温州市博物馆馆长、温州市文联副主席、西泠印社副社长等职。著有《古玉印汇》、《玺印文综》、《介堪刻晶玉印》、《介堪印存》、《玺印文字别异》等。

1980年夏，方介堪作五古《八十自寿》。诗云：“清白传家宝，蔬水怡吾神。小楼惟静坐，斗室足容身。微风吹户牖，琴几净无尘。远岫明旭日，幽鸟时相亲。躬耕事笔砚，一日曾几巡。有客来海外，相见似家人。殷殷劳问讯，清言如饮醇。更传好消息，篇章照眼新。岁月催人老，历劫还安贫。逢辰聊自慰，岂恨白发纷。何妨谋一醉，肯计秋与春。”同时寄呈海内词家，遍征诗文为其颂寿。有“倘蒙惠赐鸿文，或诗词、评语、书画、应交、琐记等，以荣衰朽。传之子孙，实所企幸”诸语。作者接函后，赋诗贺赠。

② “永嘉文脉溯源深”句：称赞永嘉历史上文风昌盛，人才辈出。如南宋“永嘉四灵”（赵师秀、徐照、徐玑、翁卷）、“永嘉学派”等。

③ 吕叶：指金华学派、永嘉学派主要代表人物吕祖谦（1137—1181）、叶适（1150—1223）。吕祖谦字伯恭，学者称东莱先生。婺州（治今浙江金华）人。为学兼取朱熹、陆九渊之长，同时接受永嘉学派经世致用思想。主张道心为一，“通天下无非己”。教育上提倡“讲实理，育实材而求实用”。主张“明理躬行”，治经史以致用，反对空谈阴阳性命之说。叶适字正则，学者称水心先生。温州永嘉（今属浙江）人。讲究“功利之学”，主张“通商惠工”，反对重农业、轻工商的政策。强调“道”存在事物本身之中，提倡对事物作实际考察来确定义理，反对当时性理空谈。

④ 大雅：谓高尚雅正。清戴名世《〈野香亭诗集〉序》：“其音和平而大雅，其旨绵渺而蕴藉。”

⑤ 七里泷江：又称“七里滩”、“七里濑”。在浙江省桐庐县南。两山夹峙，东阳江奔泻其间，水流湍急，连亘七里，故名。北岸富春山（严陵山）传说为东汉严光（严子陵）耕作垂钓处。《后汉书·逸民传·严光》“后人名其钓处为严陵濑焉”，李贤注引南朝陈顾野王《舆地志》：“七里濑在东阳江下，与严陵濑相接，有严山。”

⑥ 雁荡：即雁荡山，在浙江省东南部。分南北两山，名胜集中于北山。因岗顶有湖，芦苇丛生，结草成荡，秋雁常来栖宿，故称雁荡。以奇峰、异洞、瀑布、怪石称胜。灵峰、灵岩、大龙湫（瀑布），为雁荡风景三绝。

⑦ 抱膝：以手抱膝而坐。有所思貌。晋刘琨《扶风歌》诗：“慷慨穷林中，抱膝独摧藏。”

⑧ 萦心：牵挂心间。

⑨ 济世霖：济世：救世，济助世人。霖：霖雨，喻恩泽。

⑩ 我弱一年：俞振飞生于1902年，较方介堪小一岁，故言。

⑪ 座末：即“末座”，席中最后的座位。旧时宴集中，因辈分小或地位低，而坐在最后面的座位。这是一种谦称。

⑫ 词林：指汇集在一处的文辞；亦指文人之群。唐杜甫《八哀诗·赠秘书监江夏李公邕》诗：“忆昔李公存，词林有根柢。”

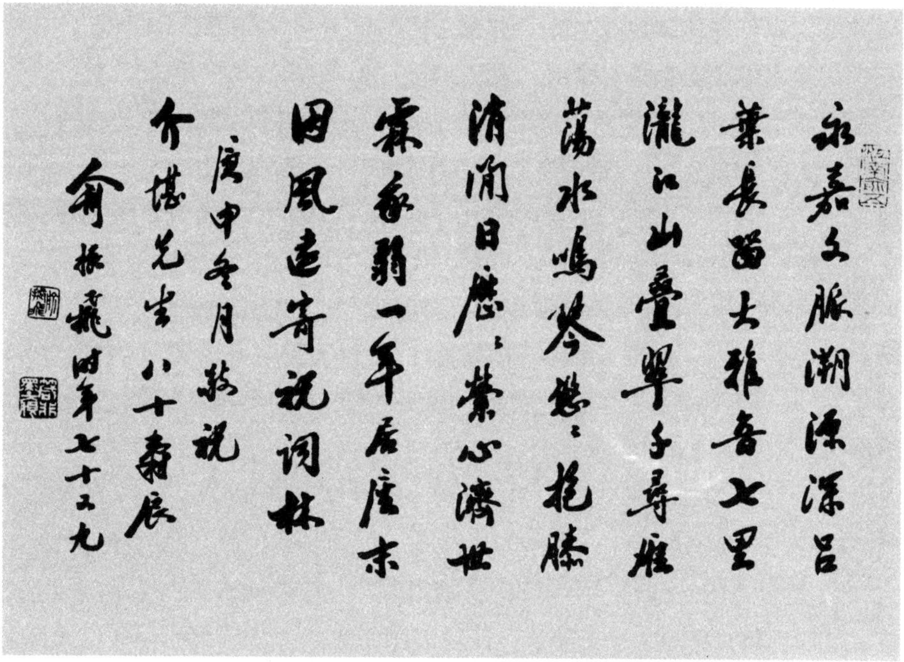

王聿豹同志画展题辞[①]

一九八一年二月

中西炉冶[②]喜多师[③]，艺苑于今茁秀枝。
雪里芭蕉[④]人莫诧，右丞[⑤]家法[⑥]有新思。

注释：

① 据唐葆祥《俞振飞传》附录《俞振飞诗词选》（上海文艺出版社 1997 年版）。

王聿豹（1946— ）：油画家。祖籍江苏睢宁。毕业于上海戏剧学院舞台美术预科班，并在上海市戏曲学校、上海昆剧团工作。先后担任昆曲《白蛇传》、《红娘子》、《雷州盗》、《牡丹亭》等剧舞美设计，曾获“传统与现代舞台美术结合荣誉奖”。出版《王聿豹画选》，有“风景诗人”之誉。后移居美国。

② 中西炉冶：融合中西方绘画艺术，形成个人风格。

③ 多师：师从多位老师学习。唐杜甫《戏为六绝句》其六：“别裁伪体亲风雅，转益多师是汝师。”

④ 雪里芭蕉：唐王维绘《袁安卧雪图》，以白雪、绿蕉等作衬，人皆称奇。宋沈括《梦溪笔谈·书画》：“如彦远《画评》言：‘王维画物，多不问四时，如画花，往往以桃、杏、芙蓉、莲花，同画一景。’余家所藏摩诘画《袁安卧雪图》，有雪中芭蕉，此乃得心应手，意到便成，故其理入神，迥得天意，此难可与俗人论也。”宋朱翌《猗觉寮杂记》：“岭外如曲江，冬大雪，

芭蕉自若，红蕉方开花，知前辈虽画史亦不苟。”宋释惠洪《冷斋夜话》：“王维作画雪中芭蕉，法眼观之，知其神情寄寓于物，俗论则讥以为不知寒暑。”该句喻指艺术创作应突破樊笼，超拔时空。

⑤ 右丞：即唐诗人、画家王维（701？—761）。字摩诘，太原祁（今山西祁县）人。开元进士，官至尚书右丞，故世称王右丞。诗歌以山水诗最为后世所称，体物精细，状写传神，宣扬隐士生活和佛教禅理。绘画善写破墨山水及松石，笔迹雄壮，似吴道子，始用皴法和渲晕，布置重深，尤工平远之景。北宋苏轼称他“诗中有画，画中有诗”。明董其昌推其为“南宗”之祖，并说：“文人之画，自王右丞始。”亦擅人物、肖像、丛竹等。

⑥ 家法：汉儒经学传授，五经博士及其所传弟子以师法说经，而各自名家，称为“家法”。这里则是风格、传统的意思。

题女弟孙天申龙门郇曲叙横卷，次韵奉和驷才[①]

一九八一年三月

曲是阳春[②]乐，兰为王者香[③]。
婆娑[④]花影里，同日咏霓裳。[⑤]

附录：

郑驷才原诗

戊午[⑥]阳春之吉，龙门天申伉俪招同仁曲叙，歌《见娘》[⑦]、《弹词》[⑧]、《山亭》[⑨]、《游园》[⑩]、《拾画》[⑪]、《刀会》[⑫]、《哭像》[⑬]、《下山》[⑭]、《思凡》[⑮]、《乔醋》[⑯]、《望乡》[⑰]等。佩老[⑱]、十髮[⑲]、伯炎[⑳]即席欣然作画，为赋五绝志盛。

雅曲千年永，幽兰万古香。
龙门群屐[㉑]聚，高会咏霓裳。

注释：

① 据孙天申所藏手卷原件。诗题系编者所拟。

孙天申（1932—2016）：上海川沙人，资深女曲家。上海昆曲研习社社员，工五旦、正旦，师从张传芳、华传浩等人。曾彩串《牡丹亭·游园惊梦》、《金锁记·斩娥》、《幽闺记·走雨》、《长生殿·小宴》等。“文革”末期，暗中联络曲友，闭门哼吟。1985年正式拜俞振飞为师，兼习冠生。热心公益，多次为水灾、地震等捐款，并出资赞助昆曲演出。后移居美国。

龙门邨曲叙：1978年春，孙天申、周尔智夫妇举行家庭曲叙于南市龙门邨云庐寓所。王伦化、李希同、黄秋甸、赵景深、朱尧文、郑传鉴、顾文芍、雷敖直、陆兼之、叶惠农、陈宏亮、张万良、程多多等莅临。席间，程十髮、樊伯炎绘兰，谢佩真补石，郑驷才即席题诗。后赵景深补题一绝：“画兰想总理，唱曲聚龙门。千岁祝欢宴，双鱼庆吉辰。”越三年，俞振飞依郑韵，奉和一首。

次韵奉和：作旧体诗方式之一，亦称步韵。即依照所和诗中的韵及其用韵的先后次序写诗。清吴乔《答万季野诗问》：“步韵最困人，如相殴而自絷手足也。盖心思为韵所束，于命意布局，最难照顾。”

驷才：即郑驷才（1906—1981）。业馀昆曲唱家，江苏苏州人。师从“江南曲圣”俞粟庐习曲，工小生，曾参加苏州普乐昆剧团、上海昆曲研习社。亦擅诗词。其媳系昆曲小生名家岳美缇。

② 阳春：温暖的春天。比喻盛世惠政。

③ 王者香：兰花的别称。汉蔡邕《琴操·猗兰操》：“猗兰操者，孔子所作也……自卫返鲁，过隐谷之中，见芗兰独茂，喟然叹曰：‘夫兰当为王者香，今乃独茂，与众草为伍，譬犹贤者不逢时，与鄙夫为伦也。’”后因称兰花为“王者香”。

④ 婆娑：犹扶疏，形容枝叶纷披。唐张籍《新桃行》诗：“桃生叶婆娑，枝叶四向多。”

⑤ “同日咏霓裳”句：唐李商隐《留赠畏之》诗：“空寄大罗天上事，众仙同日咏霓裳。”霓裳：即《霓裳羽衣舞》，简称《霓裳》。唐宫廷乐舞，著名法曲。传为开元中西凉节度使杨敬述所献，初名《婆罗门曲》，后经玄宗润色并制成歌词，改用此名。一说玄宗登三乡驿，望女儿山，作此曲前半，后吸收杨敬述所献，续成全曲。其舞、乐和服饰均着力描绘虚无缥缈的仙境和仙女形象。白居易《霓裳羽衣舞歌和微之》诗，对此曲的结构和舞姿有细致描写。杨贵妃曾教练宫女排演此舞。这里泛指昆曲广为传唱，影响至深。

⑥ 戊午：即1978年。

⑦《见娘》:《荆钗记》之一折。剧叙王十朋登第后，不见妻子钱玉莲随母等同来任所，心生疑惑。及见其母所遗孝头绳，经追问始知家书经人套改，玉莲投江而亡，乃痛悼不已。

⑧《弹词》:《长生殿》之一折。剧叙宫廷供奉李龟年因安史之乱，流落江南，卖唱为生。一日，李謩听其所唱明皇宠妃失政故事后，深为感叹。因得结识，遂向其继承《霓裳羽衣曲》全谱。

⑨《山亭》:《虎囊弹》之 折。剧叙鲁达打死郑屠后，剃度于五台山，法名“智深”。因性嗜酒，每欲破戒。某日闲游，得遇卖酒人，抢酒狂饮。酩酊而归，醉打山门。

⑩《游园》:《牡丹亭》之一折。剧叙太守杜宝之女杜丽娘，深居闺阁。偶与婢女春香，游览花园。目睹春景，感动情思。

⑪《拾画》:《牡丹亭》之一折。剧叙书生柳梦梅，寄居梅花观中，病后偶游废园。于假山石下，拾得一幅美人画像，携回书斋，展玩赞叹，为之倾倒不已。

⑫《刀会》:《单刀会》之一折。剧叙鲁肃因刘备借驻荆州，历久不还，乃宴邀守将关羽。关羽仅偕周仓一人，持单刀赴会。并在筵前畅谈昔时战功，斥责鲁肃预设伏兵。终恃仗智勇，安然返回。

⑬《哭像》:《长生殿》之一折。剧叙唐明皇避乱入蜀，传位太子，改称上皇。因悼念杨贵妃，敕建祠庙，用旃檀香木雕成妃子生像。并迎进宫中，亲送入庙供养。回忆旧情，无限感伤，恸哭不已。

⑭《下山》:《孽海记》之一折。剧叙碧桃庵青年僧人本无，自幼落发空门。因不甘佛门枯寂生活，趁机逃离寺院。途中适遇仙桃庵女尼色空，彼此倾心，相携下山，追求幸福生活。

⑮《思凡》:《孽海记》之一折。剧叙少女赵氏，幼年被迫出家为尼，法名“色空”。每日烧香换水，礼佛诵经，不甚孤寂。最终冲破佛门戒律，鼓足勇气，逃出庵门。

⑯《乔醋》:《金雀记》之一折。剧叙西晋潘岳纳妓巫彩凤为妾，并赠以当年与妻井文鸾订婚之物金雀。文鸾探知后，仍故意向潘索要金雀，佯作嫉妒以难之。

⑰《望乡》:《牧羊记》之一折。剧叙苏武出使匈奴，被拘不降，牧羊于

北海。餐毡啮雪，艰苦卓绝。后李陵出征，战败变节。某日，李陵往见苏武，登台拜望家乡。苏武怒责其投降行径。

⑱ 佩老：即谢佩真（1898—1979）。著名昆曲女曲家。字蕴玉，号瑶华女史，别署春草池馆。浙江湖州人。行五，人称“谢五小姐”。兄谢绳祖系上海慎昌洋行经理，从俞粟庐习曲。受兄影响，酷嗜昆曲，随俞振飞学曲，专工小生。擅《琴挑》、《拾画》、《断桥》、《跪池》诸剧，讲究咬字、运腔，得“俞家唱”真传。与俞振飞相恋，因遭母兄极力反对而未果。后迫于母命，嫁一粤商，未几离婚，遂终身不嫁。又随冯超然习绘，工山水、人物、花卉。后加入上海昆曲研习社，教授俞派唱法。晚年聘为上海市文史研究馆馆员。

⑲ 十髮：即程十髮（1921—2007）。著名国画家。名潼，上海金山人。毕业于上海美术专科学校中国画系。初从事美术普及工作，后入华东人民美术出版社，担任创作员。参加上海画院筹备工作，先后任画师、院长。兼擅人物、花鸟、山水，以及连环画、年画、插图等，造诣精深，无一不工，独树一帜。书法得力于秦汉木简及怀素狂草，善将草、篆、隶融为一体。晚年将毕生收藏宋元明清珍贵书画122幅，捐献国家。著有《列宁的故事》、《胆剑篇》、《孔乙己》、《程十髮花鸟习作选》、《程十髮书画》等。酷嗜昆曲、京剧，工净。

⑳ 伯炎：即樊伯炎（1912—2001）。业馀昆曲唱家、画家，兼擅琵琶、古琴。名爔，字伯炎。原籍上海崇明，生于苏州。名画家樊浩霖（少云）长子。工老生，擅唱《望乡》、《弹词》、《酒楼》、《骂曹》诸剧。后应上海市戏曲学校之聘，任昆曲音乐班教师，主教琵琶、三弦。参与创办上海昆曲研习社，曾任社长。与陈恭则、殷荣珠合著《〈瀛洲古调〉曲选》。晚年参加编写《昆曲曲牌及套数范例集》，任《南套》副主编。系上海市文史研究馆馆员。

㉑ 群屐：喻指朋俦高会。参见《奉贺顾生铁华彩爨昆曲〈百花赠剑〉、〈贩马记〉》注⑨。

太常引·奉题锦堂教授《百蝶图谱》[①]

一九八一年六月

太常仙影[②]阿谁[③]留？花簇度春秋。[④]妙笔写春秋，添几许、香温粉柔[⑤]。　　蜜官[⑥]队里，滕王[⑦]帖上，一样逞风流。爱说恁[⑧]风流，偏不为、庄生梦游[⑨]。

注释：

① 据罗锦堂所藏书迹原件。另有“《太常引》奉题锦堂教授《百蝶图谱》，即希郢正。一九八一年六月于上海，涤叟俞振飞倚声，时年八十”等款识。词题系编者所拟。

太常引：词牌名。又名《太清引》。因宋韩淲词有“小春时候腊前梅”句，故又名《腊前梅》。双调四十九字或五十字，上片四平韵，下片三平韵。两结句倒数第二字例用去声。

锦堂：即罗锦堂（1927—　）。字云霖，甘肃陇西人。敏而好学，少有诗才，十三岁即作《裴将军画蝶歌》，名冠陇上。负笈台湾大学，师从郑因百、台静农、毛子水、董作宾、戴君仁诸前辈，专治元代杂剧、散曲。精研国学、佛学和元曲，是胡适主试下台湾地区教育部门授予的第一位文学博士。先后执教于香港新亚书院、香港大学、德国汉堡大学、夏威夷大学诸校。生平爱蝶、画蝶、咏蝶。著有《中国散曲史》、《锦堂论曲》、《行吟集》等。

俞振飞1981年6月26日致罗锦堂函云："……承赐彩蝶画幅，早已收到。只缘俗事纷繁，未及函谢，深感歉仄，尚希鉴谅是祷。关于《百蝶图》题词，不日书就寄奉。……""前嘱题《百蝶图谱》，已书就《太常引》一阕，博方家一笑……"（唐吉慧编选、洪惟助编《俞振飞书信集》，台湾秀威资讯科技股份有限公司2016年版）。

② 太常仙影：指蝴蝶。清吴长元《宸垣识略》："北京太常寺有一仙蝶。……黄质黑章，四趺古朴，类枯叶，羽毶毶然。"

③ 阿谁：犹言谁、何人。唐宋时期口头语，也常用作禅林语。意即"谁"。"阿"字乃发语词，其音为"屋"，对人亲昵之称多冠以"阿"。魏晋以后，其风尤盛，或冠于名上，或冠于字上，或冠于姓上，如《三国志》所载吴国吕蒙有"吴下阿蒙"之称，乃至于俗呼小儿常称阿某，故"阿谁"即为"谁"，乃"何人"之意。于禅林中，常用来转指佛性，如"他是阿谁"、"阿谁话断纸"，均为参究公案时之口头用语。古乐府《十五从军征》："家中有阿谁？"

④ "花簇度春秋"句：蝴蝶每日飞行于花间林下，故言。

⑤ "香温粉柔"句：形容蝴蝶的身姿。香温：旧指女子肌肤细腻芳香，形容其美好的体态。粉柔：喻指蝴蝶的翅膀。

⑥ 蜜官：指蜜蜂。宋陶谷《清异录·花贼》："温庭筠尝得一句云：'蜜官金翼使'。偏于知识，无人可属，久之，自联其下，曰：'花贼玉腰奴'，予以谓道尽蜂婕（蝶）。"

⑦ 滕王：即李元婴（？—684）。唐高祖李渊第二十二子，唐太宗李世民之弟，贞观十二年（638）封滕王。工书画，妙音律，喜蝴蝶，因封滕王，遂有"滕派蝶画"之名。采用佛赤、泥银、宝石，以及檀、沉、芸、降香等为颜料，略点野草散花。灵敏奥妙，望之摇拂，呼之欲出。有"滕王蛱蝶江都马，一纸千金不当价"之誉。传世有《滕王蛱蝶图》。

⑧ 恁（nèn）：如此，这样。

⑨ 庄生梦游：《庄子·齐物论》："昔者庄周梦为蝴蝶，栩栩然蝴蝶也；自喻适志与，不知周也；俄然觉，则蘧蘧然周也。不知周之梦为蝴蝶与，蝴蝶之梦为周与？周与蝴蝶，则必有分矣。此之谓物化。"后因用为梦幻典实。元马致远《双调·夜行船》套曲："百岁光阴一梦蝶。"

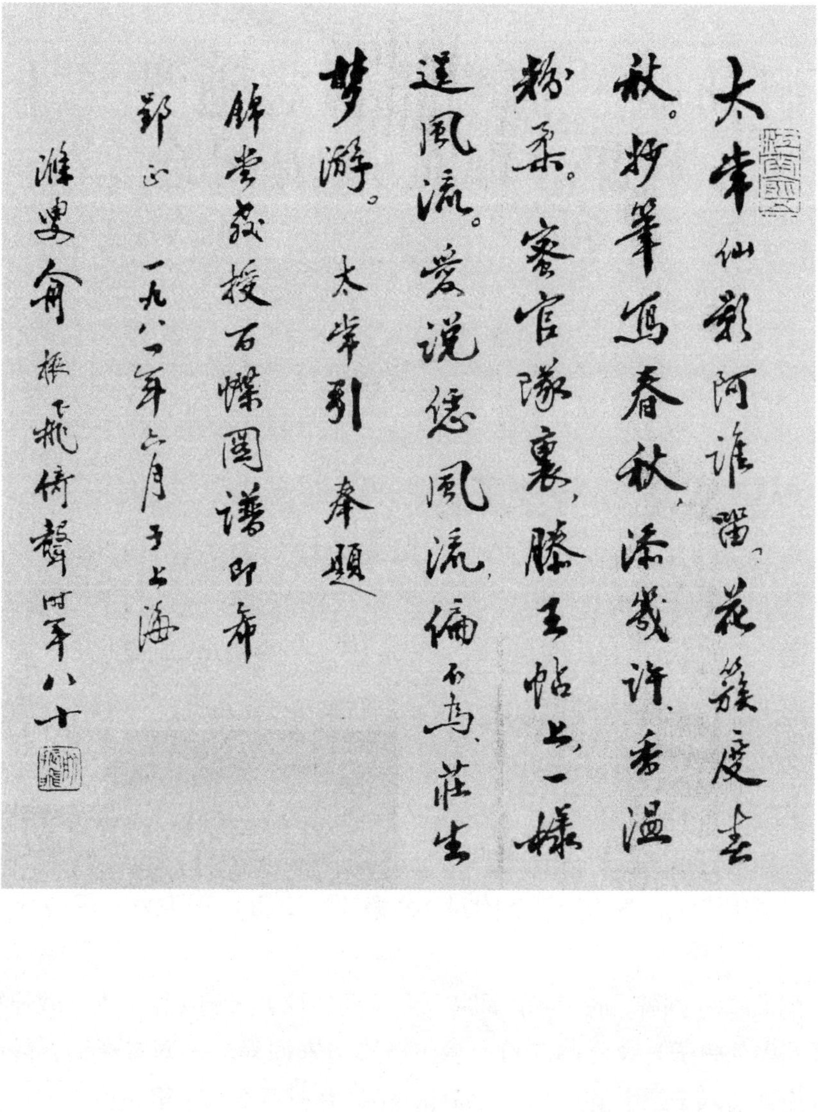
太常仙影阿誰留，花蕊度去秋。妙筆寫春秋，添幾許、香溫粉柔。蜜官隊裏，滕王帖上，一蝶還風流。愛說總風流，偏不為、莊生夢游。

太常引 奉題

錦堂教授百蝶圖譜即希

郢正 一九八〇年六月于上海

滌叟俞振飛倚聲 時年八十

洞仙歌·梅畹华同志逝世二十周年，赋此以为纪念[①]

一九八一年八月

苔枝谢了，正匆匆廿载。[②]北望燕云[③]素情在。记梅边擫笛[④]，嚼徵含商，[⑤]浑如昨，艺苑长留光彩。　　我今虽齿暮[⑥]，放眼江山，酣舞高歌兴方倍。[⑦]倘欲问诗魂[⑧]，俯视层霄[⑨]，也应唱柳城花海。况克绍箕裘有佳儿，[⑩]布馀韵流风[⑪]，明珠成琲。[⑫]

注释：

① 据唐葆祥《俞振飞传》附录《俞振飞诗词选》(上海文艺出版社 1997 年版)。

洞仙歌：词牌、曲牌名。词牌又名《羽仙歌》、《洞中仙》等。敦煌写本《云谣集杂曲子》收此调二首，字句格律与宋词异。宋词有令词、慢词两体。令词有八十二字至九十三字各体，慢词有一百十八字至一百二十六字各体，均双调，仄韵。宋苏轼据后蜀孟昶残句“冰肌玉骨，自清凉无汗”所作一阕，较为知名。曲牌南北曲均有。南曲属正宫，字句格律与词牌不同，用作过曲。北曲属大石调，与令词近似，仅见于诸宫调。

② “苔枝谢了，正匆匆廿载”句：指梅兰芳自 1961 年 8 月 8 日逝世，距此时已二十年。苔枝：苔梅。宋范成大《梅谱》：“古梅，会稽最多，四明、吴兴亦间有之。其枝樛曲万状，苍藓鳞皴，封满花身。又有苔须，垂于

枝间，或长数寸。风至，绿丝飘飘可玩。初谓古木久历风日致然，详考会稽所产，虽小株亦有苔痕，盖别是一种，非必古木。”宋周密《乾淳起居注》：“苔梅有二种，宜兴张公洞者，苔藓甚厚，花极香。一种出越土，苔如绿丝，长尺馀。”这里喻指梅兰芳。

③ 燕（yān）云：五代时，后晋石敬瑭割让给契丹十六州的总称。燕：燕指幽州，后指契丹所建的燕京。云：云州。燕云的名称始于北宋末，初为宋人企图收复北部失地的泛称。自宣和四年（1122）宋朝宣布建立燕山府、云中府两路，才有确切的地域。以后代称北京。

④ 梅边擫（yè）笛：化用宋姜夔《暗香》词意：“旧时月色，算几番照我，梅边吹笛。”擫笛：按笛奏曲。唐元稹《连昌宫词》：“李謩擫笛傍宫墙，偷得新翻数般曲。”擫：古同“擪”。

⑤ “嚼徵含商”句：指仔细推敲唱腔音乐。嚼：吟歌。含：体味。徵、商：中国五声音阶中的宫、商、角、徵、羽的第二、第四音级。泛指音乐。宋张榘《念奴娇·楚湘旧俗》词：“嚼徵含商陶雅兴，争似年时娱悦。”

⑥ 齿暮：年老。

⑦ “酣舞高歌兴方倍”句：喻指作者虽届耄耋，仍有为戏曲事业贡献馀热的信心。

⑧ 诗魂：诗人的亡魂。明袁宏道《卷中见亡友王官谷姓字感赋》诗：“柳浪湖上深更月，料得诗魂近水行。”这里喻指梅兰芳。

⑨ 层霄：指云气。宋苏轼《西江月·顷在黄州》词：“照野弥弥浅浪，横空隐隐层霄。”

⑩ “克绍箕裘有佳儿”句：指梅兰芳之子梅葆玖继承家学，研习梅派，深得三昧。又其女葆玥，专攻老生，亦有建树，均获佳誉。克绍箕裘：《礼记·学记》：“良冶之子，必学为裘；良弓之子，必学为箕。”比喻子孙能够继承祖业。克：能够。绍：继承。箕：簸箕。裘：皮袄。

⑪ 馀韵流风：传留后世的韵致风度。宋欧阳修《岘山亭记》：“至于流风馀韵，蔼然被于江汉之间者，至今人犹思之。”

⑫ 明珠成琲（bèi）：喻指梅兰芳之女葆玥、之子葆玖承华家学，在京剧演艺事业上取得突出成绩。明珠：葆玥、葆玖之名均为玉字旁，属于珠玉之类，故云。琲：成串的珠子。

满江红（平韵）·前词意犹未尽，再赋一阕[①]

一九八一年八月

逝矣成连[②]，回首处、腹痛[③]黄垆[④]。清宵梦，音容笑貌，犹似当初。曲苑阳秋[⑤]推上座[⑥]，平生濡染[⑦]愧今吾。二十年、后死历风涛，[⑧]发更疏。　　共论艺，见不殊；[⑨]分美恶，识精粗。[⑩]忆夜阑灯灺[⑪]，击节[⑫]呜呜[⑬]。明月前身[⑭]君已去，春花满眼景方苏。播宗风[⑮]、桃李遍人间，同揭篥[⑯]。

注释：

① 据俞振飞寄关大棠诗稿影印件。唐葆祥《俞振飞传》附录《俞振飞诗词选》（上海文艺出版社 1997 年版）题为“为纪念梅畹华逝世二十周年作”，首句则作“缀玉轩遥”。

满江红：词牌、曲牌名。词牌双调，九十三字，仄韵，一般用入声韵。相传为宋岳飞所作“怒发冲冠”一首，最为著名。南宋姜夔认为“旧调用仄韵，多不协律”，始改作平韵体，但填者较少。本首即押平韵者。南曲正宫、南吕宫，北曲仙吕宫都有同名曲牌。南曲较常见，属正宫者字句格律与词牌不同，用作过曲；属南吕宫者与词牌前半阕同，用作引子。

② 成连：春秋时著名琴师。这里喻指梅兰芳。详见《北中吕【迎仙客】

题寄美国张充和》注⑮。

③ 腹痛：三国魏曹操《祀故太尉桥玄文》：“又承从容约誓之言：‘殂逝之后，路有经由，不以斗酒只鸡过相沃酹，车过三步，腹痛勿怪。’虽临时戏笑之言，非至亲之笃好，胡肯为此辞乎？”后因以“腹痛”为对死者表示哀痛悲伤的典实。

④ 黄垆：《世说新语·伤逝》：“（王浚冲）乘轺车，经黄公酒垆下过，顾谓后车客：‘吾昔与嵇叔夜、阮嗣宗共酣饮于此垆……自嵇生夭、阮公亡以来，便为时世羁绁。今日视此虽近，邈若山河。’”垆：安放酒瓮的土台。后世因用“黄垆”作悼念亡友之辞。

⑤ 阳秋：即春秋，指史书。《晋书·孙盛传》：“《晋阳秋》词直而理正，咸称良史焉。”晋简文帝生母郑后小名阿春，因讳“春”作“阳”。

⑥ 上座：尊敬的席位。

⑦ 濡（rú）染：沾染；受熏陶。

⑧ “二十年、后死历风涛”句：指梅兰芳自1961年逝世以来的二十年，自己历尽“文革”等浩劫。后死：谓死在后，常用作生者自谦之词。《论语·子罕》：“天之将丧斯文也，后死者不得与于斯文也。”何晏集解：“文王既没，故孔子自谓后死。”

⑨ “共论艺，见不殊”句：不殊：相同。指梅、俞二人志趣相合。

⑩ “分美恶，识精粗”句：作者自注：“君著文论继承传统，必须分别美恶精粗。”梅兰芳撰有《要善于辨别精粗美恶》一文，原载于《戏曲研究》1957年第1辑。

⑪ 夜阑灯灺（xiè）：天将尽时，灯烛将熄。清吴伟业《萧史清门曲》：“花落回头往事非，更残灯灺泪沾衣。”

⑫ 击节：打拍子。详见《卜算子·赵朴初先生赠词，依韵奉和乞正》注③。

⑬ 呜呜：亦作“乌乌”。歌呼声。《汉书·杨恽传》：“酒后耳热，仰天拊缶，而呼乌乌。”颜师古注：“李斯上书云：‘击瓮叩缶，弹筝搏髀，而呼乌乌快耳者，真秦声也。’是关中旧有此曲也。”颜氏以“乌乌”为秦国的歌曲名。《史记·李斯列传》、《文选·杨恽〈报孙会宗书〉》并作“呜呜”。

⑭ 明月前身：旧时喻指梅花，这里指梅兰芳。南朝梁锺嵘《诗品》：

"载瞻星辰，载歌幽人。流水今日，明月前身。"

⑮ 宗风：原指佛教各宗系特有的风格、传统，多用于禅宗。后用以泛指文学艺术各流派独有的风格和思想。金元好问《夏山风雨》诗："惨淡经营有许功，吴僧谁得嗣宗风。"

⑯ 揭橥（zhū）：揭示，显示。橥：用为标志的小木桩。

钮骠同志以老友李少春遗作属题[①]

一九八一年初秋

水佩风裳[②]映日红，亭亭翠盖[③]野塘中。
记曾一舸[④]苕西[⑤]路，试度新词石帚翁[⑥]。

注释：

① 据书迹影印件，《戏曲艺术》1983 年第 4 期。内刊李少春所绘《荷花图》，上有俞振飞所题该诗。落款为“辛酉初秋”，即 1981 年。属，通“嘱”。下同。

钮骠（1933—　）：满族。京剧丑角，戏曲研究工作者。曾用名钮维骠，字捷之。早年入四维剧校，后毕业于中国戏曲学校。工文丑，师从萧长华、高富远、萧盛萱等，擅演《群英会》、《审头刺汤》、《连升店》等剧。曾担任中国戏曲学院教授、副院长。主编《戏曲艺术》、《萧长华演出剧本选集》，参加编撰《中国京剧史》、《中国昆曲艺术》、《中国大百科全书·戏曲·曲艺》等。

李少春（1919—1975）：京剧表演艺术家。直隶霸县（今河北霸州）人。李桂春（小达子）之子。七岁学戏，初习武生，后学老生。曾从余叔岩学艺，后拜周信芳为师。文武兼长，不拘泥成规，善于体察剧情。文戏唱腔韵味清醇，武戏短打、长靠皆精，猴戏身手矫捷。以《闹天宫》、《十八罗汉斗悟空》、《长坂坡》、《三岔口》、《将相和》、《打渔杀家》、《战太平》，以及

《白毛女》、《红灯记》等剧著称，其中《野猪林》一剧摄制成彩色戏曲电影。曾任中国京剧院一团团长。

② 水佩风裳：以水作佩饰，以风为衣裳。语本唐李贺《苏小小墓》诗："草如茵，松如盖，风为裳，水为佩。"本写美人的妆饰，后用以形容荷叶、荷花之状貌。宋姜夔《念奴娇》词："三十六陂人未到，水佩风裳无数。"

③ 亭亭翠盖：形容荷叶向上舒展貌。宋王之道《和赵积中白莲三首》之三："翠盖亭亭水满塘，六铢新制带天香。"

④ 一舸（gě）：一艘船。宋姜夔《念奴娇》词："闹红一舸，记来时、尝与鸳鸯为侣。"舸：大船，泛指船。

⑤ 苕（tiáo，另有方言读 sháo）西：又作"苕溪"。水名。有二源：出浙江天目山之南者为东苕，出天目山之北者为西苕。两溪合流，由小梅、大浅两湖口注入太湖。夹岸芦苇，秋后花飘水上如飞雪，故名。

⑥ 石帚翁：指南宋词人姜夔（约 1155—1209），字尧章。绍熙元年（1990）卜居在湖州弁山苕溪的白石洞天，友人潘德久遂称其为"白石道人"。又自号石帚。

参加昆剧传习所成立六十周年纪念活动，喜赋两首[①]

一九八一年十一月

（一）

草创经营藉众擎，[②]连宵爨弄[③]奏吴声[④]。
匆匆六十年前事，过客馀吾与项生。[⑤]

（二）

姑苏台[⑥]下挹秋光，甲子已周[⑦]再上场。
梁魏[⑧]遗风传几辈，幽兰[⑨]更胜菊花香。

注释：

① 据唐葆祥《俞振飞传》附录《俞振飞诗词选》（上海文艺出版社 1997 年版）。第二首诗手迹见载《苏州报》1981 年 11 月 7 日，另有“一九八一年十一月一日参加昆曲传习所成立六十周年纪念活动，喜赋一绝，《苏州报》属书并正。涤叟俞振飞，时年八十”等款识。

1981 年 11 月 1 日至 9 日，文化部、中国戏剧家协会、上海市文化局、剧协上海分会、浙江省文化局、剧协浙江分会、江苏省文化局、剧协江苏分会等八个单位联合举办“昆剧传习所成立六十周年纪念大会”。俞振飞出席开幕式，并致开幕词，题为《承前启后　继续前进》。根据当时昆剧事业所处情况，经过讨论，会上提出“统一规划，分散继承，集中汇报”的抢救遗产、振兴昆剧的行动纲要。

② “草创经营藉众擎”句：创办昆剧传习所，是依靠了众人的力量。

③ 爨（cuàn）弄：金元时院本的别称。这里泛指演出。详见《卜算子·赵朴初先生赠词，依韵奉和乞正》注⑦。

④ 奏吴声：指昆曲演出。

⑤ “过客馀吾与项生”句：作者自注：“项馨吾君旅美多年，前岁曾归国一游。”1922 年 2 月，为昆剧传习所筹募经费，作者与项馨吾、谢绳祖、潘祥生等人义演《牡丹亭·游园惊梦》。岁月不居，当年参加义演者，仅馀作者及项氏二人。项生：即项馨吾（1898—1983）。业馀昆曲唱家。名德方，字馨吾。上海嘉定人。幼年习曲，得俞粟庐指点。工五旦，注重音韵，讲究口法，兼擅擫笛。与徐凌云、殷震贤、俞振飞等友善，时相雅集习唱。1925 年由高亭公司灌制《折柳》、《惊梦》、《絮阁》、《琴挑》、《刺虎》等唱片，为五旦典范唱法。于服饰亦有所革新，在《佳期》中试用古装，开红娘着裙先例。抗战时入蜀，发起成立重庆曲社。1947 年移居美国，仍积极组织曲社活动。1978 年夏回国探亲，与沪、宁、京等地曲友曲叙。其间因喉音失润，改以低调唱大冠生。其兄项远村（衡方）工冠生，著有《曲韵探骊》一书。

⑥ 姑苏台：亦名苏台、胥台。在姑苏山上，相传为春秋时吴王阖闾所筑。夫差于台上立春宵宫，为长夜之饮。越国攻吴，吴太子友战败，遂焚其台。因地处苏州，故亦用以借指苏州。宋吴处厚《青箱杂记》卷八：“苏有姑苏台，故苏州谓之苏台。”

⑦ 甲子已周：意为已经过去了六十年。详见《寄语台湾诸曲友》注②。

⑧ 梁魏：指明戏曲作家梁辰鱼和明代戏曲音乐家魏良辅。详见《寄语台湾诸曲友》注①。

⑨ 幽兰：周恩来总理将昆曲喻之为“兰花”。

题昆剧传字辈老艺人苏州五亩园合影[①]

一九八一年十一月

名园五亩[②]习弦歌[③]，六十春秋等逝波[④]。
相顾[⑤]白头同一笑，嫣红姹紫[⑥]赏心[⑦]多。

注释：

① 据唐葆祥《俞振飞传》附录《俞振飞诗词选》（上海文艺出版社 1997 年版）。

昆剧传字辈：昆剧传习所培养的学生，诸如顾传玠、周传瑛、郑传鉴、倪传钺、王传淞、华传浩、朱传茗、沈传芷、张传芳、方传芸等人。因其保留宗姓，中间俱排一“传”字，喻示昆剧艺术薪传不绝，而末一字用以区分行当家门：小生取“玉”字旁，寓意“玉树临风”；老生、老外、副末、净取“金”字旁，寓意“黄钟大吕”；副、丑取“水”字旁，寓意“口若悬河”；旦取“草”字头，寓意“香草美人”。史称昆曲“传字辈”。他们较出色地继承了姑苏全福班前辈们的艺术精髓，成为民国年间一个行当齐全、实力雄厚的昆剧演出团体。并在中华人民共和国成立之后，传承昆剧舞台艺术、培养新生代昆剧演艺人员，厥功至伟。

② 名园五亩：即五亩园，昆剧传习所所址。详见《上海昆曲研习社纪念汤显祖四梦曲会四首》之二注⑤。

③ 弦歌：犹“弦诵”。古代学校传授《诗》学，有用琴瑟等弦乐器配合

歌唱的，有只口诵而不用乐器的。《墨子·公孟》："弦诗三百，歌诗三百。"后因以指礼乐教化与学校教育。

④ 逝波：犹"逝川"。指一去不返的流水。常比喻过去的时间或事理。唐杜甫《少年行》诗："黄衫年少宜来数，不见堂前东逝波。"

⑤ 相顾：相视，互看。

⑥ 嫣红姹紫：亦作"姹紫嫣红"。形容花色鲜艳貌。唐杜牧《晚晴赋》："忽引舟于深湾，睹八九之红芰，姹然如妇，嫣然如女。"明汤显祖《牡丹亭·惊梦》："原来姹紫嫣红开遍，似这般都付与断井颓垣。"

⑦ 赏心：心情欢畅。南朝谢灵运《拟魏太子邺中集诗序》："天下良辰、美景、赏心、乐事，四者难并。"

1981年11月纪念苏州昆曲传习所成立六十周年传字辈老师聚会合影(前排左起:邵传镛、张传芳、沈传芷、倪传钺、包传铎、王传淞、周传瑛;后排左起:沈传锟,姚传芗,吕传洪、郑传鉴、周传沧、薛传钢、刘传蘅、方传芸、王传蕖)

百字令·为苏州戏剧工作者协会、苏州博物馆、苏州市戏曲研究室联合主办昆剧展览作[①]

一九八一年十一月

琳琅一室，记吴门[②]胜事，曲坛掌故[③]。五亩园[④]中闻古调[⑤]，甲子[⑥]匆匆初度[⑦]。玉茗[⑧]馀风，稗畦[⑨]逸响，此是沧桑[⑩]谱。幽兰[⑪]再放，芳馨漠漠[⑫]凝驻。　　莫笑老兴婆娑[⑬]，吹花嚼蕊，[⑭]不减歌场[⑮]趣。龙篴[⑯]雁筝[⑰]鹳鸽舞[⑱]，忘了霜颠[⑲]迟暮[⑳]。六合[㉑]清光，九州生气，[㉒]应唱凌云[㉓]赋。新词题向，苏台[㉔]秋月明处。

注释：

① 据《社讯》第 8 期（总第 45 期），上海昆曲研习社 1982 年 1 月油印本，题作“题赠苏州昆剧展览馆”；书迹影印件见《中国大百科全书·戏曲·曲艺》（中国大百科全书出版社 1983 年版）“俞振飞”条目后，词题据此改定。另有“一九八一年十一月，俞振飞时年八十”等款识。

百字令：词牌、曲牌名。词牌又名《念奴娇》、《大江东去》、《酹江月》等。双调，共一百字，上下片各四仄韵，亦有用平韵者。念奴为唐天宝中著名歌女，音调高亢，遂取为调名。宋词中以苏轼所填《赤壁怀古》最著名。曲牌北曲有大石调，别名《念奴娇》，与词牌全阕同，用为小令。

② 吴门：旧时苏州的别称。

③ 掌故：旧制；旧例。《史记·龟策列传》："孝文、孝景因袭掌故，未遑讲试。"后多指关于历史人物、典章制度等方面的故实或传说。

④ 五亩园：昆剧传习所所址。详见《上海昆曲研习社纪念汤显祖四梦曲会四首》之二注⑤。

⑤ 古调：指昆曲。

⑥ 甲子：六十年。详见《陆兼之〈松老菊香俞振飞〉书后》注④。

⑦ 初度：指初生之时。《离骚》："皇览揆余初度兮，肇锡余以嘉名。"后称生日为"初度"。

⑧ 玉茗：指汤显祖。其寓所植有玉茗（白色山茶花），书斋即名"玉茗堂"。

⑨ 稗畦：清戏曲作家洪昇号"稗畦"。详见《卜算子·赵朴初先生赠词，依韵奉和乞正》注⑤。

⑩ 沧桑："沧海桑田"的略语。大海变为桑田，桑田又变为大海。比喻世事变迁很大。晋葛洪《神仙传·麻姑》："麻姑自说云：'接侍以来，已见东海三为桑田。'"

⑪ 幽兰：周恩来总理将昆曲喻之为"兰花"。

⑫ 漠漠：弥漫貌。

⑬ 老兴婆娑：这里是兴致高涨的意思。婆娑：盘旋，徘徊。

⑭ "吹花嚼蕊"句：指吹奏、歌唱。引申指反复推敲声律、词藻。清纳兰性德《浣溪沙》词："十八年来堕世间，吹花嚼蕊弄冰弦。多情情寄阿谁边？"

⑮ 歌场：歌唱的场所。引申为剧坛。清黄景仁《十四夜歌宴》诗："歌场坐稳舞筵成，小部《霓裳》按奏清。"

⑯ 龙篴（zhú）：亦作"龙笛"。指笛。据说其声似水中龙鸣，故称。语本汉马融《长笛赋》："龙鸣水中不见已，截竹吹之声相似。"后则多指管首为龙形的笛子。《元史·礼乐志五》："龙笛，制如笛，七孔，横吹之，管首制龙头，衔同心结带。"

⑰ 雁筝：指筝。筝柱排列如雁行，故名。唐路德延《小儿》诗："帘拂鱼钩动，筝推雁柱偏。"

⑱ 鸜鹆（qú yù）舞：一作"鸲鹆舞"。晋代舞蹈。鸲鹆：鸟名，俗称"八哥"。舞蹈模拟鸲鹆动作。《晋书·谢尚传》载：东晋谢尚擅长此舞，在宴会上表演时，宾客为之抚掌击节。唐卢肇《鸜鹆舞赋》描述其舞姿："公乃

正色洋洋，若欲飞翔。避席俯伛，抠衣颉颃。宛修襟而乍疑雌状，赴繁节而忽若鹰扬。”这里喻指戏曲表演。

⑲ 霜颠：白头。颠：头顶。

⑳ 迟暮：比喻衰老、晚年。

㉑ 六合：指天地和东、南、西、北四方。《庄子·齐物论》：“六合之外，圣人存而不论。”成玄英疏：“六合者，谓天地四方也。”亦泛指天下。唐李白《古风》诗：“秦皇扫六合，虎视何雄哉！”

㉒ “九州生气”句：喻指祖国到处呈现出生机勃勃的新局面。九州：传说中的中国上古行政区划。起于春秋、战国时代。说法不一。西汉以前，认为系禹治水后所划分，州名未有定说：《书·禹贡》作冀、兖、青、徐、扬、荆、豫、梁、雍；《吕氏春秋·有始览》有幽州而无梁州；《周礼·职方》有幽、并州而无徐、梁州；《尔雅·释地》有幽、营州而无青、梁州。实际上九州都只是当时学者各就其所知的大陆所划分的九个地理区域，各州境界亦多出入。一般泛指全中国。

㉓ 凌云：直上云霄，比喻志趣高迈或意气昂扬。

㉔ 苏台：即姑苏台，亦名胥台。这里借指苏州。详见《参加昆剧传习所成立六十周年纪念活动，喜赋两首》之二注⑥。

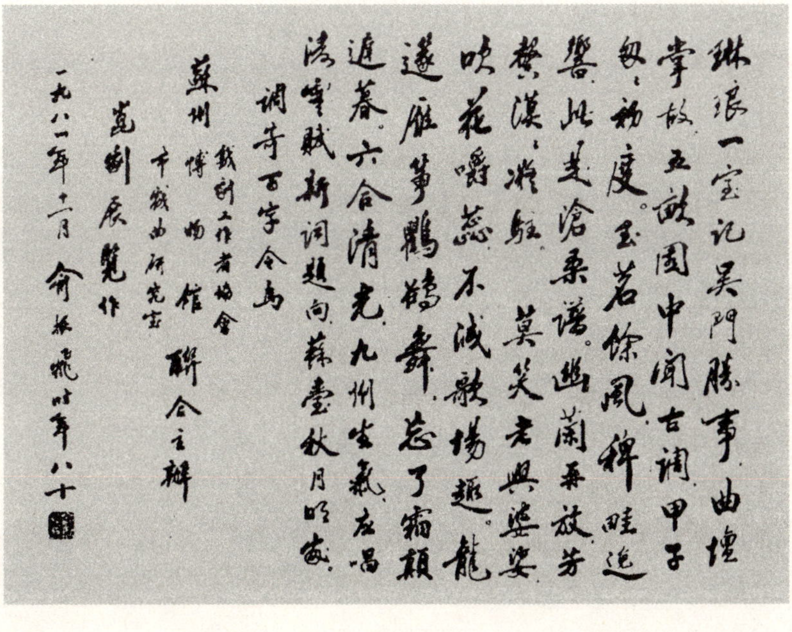

一九八一年十一月，昆剧传习所成立六十周年纪念于苏州举行。苏浙沪两省一市昆曲界群贤毕至，欢聚一堂，余亦躬逢其盛。喜赋一律，书奉浙江省艺术研究所留念[①]

一九八一年十一月

烂漫秋光客兴浓，敲金戛玉[②]意春容[③]。
大千世界[④]明于火，十六耄翁健若龙。[⑤]
魏曲梁词[⑥]争异彩，吴歈越唱[⑦]溯同宗。
吾衰幸见新生面，扢雅扬风[⑧]轶旧踪。

注释：

① 据手稿影印件。费三金《俞振飞传》（上海文化出版社 2011 年版）所引有误，如“意春容”误作“意春容”，“溯同宗”误作“朔同宗”。

浙江省艺术研究所：浙江省艺术创作和艺术研究机构，始建于 1961 年，原名浙江省文化局戏曲研究室，初与中国剧协浙江分会合署办公。1980 年 10 月改今名，2002 年并入浙江艺术职业学院。2007 年恢复独立建制，并更名为浙江省文化艺术研究院。主要从事戏曲剧目挖掘、整理、创作，主持每年一度的浙江省戏剧创作年会，并参与两年一次的浙江省戏剧节的剧目选拔与评论等工作，编纂《中国戏曲志·浙江卷》、《中国戏曲音乐集成·浙江卷》、《中国曲艺志·浙江卷》、《中国曲艺音乐集成·浙江卷》等国家艺术科研重点项目，编辑出版《戏文》、《艺术研究资料》、《剧本选辑》、《浙江戏剧丛刊》等。该所拥有一批国内外有影响的学者与艺术家，如音乐家周大风，学者洛地、徐宏图，评论家沈祖安，导演杨小青，舞台美术设计师乐国庆，剧作家胡小孩、陈静、贝庚、曾昭弘、胡月伟等。

② 敲金戛玉：指演奏钟磬等乐器。这里形容乐音铿锵。清陈廷焯《白雨斋词话》第五卷："敲金戛玉之词，忽与瓦缶竞奏，白璧微瑕，固是恨事。"

③ 舂容：用力撞击。形容声音悠扬洪亮。明何景明《听琴篇》诗："含宫移羽何舂容，泠泠万壑吟风松。"

④ 大千世界：即"三千大千世界"的简称。古印度传说中一个广大范围的世界。以须弥山为中心，同一日月所照的四天下为一小世界，合一千小世界为一小千世界，合一千小千世界为一中千世界，和一千中千世界为一大千世界。因大千世界有小中大三种千世界，故名。佛教沿用其说，以为释迦牟尼所教化的范围。

⑤ "十六耄翁健若龙"句：指郑传鉴、倪传钺、王传蕖、方传芸、薛传钢、邵传镛、张传芳、沈传芷、包传铎、周传瑛、王传淞、沈传锟、姚传芗、吕传洪、周传沧、刘传蘅等十六位与会的传字辈艺人身体矍铄。

⑥ 魏曲梁词：指明代戏曲音乐家魏良辅、明戏曲作家梁辰鱼。详见《寄语台湾诸曲友》注②。

⑦ 吴歈（yú）越唱：又作"吴讴越吹"、"吴调越歈"。吴歈：指昆曲。昆山腔产生之后，其中心即从昆山转至吴郡首府苏州，故有"吴腔"、"吴音"、"吴歌"、"吴骚"、"吴趋"等别称。明潘之恒《鸾啸小品》卷二《艳曲十三首》："吴歈元自备宫商，按拍推宗魏与梁。"明万历四十四年（1616）周之标所刊曲本选集，即以《吴歈萃雅》命名。越唱：相对于江苏的昆山腔而言，指产生于浙江地区（春秋战国时属于越地）的余姚腔、海盐腔。这里泛指各种戏曲声腔。明夏完淳《大哀赋》："鲁酒楚歌，乌能为乐；吴歈越唱，只令人悲。"上海嘉定汇龙潭公园打唱台（始建于1888年）楹联云："鼓

吹颂升平，壤叟衢童消永昼；春秋崇报赛，吴歈越唱遏行云。”

⑧ 扢（jié）雅扬风：探讨风雅，比喻品评诗文。风：指《诗·国风》。扢：张扬。雅：《诗·大雅》与《诗·小雅》。清赵翼《廿二史札记》卷三十：“诸人尝寓其家，流连觞咏，声光映蔽江表。此皆林下之人扬《风》扢《雅》，而声气所届，希风附响者，如恐不及。”

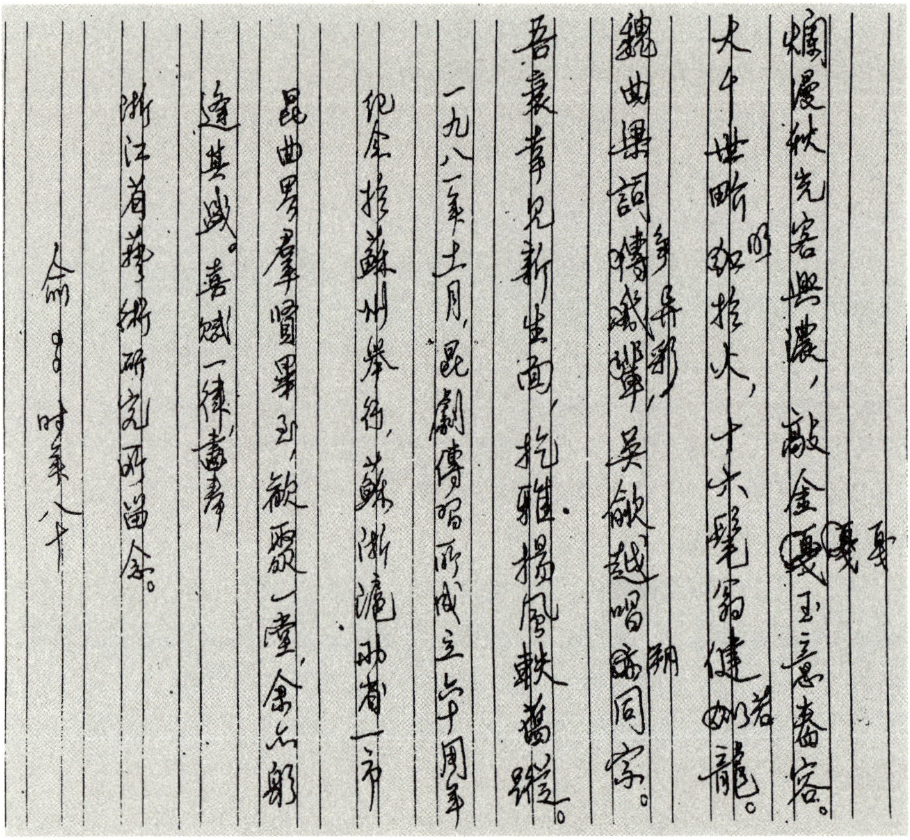
烂漫秋光容与浓，敲金戛玉意春容。
大千世[illegible]知指大，十大[illegible][illegible]健若龙。
魏曲[illegible]词传异彩，吴歈越唱朔同宗。
吾衰幸见新生面，扢雅扬风[illegible][illegible]踪。
一九八一年十月，昆剧传习所成立六十周年纪念，在苏州举行，苏浙沪五省一市昆曲界群贤毕至，欢聚一堂，余亦躬逢其盛，喜赋一律，书奉浙江省艺术研究所留念。
俞振飞 时年八十

八十自寿(组诗)[1]

一九八一年

(一)

余生于公元一九零二年，农历壬寅六月十一日。旧传是日为梨园[2]所奉翼宿星君[3]诞辰，不足据也。沧桑[4]几度，颓然成翁。杂书所感，咏叹未遑[5]。聊叙平生踪迹，以自警励[6]云尔[7]。

骎骎[8]岁月八旬翁，艳说[9]生辰翼宿同。
别有词场功过格[10]，几回海碧幻桑红。[11]

注释：

① 据龚学平主编《昆曲泰斗俞振飞》(上海辞书出版社 2002 年版)，字句多有舛误，一一试作更正。另据该书执行主编费三金见告，该组诗系纪年诗，凡八十首。编辑时，曾引录其中三十二首。所馀四十八首，为有关人员不慎遗失，惜乎!

② 梨园：唐玄宗时教练宫廷歌舞艺人的地方。在长安光化门(一说芳林门)外禁苑中。玄宗曾选坐部伎子弟三百人和宫女数百人于梨园学歌舞，有时亲加教正，称为“皇帝梨园弟子”。也称“梨园弟子”。后称戏曲界为梨园行，戏曲演员为梨园子弟，本此。

③ 翼宿星君：旧时戏班所祀之神。俗称“祖师爷”，又称“小儿星”、“老郎神”。其神像为白面儿童状，面带微须，头戴王帽，身穿黄袍。旧传即

唐玄宗李隆基，一说系后唐庄宗李存勖。另据明汤显祖《宜黄县戏神清源师庙记》，所祀奉者为清源妙道真君。翼宿：星官名。二十八宿之一。东西南北四方各有七宿，其中南方朱雀的第六宿即翼宿。《大平御览·乐部·优倡》引《春秋元命苞》："翼星主南宫之羽仪，文物声明之所丰茂，为乐库，为天倡，先王以宾于四门，而列天庭之卫，主俳倡，近太微而为尊。"由此可知，翼宿之神在道教中系主管音乐的神祇。

④ 沧桑：大海变为桑田，桑田又变为大海。比喻世事变迁很大。详见《百字令·为苏州戏剧工作者协会、苏州博物馆、苏州市戏曲研究室联合主办昆剧展览作》注⑩。

⑤ 未遑（huáng）：没有时间顾及，来不及。

⑥ 警励：告诫，勉励。

⑦ 云尔：语气助词，用在句末。

⑧ 骎骎（qīn qīn）：马速行貌。《诗·小雅·四牡》："载骤骎骎。"毛传："骎骎，骤貌。"引申为疾速。也比喻时间迅速消逝。

⑨ 艳说：艳羡地评说。

⑩ 功过格：旧时崇奉封建礼教或佛家戒律之人，将自己所行之事分别善恶逐日登记，以考验功过，称为"功过格"。道教徒也用功过格自记日常行为的善恶，作为权衡鬼神降与祸福的标准。奉行者每夜自省，对照行为，各为善、恶行记正、负分。月底一小计，每月一篇，装订成本。年底加以总计，功过相抵，累积之功或过，转入下月或下年，以期勤修不已。

⑪ "几回海碧幻桑红"句：形容人世变迁，意同沧桑。柳亚子《沫若五十寿诗》诗："红桑碧海寻千劫，晦雾盲云蔽一阳。"

（二）

生于苏州义巷[①]。幼丧母，严父躬自[②]鞠养[③]。三岁时，父取以《邯郸记·三醉》中"趁江乡"一曲催眠。[④]余于昆曲感受之早如此。

义巷深深月上阶，蛎窗[⑤]蜗屋[⑥]远长街。
邯郸一曲催眠稳，不在娘怀在父怀。

注释：

① 义巷：俞振飞出生于苏州范庄前义巷。俞振飞《艺林学步·父亲和昆曲》："姑苏城内有一条街，名叫'范庄前'。范庄是北宋名臣和词人范仲淹所办的'义庄'，置有'义田'，专为帮助同族、赡养孤寡而设的一种'义举'。这条街的一条小小横巷，名为'义巷'。"

② 躬自：亲自。

③ 鞠养：犹"鞠育"。抚养，养育。语本《诗·小雅·蓼莪》："父兮生我，母兮鞠我，拊我蓄我，长我育我。"毛传："鞠，养也。"元刘唐卿《降桑椹》第二折："今立身成名，岂不知父母鞠养之恩？"

④ "父取以《邯郸记·三醉》中'趁江乡'一曲催眠"句：俞振飞《艺林学步·不是"特异功能"》："我的生母姓顾，苏州人，是父亲的继妻（原配姓王，松江人，生了我大姐姐、二姐姐，死在苏州）。婚后十年之中，生了我三姐、四姐和我。我生母相当能干，也爱唱昆曲，所以夫妇感情很好……"参见《上海昆曲研习社纪念汤显祖四梦曲会四首》注③。《邯郸记·三醉》：剧叙吕洞宾因蓬莱山缺少扫花使者，遂至洞庭湖岳阳楼，寻取可度之人。一仙二客，酒醉调侃，结果失望而归。

⑤ 蛎窗：明窗。蛎：旧用牡蛎壳烧制成灰，其功用与石灰同。

⑥ 蜗屋：比喻狭小的住所。常用作谦称。

（三）

父授曲，习者久而未谐。余偶然一歌，能符格律，父为之诧喜。[①]父执[②]以为粟翁有儿，咸加珍护焉。

凭几[③]乍闻唱徵声[④]，俨然髫龄[⑤]写《黄庭》[⑥]。
人前莫笑誉儿癖，此是吾家雏凤[⑦]清。

注释：

① "父授曲，习者久而未谐"等句：俞振飞《艺林学步·不是"特异功能"》："到我六岁时，父亲有位学生来学这支【红绣鞋】，横学竖学总不对。我正在院子里玩，心想这段唱我会的嘛！就走进去，向父亲说：'你吹，我来

唱。'父亲问：'你几时会唱过？'我坚持要唱，父亲就吹起笛子，我一曲唱罢，一点没错。那时，我对曲文还一字不识呢。父亲大为惊奇，我自己也莫名其妙。现在想来，不是我有什么'特异功能'，实在是听了三年，印象太深了，所谓'耳熟能详'吧？从此，我父亲就开始教我唱曲了。"

② 父执：父亲的朋友。《礼记·曲礼上》："见父之执，不谓之进，不敢进；不谓之退，不敢退；不问，不敢对。"孔颖达疏："见父之执，谓执友与父同志者也。"

③ 凭几（jī）：凭靠几案。古时老人居则凭几，行则携杖，借以倚凭身体。

④ 唱徵声：曲音。徵：我国古代五声音阶（宫、商、角、徵、羽）的第四音级。一般泛指音乐，这里指昆曲。

⑤ 髫（tiáo）龄：童年。髫：古时小孩的下垂头发。

⑥《黄庭》：即王羲之所书《黄庭经》小楷法帖。其法极严，其气亦逸，笔势雄秀，有秀美开朗意态，具大字气概。宋秦观《春日》诗之四："春禽叶底引圆吭，临罢《黄庭》日初长。"

⑦ 雏凤：幼凤。比喻有才华的子弟。唐李商隐《韩冬郎即席为诗相送一座皆惊因成二绝寄酬兼呈畏之员外》诗之一："桐花万里丹山路，雏凤清于老凤声。"冯浩笺注："《晋书》：陆云幼时，闵鸿奇之，曰：'此儿若非龙驹，当是凤雏。'"

（四）

家自义巷迁居西北街，再徙狮林寺巷，余儿时生活皆于此度过。自六岁始，读书之外，习曲不辍。父挂笛于卧室门后，晚饭后，每闻启户声，即知我父携笛课曲。[①]非百十遍，余不得就寝。非至一曲娴熟，则不得习新曲。[②]

总角[③]居邻北寺西，狮林又听梵音齐。[④]
戾㕿[⑤]鸣处灯初上，笛韵连宵课咏霓[⑥]。

注释：

① "家自义巷迁居西北街"诸句：俞振飞《艺林学步·不是"特异功

能”》：“我七岁时，从义巷迁居西北街石塘桥。那年，我父六十岁，经好友海宁王欣甫介绍，续娶了我的继母。上面说到和我父亲争执的就是她，她姓金，浙江硖石人，结婚时已五十上下年纪。我家在石塘桥住得较久，其时父亲到东北街张家工作，我跟他同去。白天要念书，所以学曲子总在回家晚饭以后。苏州的旧式房子，卧房是双阖式的木板门，一动就会叽嘎叽嘎叫，父亲的两支笛子就挂在房门背后，吃过晚饭，只要听到房门叽嘎一响，我的心就会跳起来，知道父亲在取笛子，快出来上课了。”

② “非百十遍，余不得就寝”诸句：俞振飞《艺林学步·不是“特异功能”》载：“父亲对此要求很严，一个黄昏至少要念五十遍，其实我已经会了，父亲说不行，还要念（即‘拍曲’），非念不可！念过一星期，已有三百遍以上，然后上笛。在一个课程中，不许错一次，错了从头再来。经过这样的严格训练，我渐渐懂得了‘念’的好处，只有下死工夫，才能使咬字、换气、放音等等，完全学得一模一样。后来熟极而流，成为‘条件反射’，不用脑子想，口里出来就对。”

③ 总角：《诗·齐风·甫田》：“总角丱（guàn）兮。”角：小髻。丱：儿童的发髻向上分开的样子。《礼记·内则》：“拂髦，总角。”郑玄注：“总角，收发结之。”后因称童年时代为“总角”。

④ “狮林又听梵音齐”句：俞振飞幼年随父曾寓狮林寺巷（今苏州临顿路东头南侧）。屋邻狮林寺，时闻诵经之声。狮林：狮林寺。位于苏州市园林路。始建于元至正二年（1342），又名圣恩寺、画禅寺。梵音：诵经的声音。

⑤ 扊扅（yán yí）：门闩。宋陆游《舍北行饭》诗：“晚来懒复呼童子，自掩柴门上扊扅。”

⑥ 课咏霓：喻指习唱昆曲。唐李商隐《留赠畏之》诗：“空寄大罗天上事，众仙同日咏霓裳。”

（五）

吴江陆廉夫先生恢[1]，别署狷盦。擅写山水、花果，复精篆隶、碑版[2]之学。余从游[3]有年，愧未得其万一，先生曾言：作画须求浑厚，切忌浮漓[4]。余承师教，用之于戏曲表演，深有所获。因悟艺术之道，同源殊流，可以相为桴鼓[5]也。

松陵夫子老词仙，[6]籀隶[7]丹青[8]世并贤。
郑重华滋[9]浑厚境，歌场[10]倘许悟真诠[11]。

注释：

① 陆廉夫先生恢：即陆恢（1851—1920），原名友恢，一名友奎，后改恢，字廉夫。号狷叟，一作狷盦，又号破佛盦主人。江苏吴江人。清末民初书画家。书工汉隶，画精山水、人物、花鸟、果品。初寓苏州，俞粟庐识其才，为之招呼笔墨。曾应平湖葛氏、吴兴庞虚斋聘，考订金石书画多年。所作笔意益苍劲遒丽，古拙幽深。后移居沪上，鬻画自给。黄宾虹评画中九友，“以吴江陆廉夫得名最早，山水学四王，渲染尤能逼真。”俞振飞自1915年始，正式拜陆廉夫为师学习国画，直至陆氏逝世止。薛正康、许寅《俞派小生的“书卷气”——知书识画明诗善字而精于戏》载：“……就在这个时候，粟庐老先生又请来名画家陆廉夫教子习画。这位陆老先生，教学又是严之又严。孩子喜欢花花绿绿的花卉，他却非要你从最根本的山水学起。学画山水，又必须首先从画石头开始。一块石头一画就是几天，枯燥固然枯燥，但是基础却打得甚厚。”

② 碑版：铭刻文字的碑碣。这里指书法中的北碑一派。清钱泳《履园丛话·书画·赵松雪》：“惟碑版之书则不然，碑版之书，必学唐人，如欧、褚、颜、柳诸家，俱是碑版正宗。其中着一点松雪，便不是碑版体裁矣。”

③ 从游：师从学习。

④ 浮滴：虚浮不实。

⑤ 桴（fú）鼓：鼓槌与鼓。以鼓槌击鼓，鼓即发声。比喻相互应和，配合紧密。

⑥ “松陵夫子老词仙”句：即指陆恢。松陵：吴江县的旧称。词仙：称誉擅长填词的人。这里引申为绘画高手。

⑦ 籀（zhòu）隶：大篆、隶书。

⑧ 丹青：我国古代绘画常用朱红色、青色，故称画为“丹青”。

⑨ 华滋：形容容色丰美滋润。

⑩ 歌场：歌唱的场所。这里泛指舞台。详见《百字令·为苏州戏剧工作者协会、苏州博物馆、苏州市戏曲研究室联合主办昆剧展览作》注⑮。

⑪ 真诠：真谛，真义。对经典的正确解释。

（六）

十四岁时，苏州张氏有庆典。其子紫东[1]，从我父问字习曲，邀余同爨[2]《牧羊记·望乡》[3]。余乃延沈锡卿[4]师教授身段表演，成绩尚可。此乃余爨弄戏曲发轫[5]之始。

苏卿全节啮[6]寒冰，侧望乡关泣李陵。
初向红氍毹[7]畔立，毳衣[8]茸帽[9]泪珠凝。

注释：

① 紫东：即张紫东（1881—1951），苏州人。名钟来，字紫东，号适盦。业馀昆曲唱家。幼年即从俞粟庐习曲，工老生，兼擅擫笛。又随全福班沈锡卿、沈月泉学习身段。擅演《寄子》之伍员、《骂曹》之祢衡、《小宴》之王允、《搜山打车》之程济、《割发代首》之张绣、《打子》之郑儋等。嗓音高朗圆润，念字清晰纯正，台步稳重大方，有“吴中老生第一人”、苏州曲坛“一正梁”之誉。并发起创办道和曲社、昆剧传习所。1915 年其母寿辰时，偕俞振飞彩串《望乡》于补园。俞振飞《艺林学步·看戏和学戏》载：“张家的长子紫东，大约长我二十岁，极爱昆剧表演，常请沈月泉、沈锡卿两位老师教戏。我看到他们‘踏戏’（昆班传统对排戏的名称），心里当然极为羡慕，但父亲认为昆剧身段繁重，非下苦功不能学好，那就会影响习曲，所以一向不准我学身段。到我十四岁那年，张紫东为其母亲做寿，打算演戏。他家在迎春坊住宅的天井里，造起一座戏台，平时可以放下，演戏时用架子撑高。张紫东先向我父说好了，怂恿我陪演《牧羊记·望乡》，他演苏武，我演李陵。我父亲虽不上台，但看戏多年，谁有什么好手段，都能说得出。有时高兴，比划几下，用大袖口当水袖抖。我早就看得熟，跟着学，所以对一般小动作，心中也有点数了。沈锡卿老师教这戏是在夏天，我打着赤膊学，沈老师说这样很好，可以看到手、臂、肘、腕各个部位的使用方法，有毛病

就可指出、改正。及至《望乡》演出，居然不僵不呆，博得了宾客的赞赏，父亲也很高兴。”

② 爨（cuàn）：即爨弄。金元时院本的别称。后一般泛指演出。详见《卜算子·赵朴初先生赠词，依韵奉和乞正》注⑦。

③《牧羊记·望乡》：详见《题女弟孙天申龙门郇曲叙横卷，次韵奉和驹才》注⑰。

④ 沈锡卿：清末民初苏州全福班昆剧名伶、艺师。约生于清同治中叶。原名金钩，苏州人。师承晚清昆班名角李桂泉，工老生，嗓音浏亮圆润，念白传神，身段优美，能戏极多，擅演《搜山打车》、《别母乱箭》、《云阳》、《杀惜》、《出罪府场》、《扫松》等。晚年在各地授艺，后终老于北京，卒年不详。

⑤ 发轫：比喻事情的开端。详见《国庆三十周年献词二首》之二注⑬。

⑥ 啮（niè）：咬。苏武出使匈奴，被拘不降，牧羊于北海边。餐毡啮雪，艰苦卓绝。

⑦ 氍毹：一种毛织或与其他材料混织的有图案花纹的毯子，后用为歌舞场、舞台代称。详见《武汉京剧团成立三十周年祝词》注⑨。

⑧ 毳（cuì）衣：用动物毛皮所制的衣物。

⑨ 茸帽：用浓密柔细的兽毛所制成的帽子。

（七）

初演《望乡》，朋辈皆为除汗[①]。其后不久，复有彩爨[②]，乃从沈月泉[③]师学，饰演《紫钗记·折柳阳关》[④]之李益[⑤]。汤若士[⑥]先生《四梦》[⑦]，余皆曾演之，而以《紫钗》为最先。

粉墨[⑧]重施四座娱，阳关[⑨]惜别李君虞。
因缘敷演[⑩]临川梦[⑪]，唱叹何如梦有无。

注释：

① 除汗：捏着一把汗。意谓担忧。

② 彩爨（cuàn）：又作“彩串”。泛指演剧。详见《奉贺顾生铁华彩爨

昆曲〈百花赠剑〉、〈贩马记〉》注①。

③ 沈月泉：昆剧演员、教师。详见《上海昆曲研习社纪念汤显祖四梦曲会四首》之二注③。

④《紫钗记·折柳阳关》：剧叙唐时新科状元李益，奉旨赴西镇参军，其妻霍小玉在灞桥送别。浓情蜜意，离愁别恨，一时难以尽述。遂于三军催迫下，黯然别去。

⑤ 李益：唐诗人，字君虞，陇西姑臧（今甘肃武威）人。家居郑州（今属河南）。大历进士。初因仕途不顺，弃官客游燕赵间。后官至礼部尚书。其诗音律和美，为当时乐工所传唱。长于七绝，以写边塞诗知名，主要抒写士兵久戍思归之情。有《李君虞诗集》二卷。俞振飞《艺林学步·看戏和学戏》载："禁不住曲友们的好评和鼓励，我又学演了《紫钗记·折柳阳关》，成绩也不错。这些剧目重在唱念，身段不繁，传统称为'摆戏'，表演比较容易。在此以后，我请沈月泉老师陆续教了不少官生、巾生、鸡毛生、鞋皮生的折子戏，演出也逐渐增多了。"

⑥ 汤若士：汤显祖号"若士"。

⑦《四梦》：汤显祖所作《紫钗记》、《还魂记》、《南柯记》和《邯郸记》四种传奇剧本。因都有描写梦境的情节，故称"四梦"。

⑧ 粉墨：用粉墨化妆，指登台演出。详见《奉贺顾生铁华彩爨昆曲〈百花赠剑〉、〈贩马记〉》注⑥。

⑨ 阳关：古关名，西汉时置。故址在今甘肃敦煌西南古董滩附近，因在玉门之南而名。唐王维《送元二使安西》诗："渭城朝雨浥轻尘，客舍青青柳色新。劝君更尽一杯酒，西出阳关无故人。"后谱入乐府，称"阳关三叠"。引申为送别之地，以喻分离。

⑩ 敷演：表演。《水浒传》第五十五回："高太尉带领众人，都往御教场中，敷演武艺。"

⑪ 临川梦：即指"临川四梦"。临川：今江西省临川市，即汤显祖的故乡。旧时多以出生地指代某人，以示尊敬。

（八）

少年旧侣谢绳祖[①]、翁瑞午[②]、袁安圃[③]、项馨吾[④]，皆唱旦角，惟余唱小生，当时戏称为“四菜一汤”。在苏州昆剧传习所创办时，公演协助筹募资金。

四簋一羹⑤只笑谈，相携白袷⑥在江南。
重逢剩有疁城项⑦，按拍梁州⑧意怎堪？

注释：

① 谢绳祖（1891—1970）：业馀昆曲唱家。名兆基，浙江湖州人。曾留学英国，后任慎昌洋行华人经理。嗜好昆曲，习旦角，师从俞粟庐、俞振飞父子。不时粉墨登场，彩串《拜施》、《分纱》、《思凡》等。曾与俞振飞合演《断桥》，饮誉当时。其妹谢佩贞亦随俞振飞习曲，工生行。

② 翁瑞午（？—1961）：字恩湛，江苏常熟人。业馀昆曲唱家。习旦角，参加上海赓春曲社活动，与项馨吾、袁安圃、谢绳祖并称“赓春四旦”。亦嗜京剧，系“雅歌集”成员。俞振飞首演京剧，即与其合作《三堂会审》。尝随赵叔孺、况周颐习书画诗文，富收藏。后与陆小曼同居，为其推拿疗病。

③ 袁安圃（1904—1963）：业馀昆曲唱家。名樊，字萝庵，号安圃、梦圃。苏州人。师从俞粟庐、俞振飞父子，兼工五旦、六旦。以善歌《游园》闻名，王季烈称誉其为旦角唱口楷模，高亭公司为之灌制唱片。曾与俞振飞合演《埋玉》。又随张謇、冯超然研习书画，书宗汉隶，画宗四王。1960年代初寓居香港，不幸遭遇车祸去世。

④ 项馨吾（1898—1983）：业馀昆曲唱家。详见《参加昆剧传习所成立六十周年纪念活动，喜赋两首》之一注⑤。

⑤ 四簋（guǐ）一羹：即“四菜一汤”。簋：古代祭祀宴飨时盛黍稷的器皿。一般为圆腹，侈口，圈足。

⑥ 白袷（jiá）：白色夹衣，旧时平民的服装。亦借指无功名的士人。唐李商隐《春雨》诗：“怅卧新春白袷衣，白门寥落意多违。”

⑦ 疁（liú）城项：指项馨吾。详见《参加昆剧传习所成立六十周年纪念活动，喜赋两首》注⑤。疁城：上海市嘉定区的别称。因隋唐时为昆山县疁城乡而得名。又或别称疁塘。项是上海嘉定人，故称。

⑧ 梁州：唐教坊曲名。这里泛指昆曲。详见《述怀两首，寄台湾文艺界诸友好》之二注⑨。

（九）

蒋砚香[①]师，南方京剧小生，为余发蒙[②]者。

春江[③]侍砚[④]首重回，小草阶前荷[⑤]手栽。
涉远焉能无轫始[⑥]？师门雪涕[⑦]尚馀哀。

注释：

① 蒋砚香：京剧老艺人，师从杜蝶云，工小生。曾任雅歌集教师，俞振飞经翁瑞午介绍，曾从其先后学习《贩马记》、《群英会》、《九龙山》、《八大锤》、《辕门射戟》、《白门楼》、《罗成叫关》、《打侄上坟》、《玉门关》、《孝感天》、《飞虎山》、《借赵云》诸剧。俞振飞《艺林学步·第二个“全部扔光”》载：“我十九岁到上海，在穆藕初先生的豫丰纱厂担任文书工作。……我在上海，除了继续唱曲和偶或演出外，还参加了京剧票房‘雅歌集’，向蒋砚香老师学京剧小生戏。”

② 发蒙：旧时指初识字的儿童读书。《后汉书·东平宪王苍传》：“心开目明，旷然发蒙。”这里指初习京剧。

③ 春江：即春申江。指代上海。详见《悼念黄蔓耘二首》之一注⑤。

④ 侍砚：铺纸磨墨，意指随老师学习。

⑤ 荷（hè）：承蒙。

⑥ 轫始：开始，开端。详见《国庆三十周年献词二首》之二注⑬。

⑦ 雪涕：擦拭眼泪。

（十）

一九二一年[①]，程砚秋来沪演出。余以业馀身份，配演《牡丹亭·惊梦》，是为二人订交之始。

记得秋声海上来，[②]当时清誉[③]重歌台。

牡丹亭畔惊幽梦，艺苑同心赏别才。

注释：

① 一九二一年：应为 1923 年。

② “记得秋声海上来”句：1923 年 10 月，程砚秋首次赴沪演出。袁伯夔持赠一联：“艳色天下重；秋声海上来。”悬诸舞台两侧。俞振飞《御霜簃的人品和戏品》载：“我和砚秋同志相识极早。记得是一九二三年秋季，砚秋同志第二次来沪演出。……正在此时，砚秋同志要演一场昆曲《牡丹亭 · 惊梦》，经人推荐，我为他配演了小生柳梦梅，这就是我和他在舞台上第一次合作，也是两人订交之始。那年我只有二十一岁，是一个很年轻的业余昆曲‘曲友’（相当于京剧的‘票友’）；砚秋同志才十九岁，但在京剧界已崭露头角，声名大噪了。可是，他态度非常谦虚，要我消除顾虑，该怎么演就怎么演。因此在演出前排戏时，当我感到他原学的比较简单，就把南昆的演法介绍给他，于是他就增加了一些身段和表情。这次合作，我们彼此都大有好感。他的老师罗瘿公先生也在报上写文章，说我们这场戏是‘绛树双声，感日月合璧之快’，文中还对我大加赞赏。”

③ 清誉：美好的名声。

（十一）

一九三零年，严亲①弃养②，砚秋促余更力。余提出从学程继先③师为条件，砚秋慨允作介。遂于是年冬季赴北京，拜师学习京剧。④

罡风⑤烈日弃椿庭⑥，丝竹遗音世外听。

立雪程门⑦不遂愿，磨砻⑧许我发新硎⑨。

注释：

① 严亲：父母为所尊敬之亲，故称。《吕氏春秋 · 孝行》：“身者非其私有也，严亲之遗躬也。”这里指俞振飞的父亲俞粟庐。

② 弃养：父母逝世的婉词。谓父母死亡，子女不得奉养。俞粟庐逝世于 1930 年 4 月。

③ 程继先（1874—1942）：一作继仙，字振庭。安徽潜山人。程长庚之孙。幼入小荣椿科班，初习老生，后改习文武小生。民国初曾一度经商，后重返梨园。文武兼长，尤工武小生和穷生戏。擅演《群英会》、《探庄》、《八大锤》、《状元谱》、《奇双会》等剧。俞振飞曾从其学习《群英会》、《临江会》、《岳家庄》、《监酒令》等剧。

④ “遂于是年冬季赴北京，拜师学习京剧”句：俞振飞《艺林学步·第二个“全部扔光”》载：“1930年春，我二十九岁，父亲逝世了。秋季，砚秋又来沪演出，知道我父已故，坚决要我一同北上合作。此时已无拒绝理由，我只表示需要正规学习，要求他能取得京剧小生前辈程继先先生的同意，收我为徒，使我能好好学几出京剧小生戏。如果此事不成，我依然不想‘下海’。程继先先生大家知道是不收徒弟的，但经砚秋一再地要求，并得袁寒云从中协助，居然应允了。我遂即束装北行，拜程先生为师（此事曾轰动北京戏剧界）。”

⑤ 罡（gāng）风：道家称天空极高处的风。后亦泛指劲风。

⑥ 弃椿庭：喻指父亲逝世。椿庭：《庄子·逍遥游》：“上古有大椿者，以八千岁为春，八千岁为秋。”谓大椿长寿；又，《论语·季氏》记孔鲤趋庭受父训。后因以椿庭作为父亲的代称。

⑦ 立雪程门：《宋史·杨时传》：“至是，杨时又见程颐于洛，时盖年四十矣。一日见颐，颐偶瞑坐，时与游酢侍立不去。颐既觉，则门外雪深一尺矣。”旧指学生恭敬受教，亦指求学心切和对师长的尊敬。这里喻指向程继先学习京剧。

⑧ 磨砻（lóng）：锻炼，磨治。

⑨ 新硎（xíng）：新磨出的刀刃。形容刀刃锋利，又喻初露锋芒。硎：磨刀石。《庄子·养生主》：“是以十九年而刀刃若新发于硎。”

（十二）

一九三一年初，余脱离程剧团南归，在上海暨南大学讲授昆曲、京剧，历时三年馀，[①]至一九三四年春为止。

江乡春暖赋南归，乍放新桃鳜正肥。[②]

我上词坛[③]温旧学，魏梁[④]馀韵一时稀。

注释：

① “在上海暨南大学讲授昆曲”等句：1931 年，俞振飞由暨南大学教授屠心矩介绍，经暨大学文学院院长陈中凡同意，聘为该校讲师，教授“中国戏曲”课程，前后凡三年之久。

暨南大学：初名暨南学堂，清光绪三十二年（1906）创立于南京，主要招收华侨子弟。1923 年迁上海。1927 年改为国立暨南大学。抗战期间，迁址福建建阳。1946 年迁回上海。1949 年 8 月合并于复旦、交通等大学。1958 年在广州重建。

② “乍放新桃鳜正肥”句：借唐张志和《南歌子》“桃花流水鳜鱼肥”之句，说明授课时间在春季。

③ “我上词坛温旧学”句：为暨南大学诸生授课，系统研习中国戏曲史。我：《昆曲泰斗俞振飞》作“黍”，疑作“我”字。盖“我”字草写极似“黍”，径改。词坛：剧坛。《俞振飞艺术论集·演剧生活六十年——答读者问》（上海文艺出版社 1985 年版）载：“我回到上海之后，大家知道我去北京‘下海’唱过戏了，许多亲友都看不起我，因此，我要找工作也很困难。正在一筹莫展的时候，忽然，我父亲的老友屠心矩教授到我家里来，他说，恰好暨南大学文学院要请一位教‘中国戏曲’的讲师，他觉得我对这方面还比较熟悉，问我愿不愿去教，我说‘好啊！’他就去同文学院院长陈中凡先生讲了。陈先生非常热情地欢迎我前去，于是，我就上那儿担任了讲师。在教学过程中，我因准备讲稿，又比较集中地对祖国的戏曲艺术作了一些研究，也写了一些专题文章，这就使我对我们民族戏曲的感情更为加深了。”

④ 魏梁：指明代戏曲音乐家魏良辅、明戏曲作家梁辰鱼。详见《寄语台湾诸曲友》注②。

（十三）

重到北京，参加程剧团演出，时一九三四年也。[①]嗣后，与砚秋合作剧目甚多，如《玉簪记》[②]、《红拂传》[③]、《春闺梦》[④]、《女儿心》[⑤]等皆是。

重见古都岁未迟，嘤鸣[⑥]好伴御霜簃[⑦]。
玉簪红拂商量遍，更有春闺梦境奇。[⑧]

注释：

① “重到北京”等句：1934 年夏，经陈叔通等人努力，俞振飞辞去上海暨南大学讲师教职，再度加盟鸣和社，与程砚秋合作长达四年之久。俞振飞《演剧生活六十年——答读者问》载：“过了两年，砚秋又到上海。他来看我，希望我这次跟他回去，他说：‘班子改组了，实行了新制度，老习惯都没有了，保证不会再像上次那样有人跟你捣乱了。如果还有人捣乱，我会出面帮你讲话的。’见他如此诚恳，而且我也确实酷爱戏曲艺术，于是就决定二次跟他去北京。京剧界有人说我是‘两次下海’。当时，反对我这样做的人很多，他们说：‘俞某人现在堕落了，讲师不做，去做戏子！’甚至骂我‘甘居下流’。我都不管它，我说：‘我喜欢戏，情愿牺牲这个讲师。’”

② 《玉簪记》：剧叙书生潘必正得遇道姑陈妙常，惊其艳丽而生情。经茶叙、琴挑、偷诗等一番波折后，冲破礼教和道教清规约束而终于结合。俞振飞在剧中饰演潘必正。

③ 《红拂传》：剧叙李靖参谒杨素，纵谈天下事。杨素歌姬红拂，敬慕李靖英才，私奔相从。途遇虬髯客张仲坚，同投太原李世民。后仲坚将家财尽赠李靖，飘然而去。俞振飞在剧中饰演李靖。

④ 《春闺梦》：剧叙公孙瓒与刘虞争地，各征百姓从征。王恢与妻张氏新婚不久，亦被征，初至军中即战死。张氏在家悬念，积思成梦，梦王返家重叙，以及战火兵乱种种情状。俞振飞在剧中饰演王恢。

⑤ 《女儿心》：剧叙元朝安西王反，朝廷遣参军江六云，易名海俊，混入王府，并骗取百花公主爱情。后被将军巴喇识破，却得公主袒护。终铸大错，兵败凤凰山，公主手刃海俊，自刎而死。俞振飞在剧中饰演海俊。

⑥ 嘤鸣：鸟相和鸣。比喻朋友同气相求。《诗·小雅·伐木》：“嘤其鸣矣，求其友声。”

⑦ 御霜簃：程砚秋书斋名。

⑧ “更有春闺梦境奇”句：俞振飞《联珠璧合受益深》（上）载：“到一九三四年十一月，砚秋创排新戏《春闺梦》时，便和我一起设计了另一组小

生、旦角同跑圆场的动态画面，来表现梦境中的追逐。这次，砚秋放心大胆地同意我穿上了厚底靴。”周传家、秦华生主编《北京戏剧通史》（民国卷）载：“程俞合作，在艺术上不断进行创新实践。在《春闺梦》中，为了加强梦境一场的抒情性，俞振飞借鉴了昆曲载歌载舞的表演特点，为程砚秋重新设计了许多身段动作。”

（十四）

砚秋将赴巴黎参加博览会演出①。一年前，即与余准备剧目，旋因抗日战兴作罢论。

繁音促节②泪潸潸③，澒洞风尘④睇北关。
罢棹瀛西⑤何足憾，神州盼唱大刀镮⑥。

注释：

①“砚秋将赴巴黎参加博览会演出”句：俞振飞《御霜簃的人品和戏品》载：“一九三七年，法国定于八月中在巴黎举行世界博览会，很早就预邀程砚秋同志前往演出。当时，京剧《王宝钏》有了外文译本，在国际上颇受赞赏，程砚秋同志决定排出全剧带去，要我按照小生路子，扮演《别窑》中的薛平贵，后面挂胡子唱大嗓，一直到《登殿》为止。他又鉴于梅先生出国时演出昆曲《刺虎》博得很大声誉，便和我分析，感到这是因为西方国家的剧场建筑非常拢音，大锣大鼓太震耳，不如昆曲的小锣、笛子音量适当，而且笛子的声音幽雅，更易为西方观众所接受。因此他同我排练了几出昆曲，有《惊梦》、《水斗·断桥》、《藏舟》、《琴挑》、《思凡》等。程砚秋同志对这次出国十分重视，在北京花了一年多时间，进行准备工作，他自始至终亲自掌握，一应服装、道具、剧照、说明书等等，都作了周密详尽的准备，单等一九三七年八月份按计划启程。不料，由于‘七七’抗战爆发，巴黎之行没有实现。但我至今忘不了，这段时间中，我们两人探讨昆曲最为热烈，每天在我寓所，我吹他唱，从下午直到晚上，往往兴犹未尽。”

②繁音促节：繁密的音调，急促的节奏。

③潸潸：形容泪流不止。

④ 澒（hòng）洞风尘：指战火纷飞。澒洞：绵延，弥漫。唐杜甫《秋日寄薛尚书》诗："风尘相澒洞，天地一丘墟。"

⑤ 罢棹（zhào）瀛西：指不能赴巴黎参加世界博览会的演出。棹：船桨。

⑥ 大刀镮（huán）：即大刀环，大刀上部的环。借指武器。清王船山《常山峪道中》诗："一样中原禾黍色，边儿不唱大刀镮。"

（十五）

一九四六年起，余应梅剧团之邀，与兰芳合作多年，殊为相得。[①]

香南雪北[②]义相通，缀玉轩[③]中夙好[④]同。
手订梅边吹笛谱，并时[⑤]酬唱[⑥]有家风。

注释：

① "一九四六年起，余应梅剧团之邀"诸句：俞振飞《一生爱好是昆曲》载："1945年抗战胜利后，梅先生剃去胡须，打算重登舞台。……演出结束，梅先生一定要分一份钱给我，我无论如何不收，送我礼物，我也退还。最后，梅先生对我说：'我有个最后要求，希望您答应我。'我问什么要求？忽然，梅先生提高了嗓子说：'从今天起，我们欢迎俞五爷参加我们的梅剧团！'一时在场的掌声如雷，梅先生和我紧紧拥抱。"《俞振飞艺术论集·演剧生活六十年——答读者问》载："于是，我就在一九四六年参加了梅剧团，和梅先生合演了《琴挑》、《奇双会》、《春秋配》、《玉堂春》、《洛神》、《凤还巢》等等许多昆曲、京剧。"

② 香南雪北：花木飘香的南方和多雪的北方。

③ 缀玉轩：梅兰芳书斋名。

④ 夙好：素所喜好，早年的喜好。

⑤ 并时：一时，同时。

⑥ 酬唱：用诗词互相赠答唱和。这里则指梅兰芳、俞振飞之间相互探讨、切磋京昆表演艺术。

（十六）

一九五零冬季起，客香港者有年，眷志[①]祖国，固[②]无时或已[③]也。

香岛[④]茫茫忆旧游，客中灯火海中鸥。
白云无尽思乡国，贳酒貂裘[⑤]第几楼。

注释：

① 眷志：深切思念而没有改变。

② 固：本来，诚然。

③ 无时或已：没有停止的时候。该句意为无时无刻不在思念祖国。俞振飞《耄耋之年情更深——追忆周总理、陈毅副总理对我的深切关怀》载："解放初期，一个偶然的机会，我应马连良之邀，带着家眷、跟包一行六人去香港演出。原以为在香港能赚大钱，谁知在演出问题上，与马连良发生分歧，没有合作几场，就分手了，以致在香港滞留了好几年，弄得我走投无路，狼狈不堪，只得向朋友们借贷过日子。那时台湾方面有人来动员我去台湾当戏曲学院院长，被我婉言谢绝。我一心想回大陆，只苦于无路费。"

④ 香岛：香港的别称。

⑤ 贳（shì）酒貂裘：《西京杂记》卷二载：司马相如与卓文君还成都，以所穿鹔霜裘向市人贳酒。又《晋书·阮孚传》谓阮孚尝以金貂换酒。后世即以"貂裘换酒"形容名士或富贵者的风流豪纵。贳：租借，赊欠。

（十七）

兰芳来书见招，遂于一九五五年四月北归。

旅愁牢落[①]气轮囷[②]，肝胆[③]相知有故人。
一纸飞书呼冻雁，[④]归来牵作太平民。

注释：

① 牢落：孤寂，无所寄托貌。

② 轮囷（qūn）：盘曲貌。这里指心中愁烦郁勃。

③ 肝胆：比喻真诚的心。

④ “一纸飞书呼冻雁”句：俞振飞《演剧生活六十年——答读者问》载：“又过了一年多，夏衍同志出国时在香港换飞机，特意电请一位关心我的朋友到机场相见，并交给他一封梅先生写给我的信。信中写明：关于我回国的问题，具体与这位朋友联系。这位朋友找了我去，详细询问了我欠下多少债？是欠谁的债？并且告诉我，梅先生的舞台艺术这部电影已经开拍了，头一出是《宇宙锋》，接下来拍《断桥》，希望与我合作。我当时已欠下三万多港币的债，朋友帮助我妥善地作了处理；另外周总理还特意关照，给我五千港币购置一些日常用品。我离开香港时，安排得也很周密。为了防止台湾的特务捣乱，不是在九龙车站，而是乘小汽车在九龙过去的一个小站上火车，一切行李都由中国旅行社代为办好。一九五五年四月一日——我永远忘不了这一天，在党的亲切关怀下，我离开香港，乘上了去广州的列车。当我看到飘扬在万里晴空的五星红旗时，真有一股暖流涌上了心头，我盼望已久的愿望实现了，回到伟大祖国的怀抱里了！”冻雁：俞振飞自喻。

（十八）

一九五五年，与梅兰芳合摄《雷峰塔·断桥》[①]艺术片。

烟雨西湖认断桥[②]，千年野语亦魂销。[③]
辛勤不惜留银影，[④]应许人间有义妖[⑤]。

注释：

① 《雷峰塔·断桥》：剧叙白素贞金山寺战败，与小青退至断桥。忆及前事，不胜伤感。适许仙赶来，小青怨其负心，拔剑欲杀。素贞念惜旧恩，为其求情。许仙亦深感愧疚，殷勤赔罪。三人遂言归于好，相携同返。

② 断桥：位于杭州西湖白堤上。原名宝佑桥，一称段家桥，唐时称为断桥。据传因白堤到此而断，筑桥以通，故名。

③ “千年野语亦魂销”句：白蛇故事，最早见于唐人小说《白蛇记》，宋时已广泛流传于民间。杭州《净慈寺志》载：该寺附近山阴出现过巨蟒，并有过会变成女子害人的妖精。宋洪迈《夷坚支志·戊》卷二记有孙知县妻

为大白蛇一事。明《清平山堂话本》（即《六十家小说》）所收南宋话本《西湖三塔记》中已具雏形。明吴从先《小窗自纪》载“宋时法师钵贮白蛇，覆于雷峰塔下”。明田汝成《西湖游览》卷三《南山胜迹》记雷峰塔，云：“俗传湖中有白蛇、青鱼两怪，镇压塔下。”卷二十《熙朝乐事》载杭州陶真艺术用琵琶说唱《雷峰塔》等“杭州异事”。可见明代中叶，“钵贮白蛇”传说逐渐演变成民间说唱中的重要节目。冯梦龙《警世通言》卷二十八辑录话本《白娘子永镇雷峰塔》，情节、人物已相当完整，构成后世白蛇故事的基本框架，可说是集白娘子故事在民间发展之大成。

④ “辛勤不惜留银影”句：梅兰芳《我的电影生活·〈梅兰芳的舞台艺术〉的拍摄经过》载：“当梅兰芳、周信芳舞台生活五十周年纪念会刚结束，摄制组立即继续投入了昆曲《断桥》的拍摄工作。这时，俞振飞已从半壁街搬到我家里居住，因为朝夕生活在一起，也就更便于我们在艺术上互相探讨。比如：关于如何掌握许仙与白娘子的性格问题，在纪念会期间，我和振飞合演过一次《断桥》，当时演出后导演吴祖光曾提出过一些意见，对许仙见到白娘子和青儿后，惊怕之中带有一些傻相，认为振飞这样表演，对白娘子的性格是有些损害的，观众会这样想：白娘子为什么爱上这样一个傻头傻脑的人呢？我们在研究这个问题时，振飞说：‘这些亮相，当初向前辈沈月泉老先生学习时，还费了不少工夫。传统的演法，意在从形象上来刻画这个小商人的性格，现在看来确是有些过火了，必须重新揣摩创造。’……所以这次拍电影，我打算让白娘子和许仙再三向青儿取得谅解，而后三人相偕携手入场。振飞同意我的意见。”

⑤ 义妖：指白蛇白素贞。《雷峰塔》亦称《义妖记》。

（十九）

上海市戏曲学校[①]设有昆曲、京剧、越剧、淮剧等班，培育人材不少，今皆为舞台上重要力量矣。

讲坛我长[②]兴方饶，辛苦园丁育秀苗。
两部笙歌[③]谐律吕[④]，一堂桃李琢琼瑶。[⑤]

注释：

① 上海市戏曲学校：1953 年，中央文化部和华东行政委员会决定筹建“华东戏曲演员训练班”。因昆曲具有悠久的历史和丰富的艺术价值，翌年 3 月 1 日，昆曲演员训练班率先开班。年底又开办越剧演员训练班。1955 年，华东戏曲研究院随各大区撤销而奉令结束，昆曲、越剧训练班独立建制，正式定名为上海市戏曲学校。

② 讲坛我长：1957 年 5 月 1 日，上海市文化局正式任命俞振飞担任上海市戏曲学校校长。《昆曲泰斗俞振飞》原作“讲坛黍长”。行草的“我”字酷似“黍”字，故疑作“我长”，径改。我担任意。

③ 两部笙歌：指学校最先开办的昆曲、越剧演员训练班。

④ 律吕：六律（黄钟、太簇、古洗、蕤宾、夷则、无射）和六吕（大吕、夹钟、仲吕、林钟、南吕、应钟）的合称，即十二律。泛指乐律或音律。

⑤ “一堂桃李琢琼瑶”句：比喻戏校培养的人才众多。桃李：《韩诗外传》卷七：“夫春树桃李者，夏得阴其下，秋得食其实。”后遂以“桃李”比喻栽培的后辈和所教的门生。琢琼瑶：雕琢美玉。比喻培养学生。

（二十）

我长上海市戏曲学校，是校昆曲老师皆原“仙霓社”旧友。①

老柯新跗②庆阳春③，爨舍④贮才⑤播海滨。
五亩馀风⑥今尚在，相看俱是白头人。

注释：

① “是校昆曲老师皆原‘仙霓社’旧友”句：上海市戏曲学校开办之初，为了集中优秀师资力量，周恩来总理亲自指示有关部门发文，调集流散在各地的昆曲“传字辈”艺人来校执教。沈传芷、倪传钺、邵传镛、朱传茗、马传菁、郑传鉴、薛传钢、张传芳、王传蕖、汪传铃、周传沧、华传浩、方传芸等十三位传字辈老艺人，齐聚一堂，授课传艺。仙霓社：昆剧戏班。1931 年 10 月开幕，取李商隐诗“众仙同日咏霓裳”而题名。自筹资金购置衣箱，系集体经营性质。成员达三十馀人，均为原新乐府“传”字辈演员。

无固定社址，亦不设班主，采用民主管理方法（共和班）。主要承袭了先辈“文全福”的艺术传统，演出了不少元明清杂剧、南戏、传奇中的名著，共积累上演剧目达六百馀折（出）。1937 年“八一三”事变中，日军炮火焚毁全副衣箱，被迫辍演，1942 年 2 月正式散班。

② 老柯新跗（fū）：老树开出了新花。比喻昆曲得到了新生。跗：花萼房。

③ 阳春：温暖的春天。比喻盛世惠政。

④ 爨（cuàn）舍：指上海市戏曲学校。爨：戏曲名词。宋杂剧、金院本中的表演名称，如《讲百花爨》、《文房四宝爨》等。旧以爨、爨弄泛指演剧。

⑤ 贮才：培养、储备各类戏曲表演人才。

⑥ 五亩馀风：喻指培养戏曲人才。五亩：五亩园。昆剧传习所所址，位于苏州城北桃花坞西大营门内。

（二十一）

与慧珠[①]赴欧演出，历法、英、比利时、瑞士、卢森堡、波兰等国，归后写成《访欧散记》[②]一书。

西行不惮[③]风波恶，碧海黄洋星作作[④]。
夺魄追魂万众欢，中华艺术光腾爚[⑤]。

注释：

① 慧珠：即言慧珠（1919—1966）。蒙古族，北京人。京、昆剧表演艺术家。原名义来，学名仲明。其父系民初京剧四大须生之一言菊朋。初从姜顺仙、程玉菁等学艺。首演《扈家庄》，后相继在上海、天津演出，并拜梅兰芳为师，得其真传，饮誉一时。1957 年担任上海市戏曲学校副校长，培养了华文漪、张洵澎、梁谷音等人。1961 年与俞振飞结婚。1966 年 9 月 10 日，因不堪忍受“文革”迫害，自缢身亡。代表作品有《西施》、《太真外传》、《生死恨》、《春香传》、《霸王别姬》、《凤还巢》、《墙头马上》等。

② 《访欧散记》：1958 年 4 月至 10 月，俞振飞随中国戏曲歌舞团赴捷克

斯洛伐克、瑞士、法国、比利时、卢森堡、英国、波兰等七国二十四个城市，与言慧珠合演《百花赠剑》、《长生殿·惊变埋玉》等剧一百零二场。俞、言将访问所见著成《访欧散记》，同年十一月起连载于《文汇报》。翌年，由上海文艺出版社出版单行本。许寅《一代红伶言慧珠》载："1958年夏天，领导批准言慧珠参加访问西欧的中国京剧团。这个团的团长是吴晗，艺术顾问是俞振飞。临行，记者关照慧珠每天记点日记，她照办了。一回上海，我应《文汇报》总编辑陈虞孙之约，由俞振飞和言出面，记者执笔，写《访欧散记》，每天一篇，在该报连载。因此我们三人每天中午都在一起吃饭，边吃边谈，再由记者补充背景材料，当场赶出，送到报社。一连月馀，天天如此。"

③ 惮（dàn）：害怕，畏惧。

④ 作作：形容光芒四射。《史记·天官书》："岁阴在酉，星居午……作作有芒。"

⑤ 腾爚（yuè）：光焰腾空，灿烂夺目。

（二十二）

万里征程汗漫①游，欧风处处豁双眸。
归来染笔书行脚②，或向《虞初志》③里收。

注释：

① 汗漫：广大，漫无边际。形容漫游之远。唐陈陶《谪仙吟赠赵道士》诗："汗漫东游黄鹤雏，缙云仙子住清都。"

② 行脚：行走，行步。这里指历程。

③《虞初志》：短篇小说集。编者不详。虞初为西汉小说家，《汉书·艺文志》小说家有《虞初周说》九百四十三篇。颜师古注引应劭曰："其说以《周书》为本。"旧称小说家之祖，后世常以其名作为笔记小说的代称。清张潮编有《虞初新志》。这里指根据访问演出见闻而写成的《访欧散记》一书。

（二十三）

与慧珠合演昆曲《墙头马上》①，为国庆十周年献礼。田汉②赠诗有"墙头马上因缘好，再霸歌坛二十年”[③]之句。

京都献礼奉心香[④]，白氏文章[⑤]擅胜场[⑥]。
纵有田翁添妙语，但求驱策[⑦]不飞扬。

注释：

①《墙头马上》：剧写李倩君与裴少俊相爱而私自结合，匿居花园七年并育有子女，终被裴父发现赶出。后少俊赴考得官，裴父亲为赔礼，阖家始得团圆。详见《国庆三十周年献词二首》注⑦。

② 田汉（1898—1968）：戏剧活动家、剧作家、诗人。原名寿昌，湖南长沙人。早年赴日留学。曾组织创造社、南国社。著有话剧、歌剧、戏曲、电影剧本一百馀部，主要有《咖啡店之一夜》、《获虎之夜》、《关汉卿》、《文成公主》、《谢瑶环》等。有《田汉文集》十六卷行世。

③ “墙头马上因缘好，再霸歌坛二十年”句：该诗不载《田汉文集》（中国戏剧出版社 1983 年版），当系佚诗。下句“田翁添妙语”，即指该诗。

④ 心香：旧时谓中心虔诚，就能感通佛道，犹如焚香一样。后用以比喻真诚的心意。

⑤ 白氏文章：指元白朴所作杂剧《裴少俊墙头马上》。

⑥ 擅胜场：形容技艺高超。擅：独揽。胜场：取胜的场地。

⑦ 驱策：犹驱使，役使。亦谓效劳。

（二十四）

一九六零年与梅兰芳合摄电影《牡丹亭·游园惊梦》。[①]

嫩白娇红[②]勘好春，春魂乍醒散芳尘。
是梅是柳浑难辨，梦里情思影里身。

注释：

①“一九六零年与梅兰芳合摄电影《牡丹亭·游园惊梦》”句：1959 年

11 月 13 日，北京电影制片厂正式开拍《游园惊梦》一剧。俞振飞与梅兰芳、言慧珠、华传浩分饰柳梦梅、杜丽娘、春香、杜母，崔嵬任艺术指导，许珂任导演。翌年 1 月 21 日，拍摄完成。

② 嫩白娇红：形容春天百花竞相开放的胜景。清袁于令《西楼记·集艳》："羡杀金昌锦绣丛，轻黄浅白杂娇红。" 这里喻指影片中春天的景色。

（二十五）

一九六零年赴北京，在演员讲习班上讲课，[①] 同讲者有梅兰芳、刘成基[②]、马师曾[③]、袁雪芬[④]、徐凌云[⑤]等，皆一时硕彦[⑥]也。

修文[⑦]讲艺集京都，南北东西共煦濡[⑧]。
不是尘清明玉宇，芳菲并茂百年无。

注释：

① "一九六零年赴北京，在演员讲习班上讲课" 句：1960 年 3 月 15 日至 6 月，中国戏曲研究院举办 "表演艺术研究班"。梅兰芳担任班主任，俞振飞与萧长华、荀慧生、马师曾、姜妙香、徐凌云等执教授课，红线女、袁雪芬、常香玉、陈伯华、童芷苓、王秀兰、彭俐侬，以及花淑兰、李蔷华、吴碧波、林小群、张淑敏、谢锐青、刘秀荣、罗家宝、阎建国、张春孝、赵克非、赵炳南、黄英谋、王冠君、杨津亭等参加。俞振飞作《谈〈墙头马上〉裴少俊形象的塑造》讲座，又与梅兰芳主讲《游园惊梦》和《贩马记》，并作示范演出。

② 刘成基（1905—1976）：川剧表演艺术家。艺名当头棒，四川遂宁人。十岁入三益科班学艺，演丑。功底深厚，程式严谨，对传统技艺有所丰富、改进，以擅演 "袍带丑" 著称，如《赠绨袍》、《鸳鸯谱》、《醉隶》等。著有《川剧丑角表演程序》、《刘成基舞台经验》等。

③ 马师曾（1901—1964）：粤剧表演艺术家。又名吴贻昌，字伯鲁，广东顺德人。早年学艺于广州太平春教戏馆，演丑生，兼工小生、花脸、老生等。长期在广州及东南亚、美洲演出。对粤剧的音乐和表演有所革新，形成独特风格，世称 "马腔"。代表作有《搜书院》、《关汉卿》等。曾任广东粤剧院院长。

④ 袁雪芬（1922—2011）：浙江嵊州人，越剧表演艺术家。初入四季春

科班学艺，习旦角。1942 年起，致力于女子越剧改革，建立编、导、演、音、美制度，并创立"袁派"唱腔。擅演《梁祝哀史》、《白蛇传》、《西厢记》等剧，曾将鲁迅名著《祝福》改编为《祥林嫂》，影响深远。著有《袁雪芬文集》。曾任全国人大常委、上海越剧院院长等职。

⑤ 徐凌云（1886—1966）：浙江海宁人。业馀昆剧大家。字文杰，号摹烟。毕生从事昆曲研究。各行兼工，擅演《安天会》、《嫁妹》、《掷戟》、《照镜》、《出猎》、《见娘》等剧。1921 年与穆藕初等创办昆剧传习所。1949 年后从事戏曲教学工作，并总结了数十出昆曲折子戏的表演经验，成《昆剧表演一得》三卷行世。另有《看戏六十年》。子子权、韶九，均工曲。

⑥ 硕彦：才智杰出者。

⑦ 修文：兴修文德。

⑧ 煦濡（xù rú）：温和，惠爱。

（二十六）

一九六一年赴港演出昆、京剧，[①]重遇老友陆菊笙[②]、费彝民[③]等，言笑甚欢。

班荆道故[④]意深稠，重到港湾访旧俦[⑤]。
费陆欣然同抚掌[⑥]，伯牙[⑦]琴响海天秋。

注释：

① "一九六一年赴港演出昆、京剧"句：1961 年 12 月 18 日至翌年 1 月 21 日，上海青年京昆实验剧团以上海青年京剧团名义，启程赴香港演出。孟波任团长，刘厚生任副团长，俞振飞、言慧珠任艺术指导。共演出三十九场，盛况空前。其中《白蛇传》、《杨门女将》各十二场，折子戏十五场，观众达六万六千馀人次。电台三次转播演出实况，听众达数十万。俞振飞与言慧珠演出《贩马记》、《惊变埋玉》、《太白醉写》、《凤还巢》、《宇宙锋》、《贵妃醉酒》诸剧。

② 陆菊笙：号率斋。纺织实业家，曾任上海申新九厂厂长。酷嗜京昆，1943 年拜俞振飞为师，又随姜妙香等名家习艺。曾资助俞氏刊印《粟庐

曲谱》，后移居香港。

③ 费彝民（1908—1988）：江苏苏州人。毕业于北京高等法文学校。1930年代初到天津《大公报》工作。抗战胜利后，任职于上海、重庆《大公报》社。1948年赴香港参加《大公报》在港复刊工作，后任社长。1950年任中华全国新闻工作者协会副主席、暨南大学校董会副董事长。曾任全国政协常委，全国人大常委、全国人大法律委员会副主任委员，香港特别行政区基本法起草委员会副主任委员。

④ 班荆道故：亦作“班荆道旧”。谓朋友相遇于途，铺荆坐地，共叙情怀。典出《左传·襄公二十六年》：“楚伍参与蔡太师子朝友，其子伍举与声子相善也……伍举奔郑，将遂奔晋。声子将如晋，遇之于郑郊，班荆相与食，而言复故。”杜预注：“班，布也。布荆坐地，公议归楚，事朋友世亲。”后泛指朋友相遇，共叙离情。

⑤ 旧俦：旧时友朋。

⑥ 抚掌：拍手。多表示高兴、得意。

⑦ 伯牙：相传春秋时伯牙善鼓琴，钟子期善听琴，能从琴声中听出其心意。后因称知己朋友为“知音”。

（二十七）

一九八零年，承中央文化部、中国戏剧家协会、上海市文化局、上海市剧协为余舞台生活六十周年举行纪念活动于上海。[①]衷心感荷[②]，非可言宣。

鸜鹆舞[③]曾过六旬，歌台不啻[④]再来人。
阳春曲颂阳春世[⑤]，抖擞精神续效颦[⑥]。

注释：

① “一九八零年，承中央文化部”等句：1980年4月15日至20日，俞振飞演剧生活六十年纪念活动在沪隆重举行，文化部副部长司徒慧敏亲颁奖状。俞振飞示范演出《写状》、《太白醉写》，上海、苏州、杭州、南京、湖南、北京等地剧团，以及海外弟子，均献演京昆剧目。

② 感荷（hè）：感谢。感：感激。荷：承受恩惠。南朝宋鲍照《拜侍

郎上疏》："祇奉恩命，忧愧增灼，不胜感荷屏营之情。"

③ 鸜鹆舞：一作"鸲鹆舞"。晋代舞蹈。这里喻指舞台演出。详见《百字令·为苏州戏剧工作者协会、苏州博物馆、苏州市戏曲研究室联合主办昆剧展览作》注⑱。

④ 不啻（chì）：无异于，如同。

⑤ 阳春世：比喻太平盛世。

⑥ 效颦："颦"亦作"矉"，皱眉。《庄子·天运》："故西施病心而矉其里，其里之丑人见之而美之，归亦捧心而矉其里。其里之富人见之，坚闭门而不出；贫人见之，挈妻子而去之走。彼知矉美，而不知矉之所以美。"后因谓以丑拙学美好为"效颦"。这里是俞振飞的自谦之辞。

（二十八）

年届八旬，屡演昆曲、京剧，兴犹未已，不自知其衰丑，可发一噱[①]。

人生八十岂非老？老兴犹酣人绝倒。
不慕期颐[②]不学仙，长歌短拍江山好。

注释：

① 一噱（xué）：一笑。噱：笑，发笑。

② 期颐：一百岁。语本《礼记·曲礼上》："百年曰期颐。"郑玄注："期，犹要也；颐，养也。不知衣服食味，孝子要尽养道而已。"孙希旦集解："百年者饮食、居处、动作，无所不待于养。方氏悫曰：'人生以百年为期，故百年以期名之。'"

（二十九）

海天遥望念台胞[①]，新谱试将鼓板[②]敲。
莫笑傫然[③]存一朽[④]，春风又上玉梅梢。

注释：

① 念台胞：1977 年 2 月，俞振飞曾作散曲《北双调【折桂令】念台胞》。

② 鼓板：单皮鼓和檀板两种乐器的组合，为戏曲乐队的指挥乐器。

③ 傫（lěi）然：颓丧貌。

④ 一朽：俞振飞自喻。朽：衰老。

（三十）

熟戏生唱，方有新境界。生戏熟唱，才见真基础。

生时求熟熟求生，初写《黄庭》[①]最有情。
浓妆淡抹无定格，[②]泼新鲜[③]得总倾城[④]。

注释：

①《黄庭》：王羲之书写的《黄庭经》小楷法帖。详见《八十自寿（组诗）》之三注⑥。

②“浓妆淡抹无定格”句：喻指戏曲表演应从人物出发，不能拘泥于程式。浓妆淡抹：浓艳和淡雅两种不同的妆饰。比喻各种不同的表演风格。

③ 泼新鲜：明汤显祖《牡丹亭·惊梦》：“雨香云片，才到梦儿边。无奈高堂，唤醒纱窗睡不便。泼新鲜，俺的冷汗粘煎。”意为心中一种特别新奇的情感。这里则指在继承中不断地创新。泼：有生气，有活力。

④ 倾城：形容女子美貌非凡。《汉书·孝武李夫人传》：“北方有佳人，绝世而独立。一顾倾人城，再顾倾人国。”这里是指征服观众，得到广泛赞誉的意思。

（三十一）

由博而约，不囿于[①]一格。但须辨得精粗美恶[②]，毋入歧途。

文章自古百千奇，蔽听塞聪[③]大可悲。
欲识碔砆[④]殊瓦砾[⑤]，一规[⑥]明镜寸心知。

注释：

① 囿（yòu）于：被局限在，受（某种情况）拘束。

② 精粗美恶：对于继承传统，必须分别优劣。梅兰芳撰有《要善于辨别精粗美恶》一文。俞振飞《满江红（平韵）·前词意犹未尽，再赋一阕》词：“共论艺，见不殊；分美恶，识精粗。”

③ 蔽听塞聪：堵塞耳朵不听，谓对外界事物不闻不问。或作“蔽明塞聪”。宋曾巩《洪范传》：“夫然，故蔽明塞聪，而天下之情可坐而尽也。”

④ 碔砆（wǔ fū）：亦作“珷玞”、“武夫”。似玉的美石。《山海经·南山经》：“（会稽之山）其下多砆石。”郭璞注：“砆，武夫，石似玉。今长沙、临湘出之。赤地白文，色茏葱不分明。”

⑤ 瓦砾（lì）：破碎的砖头瓦片。比喻无价值的东西。

⑥ 一规：一个圆形或圆弧形。宋许棐《乐府》诗：“妾心如镜面，一规秋水清。”

（三十二）

推陈出新[①]，循时而进[②]。

岁岁新花茁旧枝，年年春水涨秋池。
艺坛佳境原无尽，都在骎骎[③]转毂[④]时。

注释：

① 推陈出新：原指机体内的新陈代谢。引申为剔除旧事物中的糟粕，吸取精华，使之向新的方向发展。宋费衮《梁溪漫志·张文潜粥记》引《东坡帖》：“吴子野劝食白粥，云能推陈致新，利膈养胃。”1951年4月，毛泽东为中国戏曲研究院成立题词：“百花齐放，推陈出新”，成为中华人民共和国成立后改革和发展中国戏曲艺术的方针之一，也适用于其他文艺部门。

② 循时而进：随着时代而不断前进。即“与时俱进”意。

③ 骎骎：马速行貌。这里比喻时间迅速消逝。详见《八十自寿（组诗）》之一注⑧。

④ 转毂（gǔ）：飞转的车轮。比喻行进迅速。唐贾岛《古意》诗：“碌碌复碌碌，百年双转毂。”

有骏同志属题十髪所绘《玉女吹箫图》[①]

一九八二年一月

竹石意潇洒，轻阴[②]若可寻。
且看空翠[③]处，指日自成林。

注释：

① 据书迹影印件，《上海嘉泰拍卖有限公司 2005 年秋季艺术品拍卖图录》。诗题系编者所拟。

该图系程十髪于“壬戌嘉平”，应周有骏之嘱而绘制，后倩诸家题跋。如谢稚柳题云：“十髪此图情致婉丽，四顾寂然，独闻箫声也”；王个簃题曰：“一曲箫声留静趣，数枝修竹洒清风”；陈佩秋题作：“何处补天石，飞来听玉箫”。俞振飞应嘱题五绝一首，另有“壬戌腊月，应有骏同志属题，俞振飞时年八十一”等款识。

有骏：即周有骏。京剧琴师。1965 年毕业于上海市戏曲学校京昆音乐班。曾任上海昆剧团笛师。

十髪：即著名国画家程十髪。

② 轻阴：疏淡的树阴。唐李商隐《题小松》诗：“怜君孤秀植庭中，细叶轻阴满座风。”

③ 空翠：犹空白，指尚无草木绿色之处。

为上海音乐学院建立五十五周年赋[①]

一九八二年一月

学府巍巍启后昆[②]，春风桃李[③]冠群伦[④]。
吴淞江[⑤]上韶光[⑥]丽，仙乐飘飘处处闻。[⑦]

注释：

① 据书迹影印件，《音乐艺术》1982 年第 3 期（上海音乐学院建院五十五周年纪念专辑）。另有“一九八二年春节上海音乐学院建校五十五周年，书以奉贺。涤叟俞振飞时年八十一”等款识。

上海音乐学院：其前身是建立于 1927 年的国立音乐院，蔡元培系首任院长。后更名为国立音乐专科学校，1956 年定名为上海音乐学院，贺绿汀任院长。设有作曲指挥系、音乐学系、民族音乐系、钢琴系、声乐系、管弦系近二十个专业。是我国音乐教育的重镇之一。

② 后昆：后嗣，子孙。这里指学生。唐白居易《叔孙通定朝仪赋》：“可以发挥我洪德，启迪我后昆。”

③ 春风桃李：喻指学生。《韩诗外传》卷七：“夫春树桃李者，夏得阴其下，秋得食其实。”后因以“桃李”比喻所栽培的后学和所举荐的人才。

④ 冠群伦：首屈一指意。汉扬雄《法言序》：“圣人聪明渊懿，继天测灵，冠乎群伦，经诸范，撰《五百》。”

⑤ 吴淞江：黄浦江的支流，故称吴江、松江。源出太湖瓜泾口，东流到

上海市区外白渡桥入黄浦江。这里指代上海。

⑥ 韶光：美好的时光。

⑦ “仙乐飘飘处处闻”句：语出唐白居易《长恨歌》诗：“骊宫高处入青云，仙乐风飘处处闻。”

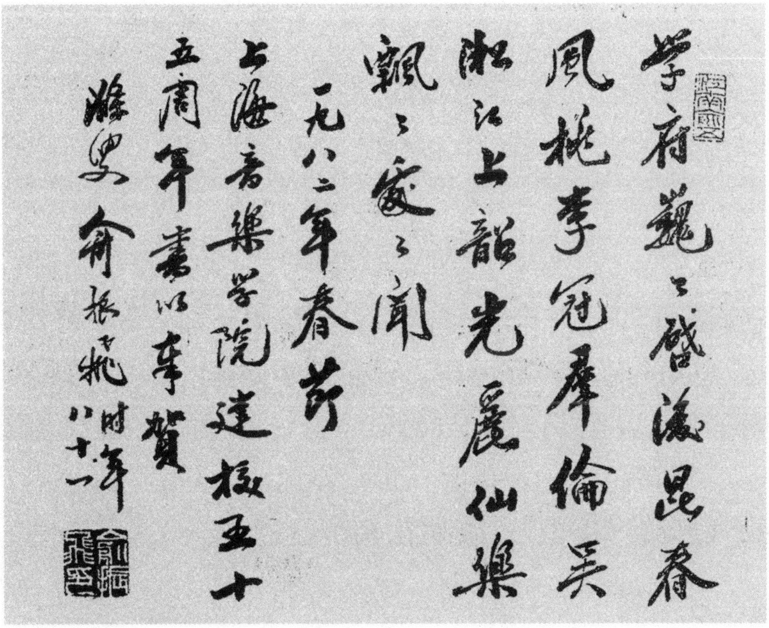

洞仙歌·自题《振飞曲谱》[1]

一九八二年二月

一弹指顷，[2]七十年前事。鸣过戾廖笛声起。[3]记黄昏灯火，总角[4]韶华，都付与、云影江乡歌里。[5]　　皤然[6]今已暮，自画乌丝，[7]检点平生订宫徵。[8]翘首望寥天[9]，新曙湖山，人间世、欣欣如此！为管领[10]春光有东风，更金缕[11]铜琶[12]，舒喉花底。

注释：

① 据书迹影印件，《振飞曲谱》（上海文艺出版社 1982 年版）。另有"壬戌二月，涤叟俞振飞自题，时年八十一"等款识。诗题系编者所拟。

《振飞曲谱》：俞振飞编著。根据生平舞台演出和清唱经验，遴选《单刀会》、《东窗事犯》、《西游记》、《荆钗记》、《琵琶记》、《牡丹亭》等剧三十三种，共《刀会》、《扫秦》、《认子》、《见娘》、《辞朝》、《望乡》、《游园惊梦》等四十出昆剧经典剧目，以及《赏荷·桂枝香》等十支唱段，逐一校定，译成简谱，便于青年学习。并修改旧作《习曲要解》，增写《念白要领》，刊于卷首。唐云题签并绘制封面，叶圣陶署耑，并题赠《浣溪沙》一词，俞平伯作序。另有作者各个时期艺术活动照片二十九帧。是谱初版五千册，分平、精装二种。立即风行海内，习曲者无不奉为圭臬。1991 年再版三千册，2002 年增辑为上下二册。新增《窦娥冤》、《风云会》、《四声猿》、《寻亲记》等剧二十三种，共《斩娥》、《访普》、《骂曹》、《茶访》等五十出剧目。

② “一弹指顷”句：比喻时间短暂。弹指：《僧祇》云，二十念为一瞬，二十瞬为一弹指。见《翻译名义集·时分》。

③ “鸣过扊扅（yán yí）笛声起”句：俞振飞幼年习曲时，其父挂笛于卧室门后。晚饭后，振飞每闻启户声，即知其父携笛课曲。每次习唱非百十遍，不得就寝。非至一曲娴熟，则不得习新曲。扊扅：门闩。

④ 总角：童年时代。详见《八十自寿（组诗）》之四注①。

⑤ “云影江乡歌里”句：作者自注：“幼时在苏，每夕饭罢，父自卧室门后探笛，出而课余习曲，督教甚严。时历七十馀载，此景犹在目前。余所习第一支曲为《邯郸梦·三醉》之【红绣鞋】，故云。”该曲清新飘逸，极具特色。

⑥ 皤（pó）然：白首貌。皤：形容白色。

⑦ “自画乌丝”句：指辑订《振飞曲谱》。乌丝：亦名“乌丝栏”。指有黑格线的绢素或纸笺。唐李肇《唐国史补》卷下：“又宋、亳间，有织成界道绢素，为之乌丝栏。”《通雅·器用》：“乌丝，笺之画栏者也。”也有画红色者，则称“朱丝栏”。

⑧ “检点平生订宫徵”句：作者自注：“此谱所录，间有与《粟庐曲谱》出入者，皆据余历年舞台实践而加修订也。”宫徵：我国古代五声音阶（宫、商、角、徵、羽）的第一、第四音级。一般泛指音乐，这里指《振飞曲谱》。

⑨ 寥天：广阔的天空。

⑩ 管领：管辖，统领。清龚自珍《己亥杂诗》之二〇三首：“不看人间顷刻花，他年管领风云色。”

⑪ 金缕：指《金缕衣》，乐府《近代曲》曲名。唐杜牧《杜秋娘诗》：“秋持玉斝（jiǎ）醉，与唱《金缕衣》。”谓浙西节度使李锜与其妾杜秋娘常唱此曲。这里泛指昆曲。

⑫ 铜琶：宋俞文豹《吹剑续录》：“东坡在玉堂，有幕士善讴，因问：‘我词比柳词何如？’对曰：‘柳郎中词，只好十七八女孩儿执红牙拍板，唱杨柳岸晓风残月；学士词，须关西大汉执铁板，唱大江东去。’公为之绝倒。”后人演为“抱铜琵琶，执铁绰板”，因以“铜琶铁板”形容豪爽激越的文词。这里喻指豪迈的心情。

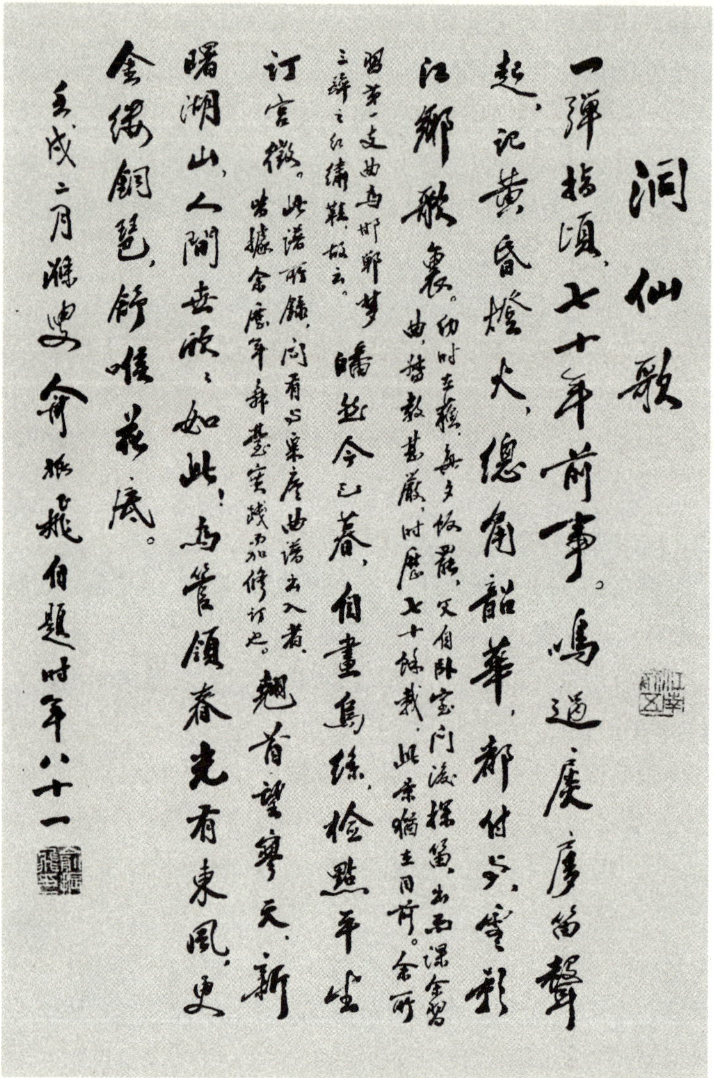
洞仙歌
俞振飞自题时年八十一

陈从周教授为其女陈馨写墨竹画属题[①]

一九八二年二月

枝叶萧萧露正寒，老坡[②]挥洒墨琅玕[③]。
虚心高节人间重，岂独传家翠尾鸾[④]。

注释：

① 据唐葆祥《俞振飞传》附录《俞振飞诗词选》（上海文艺出版社 1997 年版）。

② 老坡：指苏轼（1037—1101）。北宋著名文学家、书画家。字子瞻，号东坡居士，眉州眉山（今属四川）人。论画主张"神似"，高度评价"诗中有画，画中有诗"的艺术造诣。擅画竹，学文同，也喜作枯木怪石。现存《竹石图》、《枯木怪石图》等。这里喻指陈从周。

③ 琅玕：原来是一种青玉，后以指代竹，或用以形容竹之青翠貌。唐杜甫《郑驸马宅宴洞中》诗："主家阴洞细烟雾，留客夏簟青琅玕。"清仇兆鳌注："青琅玕，比竹簟之苍翠。"

④ 翠尾鸾：鸾鸟之尾。借指锦鞋。唐温庭筠《锦鞵赋》："碧繶缃约，鸾尾凤头。鞵称'雅舞'，履号'远游'"。这里有传家宝的意思。

金缕曲·敬题《黄仲则纪念集》[①]

一九八二年初春

毗陵[②]黄君葆树[③]，乃清诗人仲则[④]先生五世孙。嘱题所辑诗人遗事，敬赋一阕呈正。

文采千秋仰。记多少、乾嘉遗事[⑤]，风骚宗匠[⑥]。独数西江诗裔在，家住白云溪上。[⑦]认曲曲、斜阳门巷。老屋沧桑经屡变，恍晴窗竹树陪酬唱。[⑧]后来者，发幽想。　江矶我昨曾扶杖。[⑨]问谁能、登楼一咏，群贤钦让？[⑩]“十有九人堪白眼”，[⑪]差喜孙[⑫]洪[⑬]相傍。酹尊酒[⑭]、吟魂[⑮]无恙。应见山川腾绮色，正书生用世今非往。[⑯]五传[⑰]下，慰灵爽[⑱]。

注释：

① 据书迹影印件，黄葆树《纪念诗人黄仲则》（学林出版社 1983 年版）。诗题系编者所拟。

金缕曲：词牌名。又名《贺新郎》、《贺新凉》、《乳燕飞》、《貂裘换酒》。双调一百十六字，前后片各六仄韵，用入声韵者音节高亢，声调激越。南宋豪放派词人多喜用此调，以抒慷慨激昂之怀。用上、去声者较凄楚。

② 毗（pí）陵：古县名。本春秋时吴季札的封地延陵邑。西汉置县，治今江苏省常州市。

③ 黄葆树（1917—2006）：系黄仲则五世孙。为纪念其先祖逝世二百周年，黄葆树自 1980 年起，广征海内名家诗词、书画、篆刻等作品。后汇辑成《纪念诗人黄仲则》一册行世，内有郭绍虞、程十髮、谢稚柳、陆俨少、钱仲联、俞平伯等人作品。另编著《黄仲则研究资料》、《两当遗韵印集》、《黄仲则书法篆刻》等。

④ 仲则：即清诗人黄景仁（1749—1783）。字汉镛，一字仲则，号鹿菲子，江苏武进人。诸生，家贫，客游四方。后纳捐为县丞，未官而卒。擅长诗文，亦能词，所作多抒发穷愁不遇、寂寞凄怆的情怀，亦有愤世嫉俗的篇章。与同乡洪亮吉、孙星衍、赵怀玉等号称“毗陵七子”。著有《两当轩集》。

⑤ 乾嘉遗事：黄仲则生于乾隆十四年，卒于乾隆四十八年。这里约指其生活年代。

⑥ 风骚宗匠：称誉黄仲则卓越的诗文成就。风骚：《诗经》和《离骚》。《诗经》中的《国风》，《楚辞》中的《离骚》，对后代文学影响极大，故常以“风骚”并举，用以指文学素养或文采。宗匠：称学术上有重大成就为众所推崇之人。《隋书·包恺传》：“于时《汉书》学者，以萧（该）、包（恺）二人为宗匠。”

⑦ “独数西江诗裔在”等句：作者自注：“先生为山谷老人之后，迁居常州。”意谓黄仲则是北宋诗人黄庭坚的后裔。黄庭坚（1045—1105），字鲁直，号山谷道人、涪翁，洪州分宁（今江西修水）人。其诗多写个人日常生活，且谓诗歌不当有“讪谤侵陵”的内容。讲究修辞造句，追求奇拗瘦硬的风格，提倡“无一字无来处”和“夺胎换骨、点铁成金”。影响之巨，开创“江西诗派”。白云溪上：黄仲则年七岁，随祖父由高淳县归常州，居白云溪上。其挚友洪亮吉《将出都门留别黄二》诗之一：“抛得白云溪畔宅，苦来燕市历风尘。”

⑧ “认曲曲斜阳门巷”等句：作者自注：“两当轩原址犹存，为市级文物保护单位。”两当轩：系黄仲则书斋，轩面宽三间，进深六檩，上覆弧形天花板，山尖高四米，硬山造木构架明代建筑，檐下为落地明格长窗。

⑨ “江矶我昨曾扶杖”句：作者自注：“去岁曾游采石矶，登太白楼。”1981 年 3 月 22 日，俞振飞应南京大学校长匡亚明之邀，偕夫人李蔷华出游

马鞍山市采石矶。登临太白楼，参观李太白纪念馆。

⑩ “问谁能登楼一咏”等句：作者自注：“谓先生赋太白楼长歌，震惊四座。”黄仲则在安徽学政朱筠幕时，赴采石矶太白楼宴会，即席赋《笥河先生偕宴太白楼醉中作歌》诗。有“青山对面客起舞，彼此青莲一抔土。若论七尺归蓬蒿，此楼作客山是主。若论醉月来江滨，此楼作主山作宾。长星动摇若无色，未必常作人间魂。身后苍凉尽如此，俯仰悲歌亦徒尔”诸句，传诵一时。清洪亮吉《候选县丞附监生黄君行状》：“赋诗者十数人，君年最少，着白袷立日影中，顷刻数百言，遍视坐客，坐客咸辍笔。”

⑪ “十有九人堪白眼”句：作者自注：“先生原句。”黄仲则《杂感》诗：“仙佛茫茫两未成，只知独夜不平鸣。风蓬飘尽悲歌气，泥絮沾来薄幸名。十有九人堪白眼，百无一用是书生。莫因诗卷愁成谶，春鸟秋虫自作声。”

⑫ 孙：作者自注：“渊如”。即黄仲则友人孙星衍（1753—1818）。字渊如，又字季仇。江苏阳湖（今武进）人。乾隆进士。历官编修、刑部主事等。所学较广，对经史、文字、音韵、诸子百家、金石碑版等均有涉及，工篆隶，精校勘，善诗文。撰有《尚书今古文注疏》、《周易集解》、《寰宇访碑录》等。

⑬ 洪：作者自注：“稚存”。即黄仲则挚友洪亮吉（1746—1809）。字君直，一字稚存，号北江。江苏阳湖（今武进）人。乾隆进士，授编修。嘉庆时，批评朝政，遣戍伊犁，后赦还。与黄仲则友善，各为诗歌，黄诗似李白，洪诗学杜甫，时称“洪黄”。仲则死后，亮吉经纪其丧，并亲撰《行状》。有《春秋左传诂》、《洪北江全集》行世。

⑭ 酹（lèi）尊酒：把酒浇在地上，表示祭奠。宋苏轼《念奴娇·赤壁怀古》词：“人生如梦，一樽还酹江月。”尊：同“樽”，古代盛酒的器具。

⑮ 吟魂：诗人的灵魂。这里指黄仲则。五代齐己《经贾岛旧居》诗：“若有吟魂在，应随夜魄回。”

⑯ “正书生用世今非往”句：作者自注：“‘百无一用是书生’，即前诗对句，今反其意用之。”

⑰ 五传：指黄仲则的五世孙黄葆树。

⑱ 灵爽：指神灵，神明。这里指黄仲则的在天之灵。晋袁宏《后汉纪·献帝纪三》：“朕遭艰难，越在西都，感惟宗庙灵爽，何日不叹。”

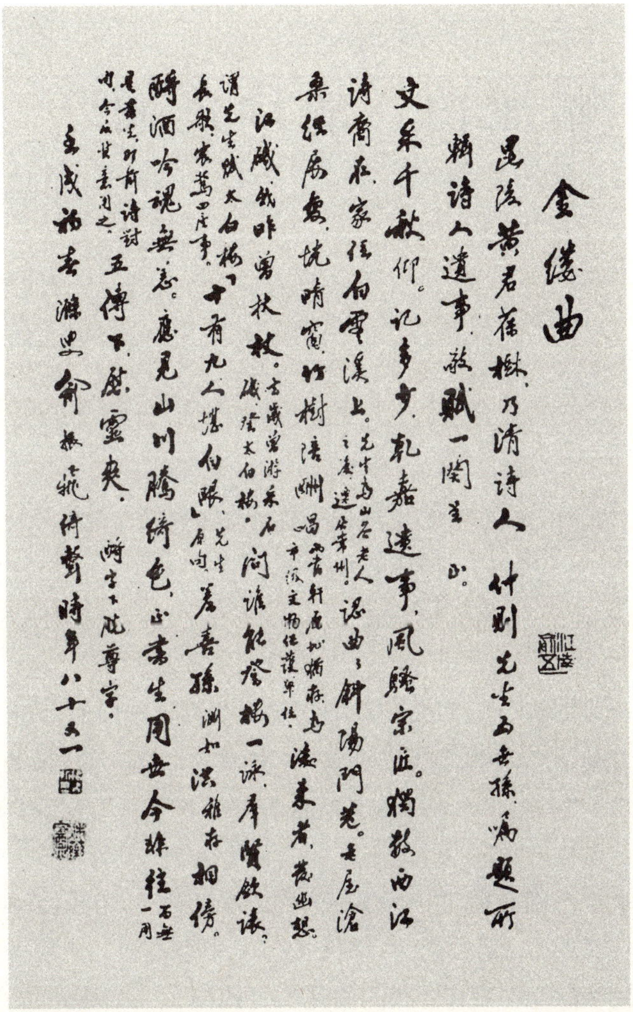

赠雁西、丽珍伉俪联[①]

一九八二年新春

良辰美景[②]春无限；
海燕双栖[③]情更长。

注释：

① 据书迹影印件，上海朵云轩拍卖有限公司《2012 秋季艺术品拍卖会近现代书画专场（二）》画册。联语书于“虎皮宣”上，有“雁西、丽珍贤伉俪双粲”，以及“一九八一年新春，俞振飞时年八十一”款识。联题系编者所拟。

雁西、丽珍：即沈雁西、周丽珍夫妇。沈雁西（1919—1983），著名京剧琴师。师从王少卿，弓法全面，琴音坚实，格调高雅，尤精于梅派。先后为《武则天》、《金玉奴》、《社长的女儿》、《西施》、《太真外传》，以及《刑场上的婚礼》、《蝶恋花》、《白蛇传》诸剧伴奏。著有《霸王别姬》、《白蛇传·断桥》曲谱。其女沈绮琅，京剧青衣，工梅派。后执教于上海市戏曲学校，曾获上海市园丁奖。

② 良辰美景：美好的景物和时节。详见《书赠〈解放日报〉》注⑩。

③ 海燕双栖：喻指夫妇恩爱。语出唐沈佺期《独不见》诗：“卢家少妇郁金堂，海燕双栖玳瑁梁。”海燕：燕子的别称。古人认为产于南方，须渡海而至，故名。

项馨吾兄自美寄诗见怀，因赋拗律奉答[①]

一九八二年三月

岁昨言欢东海东，[②]龙钟[③]笑看俱成翁。
当年月写练裙[④]白，异域恰逢罗袖[⑤]红。
遥忆故人吹玉笛，自惭旧调鼓焦桐[⑥]。
愿持一片相思意，付与征鸿[⑦]云路通。

注释：

① 据唐葆祥《俞振飞传》附录《俞振飞诗词选》(上海文艺出版社 1997 年版)。

项馨吾：业馀昆曲唱家。详见《参加昆剧传习所成立六十周年纪念活动，喜赋两首》之一注⑤。

拗（ào）律：亦名“拗体”。律诗、绝句的每句平仄均有严格规定，误用者谓之“失粘”。不依常格而加以变换者为“拗体”。前人所谓“拗”，除有时变换第二、四、六字外，着重在五言的第三字和七言的第五字。两联都拗的称“拗句格”，通首全拗的称为“拗律”。诗人中有故意为之者。如清王轩《声调谱序》云：“韩（愈）、孟（郊）崛起，力仿李白、杜甫拗体，以矫当代圆熟之弊。”凡“拗”须用“救”，有拗有救，才不为病，如上句该平处用仄，下句则该用仄处用平，平拗仄救，仄拗平救，以调节音调，使其和谐，称为“拗救”。如本诗首句第五字“东”系平声，依律应为仄声，乃通过第二句第五字“俱”（仄声）为救。这属于“对句救”。又如第三句第五字“练”系仄声，依律应作平声；第四句第三字“恰”系仄声，依律应作平声。于是均通过第五字“罗”（平声）为救。 这属于“对句救”和“本句救”。

② “岁昨言欢东海东”句：1978年夏，项馨吾归国探亲，与沪、宁、京等地曲友曲叙。因喉音失润，改以低调唱大冠生，并吹笛伴奏。

③ 龙钟：衰老貌，行动不灵活。

④ 练裙：白绢制成的裙子。

⑤ 罗袖：指代质地轻薄的丝制衣服。

⑥ 焦桐：琴名。《后汉书·蔡邕传》：“吴人有烧桐以爨者，（蔡）邕闻火烈之声，知其良木，因请而裁为琴。果有美音，而其尾犹焦。故时人名曰焦尾琴焉。”后因称琴为“焦桐”。

⑦ 征鸿：即征雁。古人用以寄寓个人情怀。南朝梁江淹《赤亭渚》诗：“远心何所类，云边有征鸿。”

上海植物园观兰[①]

一九八二年三月

露叶风花[②]茁秀丛，移来佳品一园中。
清芬脉脉[③]三春[④]暖，曲唱荃兰[⑤]韵正同。

注释：

① 据唐葆祥《俞振飞传》附录《俞振飞诗词选》（上海文艺出版社 1997 年版）。

上海植物园：国内最大的市级植物园。位于上海市徐汇区，占地面积八十馀公顷。园内设有盆景园、牡丹园、蔷薇园、竹园等十几个专类园区。其中专辟兰室，以民居式园林建筑为主题，小桥流水，白墙青瓦，具有古典园林风格。收藏了朱德、张学良以及日本友人等所赠送的大批名兰，近三百个品种。

② 露叶风花：形容兰花的摇曳之姿。唐崔善为《答王无功九日》诗："露叶疑涵玉，风花似散金。"

③ 脉脉（mò mò）：连续不断貌。这里喻指兰馨四溢，不绝如缕。

④ 三春：春季的三个月。旧称阴历正月为孟春，二月为仲春，三月为季春，合称"三春"。这里泛指春天。

⑤ 荃兰：幽兰。宋王安石《寄曾子固》诗："离行步荃兰，偶坐阴松桧。"荃：香草。

巨来老友招饮赋谢，书为绿杨邨酒家补壁[①]

一九八二年三月

绿杨城郭是扬州，[②]曾快朵颐[③]席上馐[④]。
吏喜分甘[⑤]参蜀味[⑥]，春风醉我到江楼。

注释：

① 据拙工司马——朱琪的博客，2011 年 4 月 3 日，digin 2000. blog. 163. com。

巨来：即陈巨来（1905—1984），篆刻家。原名斝（jiǎ），字巨来，号塙（què）斋，别署安持、牟道人、石鹤居士。浙江平湖人。刻印初从陶惕若，旋师赵时棡（gāng），亦仿黄牧甫，后融汇程穆倩、汪尹子、巴慰祖诸家。白文专摹汉铸印，攻元朱文。一生治印不下三万方。所作不以纤丽胜，体貌端妍而神完气足。曾任上海中国画院画师、上海市文史研究馆馆员。刊有《盍斋藏印》、《安持精舍印存》，《安持精舍印聚》、《安持精舍印话》等。1981 年 9 月，俞振飞收录杨世彭为弟子时，即持田黄石，嘱请陈巨来刻治为赠。

招饮：招人宴饮。

绿杨邨酒家：沪上著名淮扬菜系酒家。始建于 1936 年，店名取自清代王士禛《浣溪沙》词之“绿杨城郭是扬州”句。菜肴具有选料精、刀工细、调料齐、香头重、口味佳、营养高的特色，久负盛誉，有“天厨妙味”

之誉。

② “绿杨城郭是扬州”句：见清王士禛《浣溪沙·虹桥怀古》词：“北郭清溪一带流，红桥风物眼中秋。绿杨城郭是扬州。西望雷塘何处是？香魂零落使人愁。淡烟芳草旧迷楼。”

③ 曾快朵颐：曾经饱享美食口福。朵颐：鼓腮嚼食。《易·颐》：“观我朵颐。”孔颖达疏：“朵是动义，如手之捉物，谓之朵也。今动其颐，故知嚼也。”

④ 馐：美味的食品。

⑤ 分甘：分甘味与人，以示慈爱、友好、关切等。《旧唐书·肃宗纪》：“问安靡阙，视膳无违。及同气天伦，联华棣萼，居尝共被，食必分甘。”

⑥ 参蜀味：意指是日饮宴中的数道菜肴，借鉴了川菜的烹制手法。

俞振飞与陈巨来合影

蝶恋花·为江西临川汤显祖纪念馆题[1]

一九八二年四月

戊戌距今三百八十四年矣。[2]沧桑巨变，换了人间，有非先生所能逆计[3]者。余生平常演此剧，因用原著第一出《标目》【蝶恋花】原韵，[4]以广其意，并俾后学[5]景仰之忱[6]。

玉茗堂[7]中词客[8]住。堂外江流，日夜奔何处？岂为风怀[9]歌艳句，人间多少情难诉。　花发花辞朝与暮。后四百年，海曙红桑[10]助。生死相因情不负，萋萋[11]芳草春来路。

注释：

① 据龚重谟《汤显祖研究交游纪事》，《汤显祖研究与辑佚》（海南出版社 2009 年版）。另有“壬戌春三月，涤叟俞振飞敬题，时年八十有一”款识。诗题系编者所拟。

蝶恋花：词牌、曲牌名。唐教坊曲，初名《鹊踏枝》，又名《凤栖梧》、《一箩金》、《黄金缕》、《卷珠帘》等。因梁简文帝诗有“翻阶蛱蝶恋花情”句，故名“蝶恋花”。双调六十字，上下片各四仄韵。曲牌属北曲双调，字句格律与词牌半阕同，用于套曲中。

② “戊戌距今三百八十四年矣”句：明万历二十六年（1598），岁次戊戌，汤显祖完成《还魂记牡丹亭》的创作。距离 1982 年作者填《蝶恋花》一

词时，恰为三百八十四年。

③ 逆计：预计。《宋史·晁迥传》："自然之分，天命也。乐天不忧，知命也。推理安常，委命也。何必逆计未然乎？"

④ "因用原著第一出《标目》【蝶恋花】原韵"句：原词为："忙处抛人闲处住。百计思量，没个为欢处。白日消磨肠断句，世间只有情难诉。玉茗堂前朝复暮。红烛迎人，俊得江山助。但是相思莫相负，牡丹亭上三生路。"

⑤ 后学：谓后辈学生。后亦作为对前辈自称的谦词。

⑥ 景仰之忱：形容极为钦慕。景仰：仰慕，佩服尊敬。语出《诗·小雅·车舝（xiá）》："高山仰止，景行行止。"

⑦ 玉茗堂：汤显祖寓所植有玉茗（白色山茶花），因名其书斋曰"玉茗堂"。所著《还魂记》等，别称"玉茗堂四梦"，别集即名《玉茗堂全集》。

⑧ 词客：擅长文词的人。这里指汤显祖。

⑨ 风怀：志向，抱负。《晋书·祖逖传赞》："祖生烈烈，风怀奇节，扣楫中流，誓清凶孽。"

⑩ 红桑：传说中仙境的桑树。唐曹唐《小游诗》："秦皇汉武死无处？海畔红桑花自开。"

⑪ 萋萋：形容草木茂盛的样子。唐崔颢《黄鹤楼》诗："晴川历历汉阳树，芳草萋萋鹦鹉洲。"

一九八二年初夏，苏浙沪两省一市昆剧会演志盛[①]

一九八二年五月

叠鼓垂灯笛韵长，[②]于今雅乐未沦亡[③]。
暖风杨柳金阊[④]好，明月蕙兰[⑤]玉谷香。
艳说[⑥]真传同本末[⑦]，更将新意入宫商[⑧]。
悠悠四百年间事，[⑨]曲海扬波溯魏梁[⑩]。

注释：

① 据《舞台与观众》第 95 期，1982 年 6 月 5 日。唐葆祥《俞振飞传》附录《俞振飞诗词选》（上海文艺出版社 1997 年版），载“于今雅乐未沦亡”句之“沦亡”，误作“沧亡”。

苏浙沪两省一市昆剧会演：1982 年 5 月 25 日至 6 月 3 日，文化部、江苏省文化局、浙江省文化局、上海市文化局、苏州市文化局联合举办“1982 年苏、浙、沪二省一市昆剧会演”。俞振飞率上海代表团赴苏州，出席开幕式并致词。并与郑传鉴示范演出《连环记 · 小宴》于忠王府古戏台，另与周传瑛同时收录石小梅为弟子。

② “叠鼓垂灯笛韵长”句：喻指各地昆剧团连日演出的盛况。宋姜夔《玲珑四犯》词：“叠鼓夜寒，垂灯春浅，匆匆时事如许！”

③ 沦亡：衰亡。

④ 金阊：苏州有金门、阊门两城门，故以“金阊”借指苏州。

⑤ 蕙兰：喻指昆曲。蕙、兰为多年生草本植物，古人认之为香草。周恩来总理称誉昆曲为“幽兰”。

⑥ 艳说：艳羡地评说。清洪亮吉《漫赋截句》之三：“才人艳说李深之，束发能题七字诗。”

⑦ 本末：指事物的根源和结局，引申为主次、先后之意。该句意为切实研究好昆曲的历史，为其发展提供有益经验。

⑧ 宫商：我国古代五声音阶（宫、商、角、徵、羽）的第一、第二音级。一般泛指音乐。

⑨ “悠悠四百年间事”句：泛指昆曲有四百馀年的悠久历史。

⑩ 魏梁：指明代戏曲音乐家魏良辅与明代戏曲作家梁辰鱼。详见《寄语台湾诸曲友》注②。

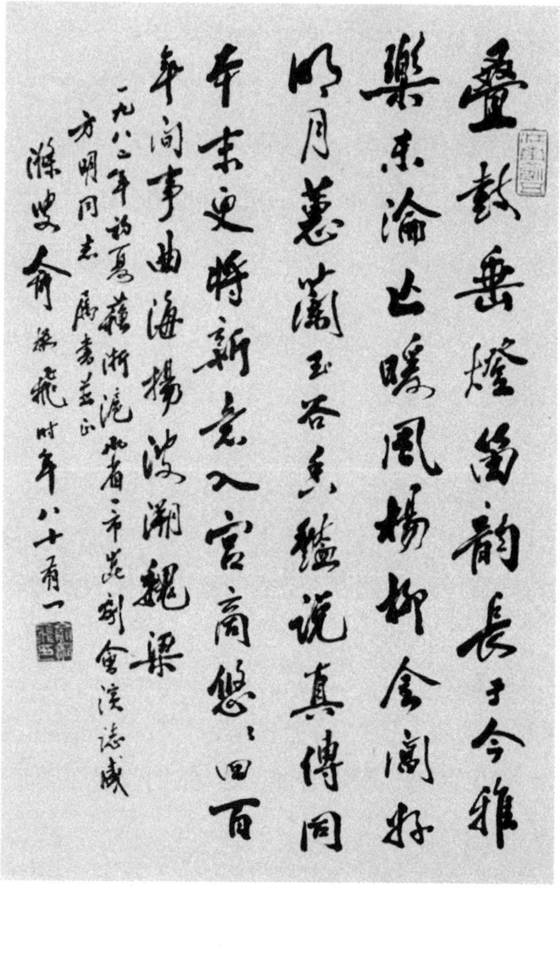

赠蔡生正仁[①]

一九八二年六月

蔡生正仁从游[②]有年，近在吴门[③]昆曲会演中，演出《长生殿·哭像》。声容并茂，颇著佳誉。赋诗赠之，以志忻慰[④]之情。

转益多师与古同，[⑤]总持风雅[⑥]有春工[⑦]。
兰骚蕙些[⑧]千秋业，只在承先启后中。

注释：

① 据蔡正仁所藏手迹原件；影印件见龚学平主编《昆剧泰斗俞振飞》（上海辞书出版社 2002 年版）。另有“壬戌夏五月，涤叟俞振飞，时年八十有一”等款识。诗题系编者所拟。

蔡生正仁：即蔡正仁（1941—　）。江苏吴江人。昆剧小生，国家一级演员。毕业于上海市戏曲学校首届昆曲演员训练班，师承俞振飞、沈传芷等，并得姜妙香、周传瑛等指点，冠生、巾生、穷生、雉尾生等，诸行皆工，有“小俞振飞”之誉。擅演昆曲《惊变》、《迎像哭像》、《见娘》、《书馆》、《断桥》，以及京剧《玉堂春》、《白门楼》等。曾任上海昆剧团团长、全国政协委员。

② 从游：跟从老师学习。

③ 吴门：旧时苏州的别称。

④ 忻（xīn）慰：欣慰。

⑤ “转益多师与古同”句：从不同角度学习他人成就，有所吸取和扬弃，重在继承，旨在创造。唐杜甫《戏为六绝句》之六：“别裁伪体亲风雅，转益多师是汝师。”

⑥ 风雅：《诗经》中有《国风》和《大雅》、《小雅》，儒家论诗把“风”、“雅”列为“六艺”的两类。古代作家有时也用“风雅”一词，借指其所要求的诗篇中的社会内容。这里则指昆曲表演的风流儒雅的风格。

⑦ 春工：春季造化万物之工。这里喻指前辈的悉心教导。

⑧ 兰骚蕙些（suò）：喻指昆曲演艺事业。《楚辞·招魂》：“光风转蕙，泛崇兰些。”王逸注：“光风，谓雨已日出而风，草木有光也。”宋史达祖《一剪梅》词：“兰骚蕙些，无计重招。”兰、蕙：皆为香草，周恩来总理称誉昆曲为“幽兰”。些：语气助词。《楚辞·招魂》：“魂兮归来！去君之恒干，何为四方些？”洪兴祖补注：“凡禁咒句尾皆称‘些’，乃楚人旧俗。”

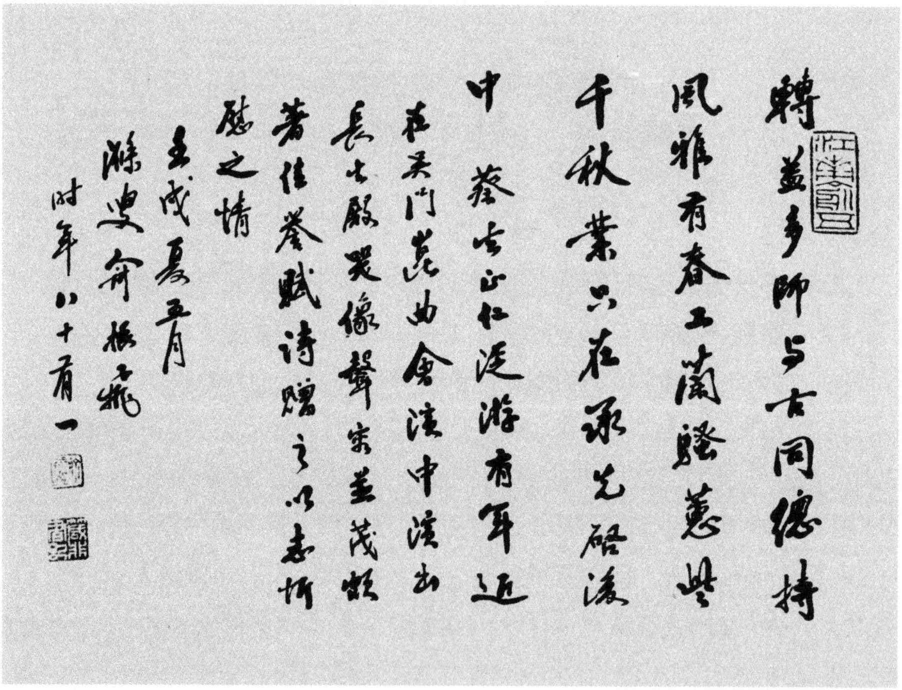

奉题季之光同志《火柴盒贴选》[①]

一九八二年六月中旬

火花[②]千朵，蔚为大观。
有奇有正[③]，或简或繁。
图象变幻，色彩斑斓。
可觇[④]美俗，可瀹[⑤]艺源。
我庆眼福，益智启颜。
赞叹欢忭[⑥]，视此短言。

注释：

① 据《扬州现代诗抄》（中国旅游出版社 1986 年版）。诗题原作《奉题火柴盒贴选》，编者酌改。

季之光（1936— ）：江苏扬州人。中国工艺美术家协会会员、全国收藏家联谊会副秘书长、著名火花收藏家。他从十五岁开始收藏火花，一共收藏约一百一十多个国家、十五万种（套）、一百五十多万枚火柴盒贴，居世界第三，因有“扬州第九怪”、“中国火花大王”、“季公火佛”、“火中仙”、“火花神”等誉。周瘦鹃、叶圣陶、张乐平、周而复、秦瘦鸥、范曾、费新我、胡松华等名家均有题词称颂。编著有《火柴盒贴选》、《季之光的火花世界》、《火花贴画选》、《中国火花画册》、《中国火花・季之光本》（日文版）、《趣谈火花》、《中国火柴盒贴集锦》等。1982 年 6 月中旬，俞振飞喜见其所集火柴盒贴选本，即兴题赠此诗。

② 火花：火柴盒上的贴画。

③ 有奇有正：这里指火花品种繁多。宋陈叔方《颍川语小》下卷："句法有正有奇，有呼有应。呼应者一唱一和，律吕相宜以成文也。"

④ 觇（chān）：观看。

⑤ 瀹（yuè）：疏通。

⑥ 欢忭（biàn）：欢喜，快乐。忭：喜乐。

题陈从周教授为周道南画墨笔葡萄[①]

一九八二年七月

道南先生获得从周老兄墨笔葡萄，精思妙笔，别具机杼[②]。喜题一绝奉正。

重见写生[③]温日观[④]，垂垂[⑤]密缀紫晶丸。
何当漉[⑥]取花前酒，不厌芳甘也嗜酸。

注释：

① 据《上海近百年诗词选》（百家出版社 1996 年版）；书迹影印件见《陈从周画集》，同济大学建筑与城市规划学院编（上海书画出版社 2007 年版）。另有“壬戌夏六月，俞振飞时年八十一”等款识。诗题系编者所拟。

周道南（1924— ）：字化成，江苏江都人，因家贫故，未尝入学。发愤自励，考入上海第一师范学校。1957 年被划为“右派”，赴农村改造。后调至嘉定娄塘中学任教，直至退休。擅诗词，工书画，与钱仲联、苏渊雷、陈从周诸前辈游。曾编辑《豫园新咏》、《楠园题咏》，著有《周道南诗书画集》。

② 别具机杼（zhù）：比喻诗文、绘画等作品的构思布局，另辟蹊径，有所创新。《魏书·祖莹传》：“文章须自出机杼，成一家风骨。”

③ 写生：中国画中描绘花果、草木、禽兽等的绘画，称为“写生”。

④ 温日观（？—1291 后）：宋末元初画家。杭州葛岭玛瑙寺僧。俗姓温，初名玉山，法名子温，号日观，一号知非子，通称温日观，华亭（今上海松江）人。性烈嗜酒，好穿短衣。宋亡，出家为僧，佯狂于市。与鲜于枢交

契。工草书，善画葡萄。所绘须梗枝叶，皆草书法。于一笔中带有深浅不同墨色，深墨点染后仍见湿润，世人以“温葡萄”称之。至元二十七年（1290）乡友曾遇有燕京之行，他作《墨戏葡萄》二纸，分寄赵孟頫、曾遇。孟頫题跋云：“日观温老师作墨葡萄，初若不经意，而枝叶肯綮，细玩之纤悉皆具，殆非学所能至。俗人恳恳求之，靳不与一笔。遇佳士，虽不求，辄索纸笔挥洒无吝色，岂可谓道人胸中无泾渭耶。吾与师仅一再面，去冬曾君自吴来燕，辱以一纸见寄，相望数千里不遐遗乃尔。因想胜风，欲相从西湖山水间，何可得也。”

⑤ 垂垂：形容葡萄低垂的样子。唐薛能《盩厔官舍新竹》诗：“心觉清凉体似吹，满风轻撼叶垂垂。”

⑥ 漉（lù）：过滤。

附录：

谢俞振飞大师题陈从周先生惠我水墨葡萄画步原韵

周道南

不羡洋洋一大观，惟耽小小几莹丸。
崇台曲苑珠联璧，消尽前朝苦与酸。

（载《周道南诗书画集》，香港天马图书有限公司 2002 年版）

自题《振飞曲谱》以赠友人[①]

一九八二年八月

芳香沉逸付长吟，卷里宫商见古心。[②]
寄与周郎[③]聊拊掌[④]，尊前顾误是知音[⑤]。

注释：

① 据唐葆祥《俞振飞传》附录《俞振飞诗词选》（上海文艺出版社 1997 年版）。

② “卷里宫商见古心”句：谓《振飞曲谱》中所录四十出剧目唱谱皆有师承，即传承有序意。

③ 周郎：即周瑜（175—210），三国吴国名将。字公瑾，庐江舒县（今安徽庐江西南）人。曾任建威中郎将，协助孙策在江东创立孙氏政权。孙策死后，与张昭辅佐孙权，任前部大都督。建安十三年（208），曹操率军南下，他与鲁肃坚决主战，并亲率吴军大破曹军于赤壁。又传周瑜善音律，可以辨析其中错误。《三国志·吴书·周瑜传》：“瑜少精意于音乐，虽三爵之后，其有阙误，瑜必知之，知之必顾。故时人谣曰：‘曲有误，周郎顾。’”下句“顾误”，即指此。

④ 拊（fǔ）掌：同“抚掌”。拍手，鼓掌。表示欢乐或激奋。

⑤ 知音：相传春秋时伯牙善鼓琴，钟子期善听琴，能从琴声中听出其心意。后因称知己朋友为“知音”。

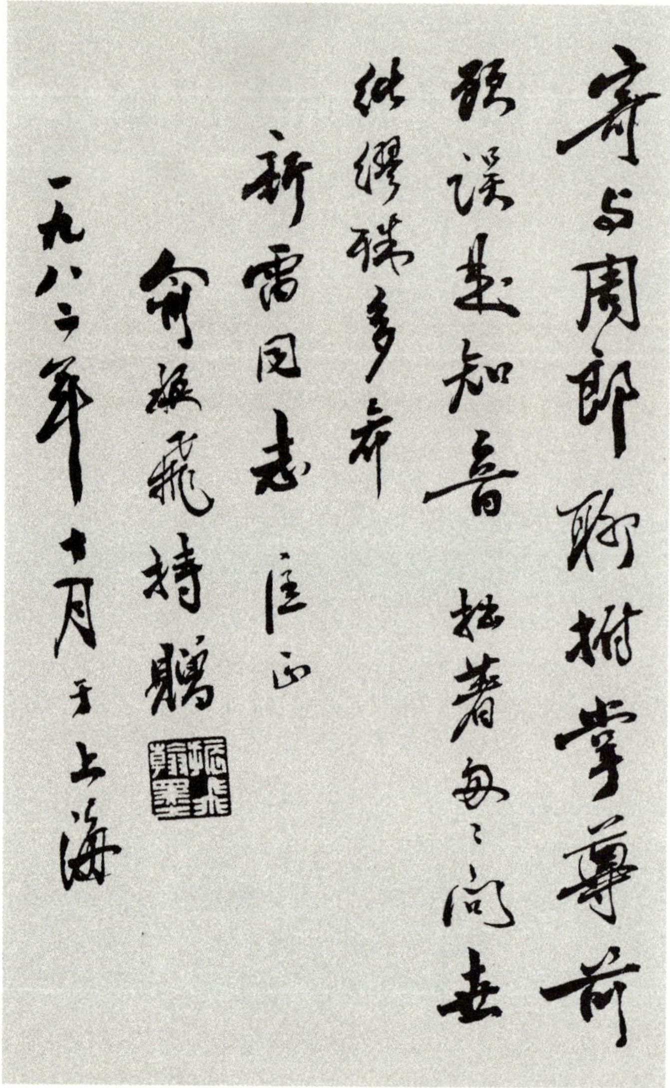
俞振飞
一九八二年十月于上海

读廖承志同志致蒋经国先生书，感赋三绝[①]

一九八二年八月

（一）

燕云一朵[②]故人邀，谋国谋家大义昭。
碧海风涛溪口[③]月，灵犀[④]通处路非遥。

（二）

岂有鸩人羊叔子，[⑤]何辞跋涉海天行？
为君借箸[⑥]灯前话，万计千筹百世名。

（三）

纸短情长世谊[⑦]隆，殷殷瞩望[⑧]九州[⑨]同。
炎黄[⑩]胄裔[⑪]恩仇泯[⑫]，功烈千秋一统中。

注释：

① 据唐葆祥《俞振飞传》附录《俞振飞诗词选》（上海文艺出版社 1997 年版）。

廖承志（1908—1983）：广东归善（今惠阳）人。廖仲恺之子。毕业于日本早稻田大学。曾任中共中央南方局委员，新华社社长，全国青联主席，华侨事务委员会主任，国务院侨办和港澳办主任，全国人大委员会副委员长，中共第七、第八、第十、第十一届中央委员，第十二届中央政治局委员。

蒋经国（1910—1988）：浙江奉化人。蒋介石长子。1925 年赴苏联学习，1937 年回国。曾任江西赣县县长，三青团中央干部学校教育长，青年军总政治部主任，上海区经管办公处副督导员等。1949 年去台湾，历任“国防部”部长、“行政院”院长、国民党中央主席兼常委会主席等职。1978 年、1984 年连任台湾当局“总统”。

② 燕（yān）云一朵：1982 年 7 月 24 日，廖承志亲致蒋经国先生一函，以振兴中华相勉，以忠孝两全相劝，殷切期望台湾当局捐弃前嫌，依时顺势，负起历史责任，毅然和谈，完成祖国统一大业。该函在《人民日报》刊载后，引起了国内外的强烈反响。燕：指北京。因市区在春秋战国时是燕国的国都而得名。云一朵：即朵云，指书信。《新唐书·韦陟传》：“常以五采笺为书记，使侍妾主之，以裁答受意而已，皆有楷法，陟唯署名，自谓所书‘陟’字若五朵云。”后遂以“朵云”为对别人书信的敬称。因廖承志自北京发出此信，故冠一“燕”字。

③ 溪口：浙江省奉化市溪口镇，系蒋经国故乡。

④ 灵犀：旧说犀角中有白纹如线直通两头，感应灵敏。因用以比喻两心相通。唐韩偓《八月六日作》诗之四：“威凤鬼应遮矢射，灵犀天与隔埃尘。”

⑤ “岂有鸩（zhèn）人羊叔子”句：羊祜（221—278），西晋重臣、大将军。字叔子，泰山南城人（今山东费县西人）。晋武帝司马炎与其筹划灭吴，出镇襄阳，开屯田，储军粮。平日则与吴将陆抗互通使节，各保分界。《晋书·羊祜传》载：“抗尝病，祜馈之药，抗服之无疑心。人多谏抗，抗曰：‘羊祜岂鸩人者！’时谈以为华元、子反复见于今日。”鸩：传说中的一种毒鸟。黑身赤目，食蝮蛇野葛。以其羽浸酒，饮之立死。

⑥ 借箸（zhù）：《史记·留侯世家》：“（郦）食其未行，张良从外来谒。汉王方食，曰：‘子房前！客有为我计桡楚权者。’具以郦生语告，曰：‘于子房何如？’良曰：‘谁为陛下画此计者？陛下事去矣。’汉王曰：‘何哉？’张良对曰：‘臣请藉前箸为大王筹之。’”藉：《汉书·张良传》作“借”。箸：筷子。后因以“借箸”指为人谋划。唐杜牧《河湟》诗：“元载相公曾借箸，宪宗皇帝亦留神。”

⑦ 世谊：世交。

⑧ 瞩望：希望，期待。唐白居易《与昭义军将士诏》：“卿等承前已来，常保忠贞之节；自今以后，永为心腹之军。宜念始终，副兹瞩望。”

⑨ 九州：中国的别称之一。详见《百字令·为苏州戏剧工作者协会、苏州博物馆、苏州市戏曲研究室联合主办昆剧展览作》注㉒。

⑩ 炎黄：炎帝神农氏和黄帝轩辕氏的并称，为我国古史传说时代的两个帝王。《汉书·魏豹田儋等传赞》：“至春秋末，诸侯耗尽，而炎、黄、唐、虞之苗裔，尚犹颇有存者。”后世常称“炎黄”为中华民族的始祖。

⑪ 胄裔（zhòu yì）：子孙后代。

⑫ 恩仇泯：不计恩怨。泯：灭，尽。廖承志在信末引用了鲁迅《题三义塔》诗句：“度尽劫波兄弟在，相逢一笑泯恩仇。”

减字木兰花·为上海昆剧团题[①]

一九八二年八月

行云回雪，[②]几度沧桑歌未歇。大好河山，碧管红牙[③]海宇宽。　　盛时新唱，应喜后来居我上。老健还加，愿作春泥更护花。[④]

注释：

① 据书迹影印件。另有“调寄《减字木兰花》，为上海昆剧团题。一九八二年八月，俞振飞时年八十一”等款识。

减字木兰花：词牌、曲牌名。简称《减兰》。双调四十四字，系就《木兰花》词的一、三、五、七句各减三字而成，故名。上下阕各二句仄韵转二句平韵。又有《偷声木兰花》，即就《木兰花》的第三、第七句各减三字，平仄转韵和《减字木兰花》同。曲牌属北曲双调，字句格律与词牌不同，用在套曲中。

上海昆剧团：成立于 1978 年，首任团长俞振飞。拥有王芝泉、方洋、计镇华、刘异龙、张洵澎、张铭荣、岳美缇、梁谷音、蔡正仁、张静娴等老一辈昆剧表演艺术家，以及谷好好、吴双、沈昳丽、黎安、倪泓、余彬等中青年演员，先后共有十一人十二次荣获中国戏剧“梅花奖”。剧团行当齐全、阵容完备、群英荟萃，被誉为是“第一流剧团、第一流演员、第一流剧目、第一流演出”。

② “行云回雪”句：喻指时光流逝。宋柳永《少年行》词其六：“舞裀

歌扇花光里，翻回雪、驻行云。”

③ 碧管红牙：碧玉装饰的箫笛等管乐、檀木所制的拍板。泛指乐器。

④ “愿作春泥更护花”句：出自清龚自珍《己亥杂诗》之五：“浩荡离愁白日斜，吟鞭东指即天涯。落红不是无情物，化作春泥更护花。”

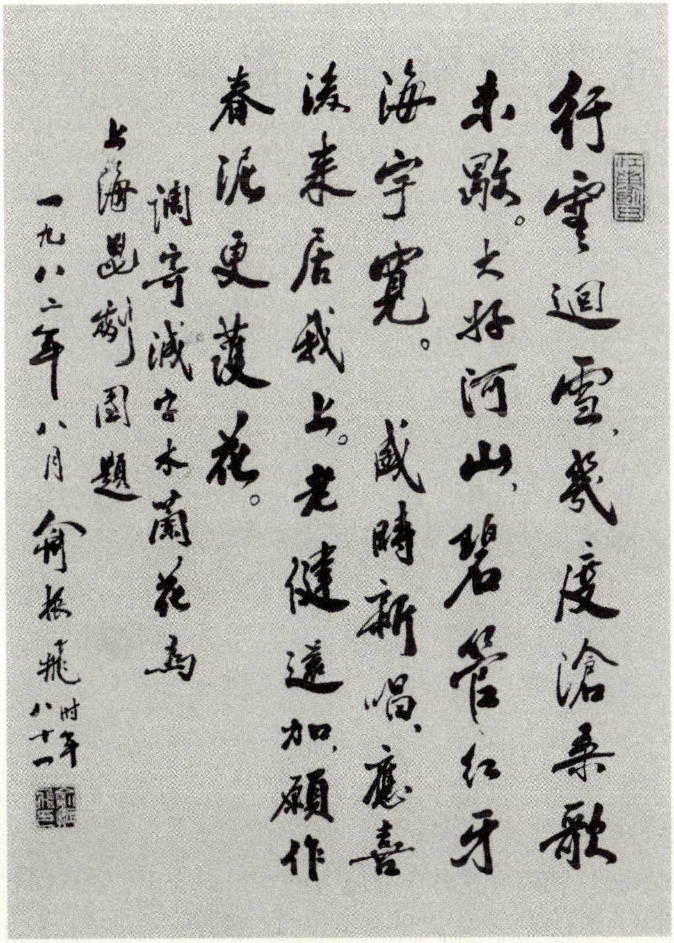

江西抚州举行汤若士先生逝世三百六十五周年纪念，并建立玉茗堂剧场，敬赋一律[①]

一九八二年八月

重见临川[②]玉茗堂，流风馀韵[③]付霓裳[④]。
花间四梦[⑤]留词笔[⑥]，槛外[⑦]九江[⑧]丽豫章[⑨]。
曲苑方开新境界，歌坛好认古沧桑。
谁知啸咏[⑩]平生意，但供心香[⑪]为奉常[⑫]。

注释：

① 据唐葆祥《俞振飞传》附录《俞振飞诗词选》（上海文艺出版社 1997 年版）。

汤若士：即汤显祖，明代著名戏曲家、文学家。

玉茗堂剧院：1982 年 7 月 14 日《新民晚报》载："一座中西建筑艺术结合的宏伟的玉茗堂剧院正在明代戏剧家汤显祖家乡江西省抚州市加紧修建，本月份可望竣工。文化部、中国戏剧家协会、江西省文化局和中国戏剧家协会江西省分会，准备十月份在玉茗堂剧院举办汤显祖逝世三百六十五周年纪念活动，包括汤显祖事迹展览和以各种剧种演出汤显祖著名的《玉茗堂四梦》（即《牡丹亭》、《紫钗记》、《邯郸记》和《南柯记》）及其改本。"玉茗堂：汤显祖寓所植有玉茗（白色山茶花），因名其书斋曰"玉茗堂"。其别集即名《玉茗堂全集》。

② 临川：今江西省临川市，即汤显祖的故乡。旧时多以出生地指代某人，以示尊敬。

③ 流风馀韵：流传后世的风韵。宋欧阳修《岘山亭记》："至于流风馀韵，蔼然被于江汉之间者，至今人犹思之。"

④ 霓裳：即《霓裳羽衣舞》，简称《霓裳》。唐宫廷乐舞，著名法曲。这里泛指汤显祖的作品被广泛演出。详见《题女弟孙天申龙门郇曲叙横卷，次韵奉和驷才》注⑤。

⑤ 四梦：汤显祖所作《紫钗记》、《还魂记》、《南柯记》和《邯郸记》四种传奇剧本，都有描写梦境的情节，故称"四梦"。

⑥ 词笔：指有韵和无韵的文字，亦指赋诗作文的才能。

⑦ 槛外：栏杆外。唐王勃《滕王阁序诗》："阁中帝子今何在？槛外长江空自流。"

⑧ 九江：《晋太康地记》载："九江，刘歆以为湖汉九水（即赣江水、鄱水、馀水、修水、淦水、盱水、蜀水、南水、彭水）入彭蠡泽也。"以注入彭蠡（今鄱阳湖）的湖汉水（今赣江）及其八大支流合称九江。汇集之地在今江西省九江市境内。

⑨ 豫章：古郡名，治所在今江西南昌。亦为江西省的别称。

⑩ 啸咏：歌唱，吟咏。

⑪ 心香：佛教语。谓中心虔诚，如供佛之焚香。亦指真诚的心意。

⑫ 奉常：官名。秦代九卿之一，即后来的太常。这里指汤显祖，他曾任南京太常寺博士。

疏帘淡月·题《梅兰芳唱腔集》[1]

一九八二年八月下旬

畹华梅氏[2]，艺精而格高，体正而品超，此所以海内外寻声按律[3]者，无不奉为圭臬[4]也。相交数十年，承其教益非浅。今读是编，如见故人。因赋《疏帘淡月》一阕，以志感旧之忱。[5]

梅边旧谱，费当年、苦心辨铢量黍[6]。巨手扶轮[7]，于此恢闳[8]堂庑[9]。桑红海碧[10]花纷舞，更唱出、神州新曙。缀玉苔枝，[11]扬芬兰畹[12]，正声[13]法乳[14]。　　还忆倾谈乐府[15]，侧媚[16]非尊，总成尘土。一卷摩挲[17]，恍见平生肺腑。云中隐隐闻箫鼓[18]，坛坫[19]宗风[20]谁主？寰区异域，[21]锦瑟朱弦，合依香祖[22]。

注释：

① 据书迹影印件，《梅兰芳唱腔集》（上海文艺出版社 1983 年版）。另有“一九八二年八月下旬，涤叟俞振飞敬题。时年八十有一”等款识。诗题系编者所拟。

疏帘淡月：词牌名。又名《桂枝香》。双调一百零一字，上下片各十句、五仄韵。一般用入声韵。音节洪亮，多用于表达雄壮豪放的心情。以宋王安石《金陵怀古》一首，较为著名。

《梅兰芳唱腔集》：卢文勤、吴迎整理记谱，刘海粟题签，许姬传作序。收录梅兰芳早、中、晚各个时期的五十馀个剧目的唱腔精华，以及相关剧照。

② 畹华梅氏：梅兰芳，字畹华。

③ 寻声按律：依据词谱填词。这里指根据曲谱习唱。

④ 圭臬（guī niè）：圭：测日影器。臬：测日影定方位的标杆。合指事物的准则。

⑤ “今读是编，如见故人。因赋《疏帘淡月》一阕，以志感旧之忱”诸句，俞振飞寄关大棠钞稿作：“今读是编，如闻謦咳。因赋长调，情见乎词矣。”

⑥ 辨铢量黍（shǔ）：形容极精细地辨别、衡量，意指努力探究。铢、黍：古代的计量单位。说法不一，如二十四铢为一两，一百黍为一尺等。

⑦ 扶轮：在车轮两翼护持。形容维护、扶持正统，使其得以推行和发展。详见《贺阳友鹤同志演剧生活六十周年》注⑤。

⑧ 恢闳（hóng）：亦作“恢弘”，发扬；扩大。《三国志·蜀志·诸葛亮传》：“恢弘志士之气。”

⑨ 堂庑（wǔ）：原指堂及四周的廊屋，泛指屋宇。后比喻作品的意境和规模。该句意为通过梅兰芳的努力，京剧得到巨大的发展。

⑩ 桑红海碧：大海变为桑田，桑田又变为大海。比喻世事变迁很大。详见《八十自寿（组诗）》之一注④⑪。

⑪ “缀玉苔枝”句：宋姜夔《疏影》词：“苔枝缀玉，有翠禽小小，枝上同宿。”苔枝：苔梅。这里喻指梅兰芳。详见《洞仙歌·梅畹华同志逝世二十周年，赋此以为纪念》注②。

⑫ 兰畹：《楚辞·离骚》：“余既滋兰之九畹兮，又树蕙之百亩。”王逸注：“十二亩曰畹。”一说：田三十亩曰畹（见《说文》）。后以“九畹”、“兰畹”等作为兰花的典实。该句指梅兰芳不遗馀力地弘扬昆曲艺术。

⑬ 正声：符合音律的标准乐声。《六韬·五音》：“宫、商、角、徵、羽，此其正声也。”

⑭ 法乳：佛教语。喻佛法。谓佛法如乳汁哺育众生。《涅槃经·如来性品》：“饮我法乳，长养法身。”该句系称誉梅派唱腔。

⑮ 乐府：始于秦汉，本为音乐官署，掌管朝会宴飨、道路游行时所用的音乐，兼采民间诗歌和音乐。后也用以称魏晋至唐代可以入乐的诗歌和后人仿效乐府古题的作品。宋元以后的词、散曲和剧曲，因配合音乐，故亦称乐

府。这里则指京昆剧等戏曲唱腔。

⑯ 侧媚：用不正当的手段讨好别人。《书·冏命》："慎简乃僚，无以巧言令色，便辟侧媚。"

⑰ 摩挲：亦作"摩娑"、"摩莎"，抚弄。《释名·释姿容》："摩娑，犹末杀也，手上下之言也。"

⑱ 箫鼓：箫与鼓。泛指乐奏。

⑲ 坛坫（diàn）：古代诸侯会盟的坛台。《史记·鲁仲连邹阳列传》："桓公朝天下，会诸侯，曹子以一剑之任，枝桓公之心于坛坫之上。"这里引申为文坛、艺坛。

⑳ 宗风：原指佛教各宗系特有的风格、传统，后用以泛指文学艺术各流派独有的风格和思想。详见《满江红（平韵）·前词意犹未尽，再赋一阕》注⑮。

㉑ "寰区异域"句：指全世界范围。寰区：广大的区域。

㉒ 香祖：兰花的别称。宋陶谷《清异录·草》："兰虽吐一花，室中亦馥郁袭人，弥旬不歇，故江南人以兰为香祖。"这里暗指梅兰芳，因梅兰芳体系与斯坦尼拉夫斯基体系、布莱希特体系并称为世界三大表演体系。

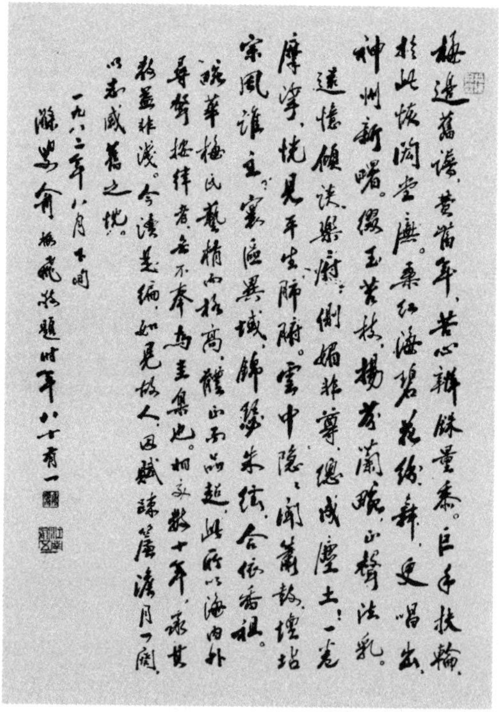

庆祝党的十二大召开①

一九八二年九月

中都②盛会擘③新功，四海同心运更隆。
我有浩歌千百首，引吭端合④颂东风。

注释：

① 据书迹影印件，龚学平主编《昆剧泰斗俞振飞》（上海辞书出版社2002年版）。另有“党的十二大召开，乃安邦定国之盛会，诗以志庆。一九八二年十月，应《山西日报》属书并正。涤叟俞振飞时客西安”等款识。诗题系编者所拟。

党的十二大：1982年9月1日至11日，中国共产党第十二次全国代表大会在北京举行。邓小平致开幕词，提出了建设有中国特色的社会主义的指导思想。胡耀邦作《全面开创社会主义现代化建设的新局面》报告，提出了党在新的历史时期的总任务。大会选出了新的中央委员会、中央顾问委员会和中央纪律委员会成员，通过了新的党章。大会标志着党胜利实现了历史性的伟大转变，开始了全面开创社会主义现代化建设新局面的新时期。

② 中都：古代对都城的统称。这里指北京。

③ 擘（bò）：筹划；安排。

④ 端合：应当；应该。

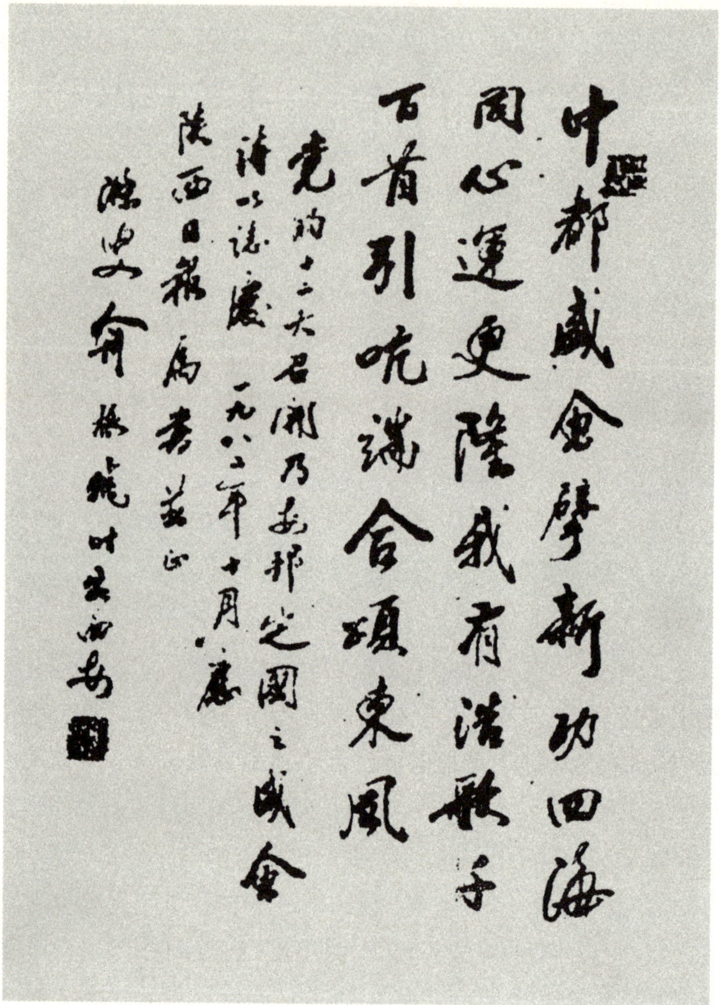

西安兴庆公园沉香亭题诗[①]

一九八二年十月

沉香亭畔牡丹新，绰[②]有唐风异代春。

早是青莲诗意好，[③]玉阑[④]不护蒨妆[⑤]人。

注释：

① 据唐葆祥《俞振飞传》附录《俞振飞诗词选》(上海文艺出版社 1997 年版)。

1982 年 9 月 28 日，陶影率上海昆剧团赴西安巡回演出。10 月 7 日，俞振飞应邀偕夫人李蔷华乘飞机抵达西安，下榻于止园饭店。演出《贩马记·写状》、《太白醉写》，并为西北大学师生作《我的昆曲生涯》讲演。公余游览兴庆公园、华清池、大雁塔、马嵬坡等名胜。

兴庆公园：由原唐代兴庆宫遗址改建而成。兴庆宫位于唐代长安城东门春明门内，原系唐玄宗李隆基登基前的藩邸。宫内建有兴庆殿、南熏殿、大同殿、勤政务本楼、花萼相辉楼和沉香亭等，系玄宗听政和居住之所，号称“南内”。1958 年，改建为公园。

沉香亭：唐宫中亭名，据宋程大昌《雍录》载：在兴庆宫图龙池东。相传唐玄宗与杨玉环曾在亭中观赏木芍药花。

② 绰(chuò)：宽裕；舒缓。

③ “早是青莲诗意好”句：宋乐史《李翰林别集序》：“天宝中，李白供奉翰林。时禁中重(种)木芍药，即今之牡丹也。得数本红紫浅红通白者，

上因移植于兴庆池东、沉香亭前……上曰：'赏名花，对妃子，焉用旧乐词为？'遂命李龟年持金花笺，宣赐白，为《清平调词》三章。"原词其一："云想衣裳花想容，春风拂槛露华浓。若非群玉山头见，会向瑶台月下逢"；其二："一枝红艳露凝香，云雨巫山枉断肠。借问汉宫谁得似？可怜飞燕倚新妆"；其三："名花倾国两相欢，长得君王带笑看。解释春风无限恨，沉香亭北倚阑杆"。青莲：李白号青莲居士。

④ 玉阑：玉石制成的栏杆。亦用为栏杆的美称。

⑤ 蒨（qiàn）妆：盛妆。

俞振飞与梁谷音、刘异龙在兴庆公园即兴模拟《太白醉写》身段

武　　汉[1]

一九八二年十月

烟树苍茫鄂渚[2]秋，高楼吹笛韵悠悠。[3]
清歌为祝开新面，此是仙人昔未游。[4]

注释：

① 据唐葆祥《俞振飞传》附录《俞振飞诗词选》(上海文艺出版社 1997 年版)。

1982 年 10 月 21 日，俞振飞偕上海昆剧团赴武汉。演出《太白醉写》诸剧，盛况空前。并参加相关欢迎会、座谈会等活动。

② 鄂渚：世称鄂州为鄂渚。这里即指武汉。详见《湖北省京剧团建立十周年纪念》注③。

③ “高楼吹笛韵悠悠”句：化用唐李白《与史郎中钦听黄鹤楼上吹笛》诗：“黄鹤楼中吹玉笛，江城五月落梅花。”

④ “此是仙人昔未游”句：《寰宇记》载：“昔费祎登仙，每乘黄鹤于此憩驾，故号为黄鹤楼。”唐崔颢《黄鹤楼》有“昔人已乘黄鹤去，此地空余黄鹤楼。黄鹤一去不复返，白云千载空悠悠”之句。这里意指今日武汉，面貌一新，仙人未得一游。

女弟岳美缇写墨竹属题[①]

一九八二年初秋

渭川烟雨竹千枝，[②]写入生绡[③]笔势奇。
莫道萧然[④]多逸趣，虚心劲节是吾师。[⑤]

注释：

① 据书迹影印件，岳美缇《巾生今世：岳美缇昆曲五十年》（文化艺术出版社 2008 年版）。另有“壬戌初秋，俞振飞时年八十有一”等款识。诗题系编者所拟。

岳美缇（1941—）：昆剧女小生，国家一级演员。毕业于上海市戏曲学校首届昆曲演员训练班，初习旦角，后改小生，师承俞振飞、沈传芷等。表演细腻，格调清新，得乃师真传。擅演《琴挑》、《偷诗》、《拾画叫画》、《跪池》、《百花赠剑》、《望乡》，以及《墙头马上》、《红楼梦》、《占花魁》、《司马相如》等。业馀师从张乐平、江圣华、申石伽等人习绘，擅画竹。著有《我，一个孤单的女小生》、《临风度曲》等。

② “渭川烟雨竹千枝”句：《史记·货殖列传》：“齐鲁千亩桑麻；渭川千亩竹……此其人皆与千户侯等。”宋黄公度《谢傅参议彦济惠笋用山谷韵》诗：“前身渭川侯，千亩偿宿债。”后以“渭川千亩”言竹之繁茂。

③ 生绡：未经漂煮过的丝织品。古时多用以作画，因亦以指画卷。

④ 萧然：潇洒；悠闲。

⑤ “虚心劲节是吾师”句：1963 年 6 月 17 日，叶剑英赋《题岳美缇同志画竹》一诗：“彩笔凌云画溢思，虚心劲节是吾师。人生贵有胸中竹，经得艰难考验时。”后辑入《叶剑英诗词选集》（人民文学出版社 1983 年版），易题为《题画竹》，误署为“一九七八年十一月十二日”。

思佳客·赠别陈伯华同志赴港演出[①]

一九八二年十一月

伯华同志率汉剧院赴港演出，携有《宇宙锋》[②]、《柜中缘》[③]、《贵妃醉酒》[④]、《二度梅》[⑤]等剧目。喜赋一阕，调寄《思佳客》。以当赠别，并祝载誉而归。

汉水[⑥]苍茫接大江，繁弦急管[⑦]韵悠扬。楚声[⑧]三唱推高艺，吴舞千回擅胜场[⑨]。　　觞泛艳，[⑩]剑生铓，[⑪]花开再度玉梅香。[⑫]新讴古调播南岛[⑬]，四座芳菲罄折[⑭]狂。

注释：

① 据书迹影印件，《陈伯华表演艺术文集》（中国戏剧出版社 2001 年版）。另有"一九八二年十一月，涤叟俞振飞题，时年八十一"等款识。诗题系编者所拟。

思佳客：词牌名。又名《思越人》、《鹧鸪天》等。双调五十五字，上下片各三平韵。上片第三、第四句及过片三言两句，多作对偶。以宋晏几道"彩袖殷勤捧玉钟"、辛弃疾"壮岁旌旗拥万夫"二阕，传诵极广。

陈伯华（1919—2015）：女，汉剧表演艺术家。艺名新花钗、筱牡丹花，武汉人。八岁习艺，演"八贴"，兼演"四旦"。在表演上突破正旦和贴旦界限，首创融青衣、花旦、闺门旦于一炉的汉剧新角色行当。并钻研京剧

“梅派”、“程派”艺术，开拓艺术视野。擅演《宇宙锋》、《二度梅》、《柜中缘》、《借牛》等剧，形成“陈派”，为汉剧唱腔、表演革新发展，贡献良多。曾任全国人大代表、全国政协委员，历任武汉汉剧院院长、湖北省剧协副主席。

② 《宇宙锋》：剧叙秦时赵高与其亲家匡扶结仇，遣人盗取帝赐匡家名剑“宇宙锋”，行刺秦二世胡亥，以构陷匡家。后得以辨明真相。

③ 《柜中缘》：剧叙岳飞之子岳雷出逃，为村姑刘玉莲藏入柜中。其兄刘春及刘母返家，获知真情，始允收留，并以玉莲许婚。

④ 《贵妃醉酒》：剧叙杨玉环设筵百花亭，久候唐明皇不至。获悉明皇驾往他宫，怨愤之馀，命高力士、裴力士侍酒，独饮大醉，怅然回宫。

⑤ 《二度梅》：剧叙唐代朝臣梅魁遭宰相卢杞构陷，其子梅良玉与陈尚书之女陈杏元屡经患难，终于昭雪沉冤，奉旨完婚。

⑥ 汉水：亦称汉江。为长江最长的支流。发源于陕西省西南部宁强县，东南流经襄樊、荆门等市，在武汉市汇入长江，全长 1 532 千米。

⑦ 繁弦急管：形容乐曲的节拍急促，音色丰富。唐白居易《忆旧游》诗：“修蛾慢脸灯下醉，急管繁弦头上催。”

⑧ 楚声：指汉剧。主要流行于湖北及河南、湖南、陕西、四川部分地区。清中叶已盛行。旧名“楚调”、“汉调”，辛亥革命后改今名。分襄河、荆河、府河、汉河四个流派。对南方许多剧种有深远影响。道光年间在北京同徽调合流，逐渐演变成京剧。唱腔以西皮、二黄为主，伴奏乐器有胡琴、月琴、三弦等。

⑨ 擅胜场：压倒全场；胜过众人。形容技艺高超。擅：揽。胜场：取胜的场地。

⑩ “觞（shāng）泛艳”句：指《贵妃醉酒》一折。觞：古代的盛酒器。泛艳：南朝梁江淹《杂体诗·〈效体上人怨别〉》：“露彩方泛艳，月华始徘徊。”

⑪ “剑生铓（máng）”句：指《宇宙锋》一剧。该剧又名《一口剑》。铓：刀剑等的尖端；光芒。

⑫ “花开再度玉梅香”句：指《二度梅》一剧。

⑬ 南岛：香港。

⑭ 磬（qìng）折：弯腰如磬，表示恭敬。《史记·滑稽列传》：“西门豹

簪笔磬折，向河立。”亦泛指形容曲折如磬。磬：古代打击乐器。形状像曲尺，用玉、石制成，可悬挂。

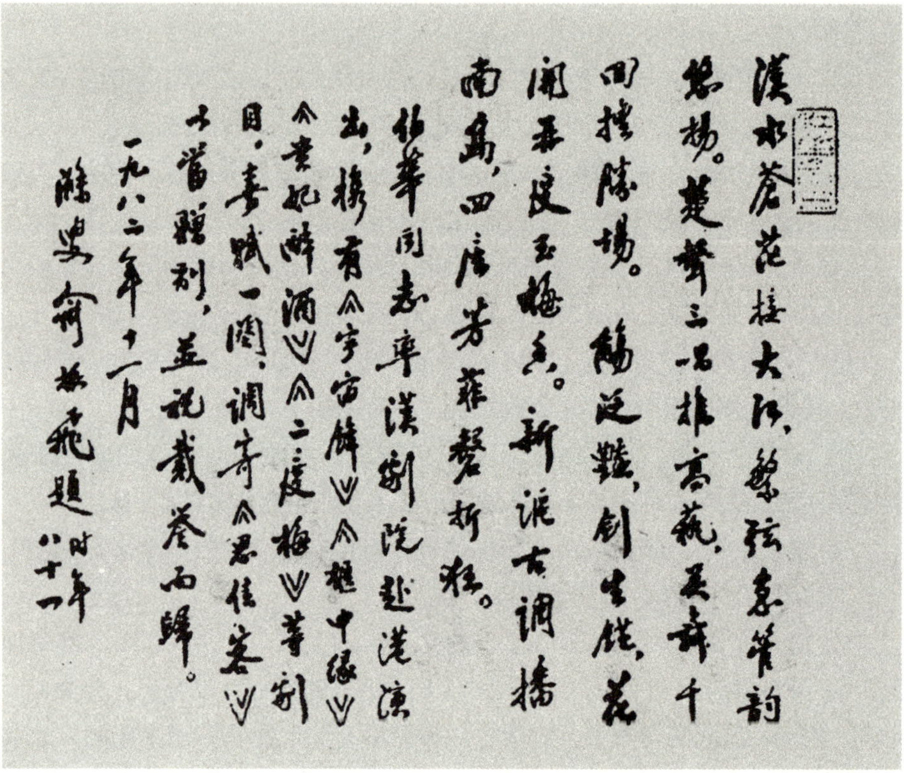

陈伯华同志收录华生文漪为弟子，赋句奉贺[①]

一九八二年十一月

吴女[②]有情学楚声[③]，门前拱立雪初晴。[④]
何时宇宙新锋试？[⑤]鸾啸[⑥]凤鸣[⑦]江水横。

注释：

① 据唐葆祥《俞振飞传》附录《俞振飞诗词选》（上海文艺出版社 1997 年版）。

陈伯华：女，汉剧表演艺术家。详见《思佳客·赠别陈伯华同志赴港演出》注①。

华生文漪：即华文漪（1941—）。女，昆剧著名演员。毕业于上海市戏曲学校首届昆曲演员训练班，师从朱传茗、言慧珠，习五旦。一度改唱京剧。扮相端庄华丽，嗓音甜润，表演传神。擅演《牡丹亭》、《玉簪记》、《长生殿》以及《说亲回话》、《梳妆跪池》、《百花赠剑》，以及《琼花》、《蔡文姬》、《钗头凤》、《红楼梦》、《晴雯》等。曾任上海昆剧团团长。1989 年 6 月以后，在美国、台湾等地从事昆剧教授、传播工作。

② 吴女：华文漪系上海人，故云。

③ 楚声：指汉剧。旧名“楚调”、“汉调”，辛亥革命后改今名。

④ “门前拱立雪初晴”句：用“程门立雪”故实。《宋史·杨时传》：“（杨时）又见程颐于洛，时盖年四十矣。一日见颐，颐偶瞑坐，时与游酢侍

立不去。颐既觉，则门外雪深一尺矣。”旧指学生恭敬受教。这里指求学心切和对师长的尊敬。拱立：肃立，恭敬地站着。

⑤“何时宇宙新锋试”句：作者自注：“《宇宙锋》为伯华名作。”该句期祝华文漪能够传承陈伯华所擅演的《宇宙锋》诸剧。详见《思佳客·赠别陈伯华同志赴港演出》注②。

⑥鸾啸：《晋书·阮籍传》：“籍尝于苏门山遇孙登，与商略终古及栖神导气之术，登皆不应，籍因长啸而退。至半岭，闻有声若鸾凤之音，响乎岩谷，乃登之啸也。”后遂以“鸾啸”为胸怀志趣更高的典故。

⑦凤鸣：比喻优美的乐声。汉刘向《列仙传·萧史》：“萧史者，秦穆公时人也。善吹箫……日教弄玉作凤鸣。居数年，吹似凤声。”

满江红·读梅绍武兄文，始悉印度泰戈尔诗翁藏品中，有先父所录昆曲唱片若干。忭异之馀，赋词志感[1]

一九八二年

几曲吴骚[2]，何时到、恒河[3]水畔？博天竺[4]、诗翁首肯，元音清婉。[5]玉笛曾闻留謦欬[6]，金针[7]可度尊坛坫[8]。算匆匆、甲子劫尘飞，红桑现。[9]　　晴宇阔，春光灿；杯未歇，歌不断。笑儿今八十，优昙[10]缘浅。粉墨[11]淋漓身是幻，沧溟[12]浩渺心非远。遣氤氲、香祖历瀛寰，平生愿。[13]

注释：

① 据手稿影印件。费三金《俞振飞传》（上海文化出版社 2001 年版）所录有误，如“赋词志感”，误作“赋词志载”；“玉笛曾闻留謦欬”句，误作“玉笛曾问留謦欬”；“笑儿今八十”句，误作“笑儿今年八十”；“优昙缘浅”句，误作“优量缘浅”。均据手稿径改。

梅绍武（1928—2005）：翻译家。梅兰芳之子，原名葆珍。毕业于燕京大学。译有《一个匈牙利富豪》、《任性的凯琴姑娘——特罗洛普中短篇小说选》、《海尔曼老爷》、《灰烬的沉默》、《马克思和世界文学》、《微暗的火》、《瘦子》等，另著有《我的父亲梅兰芳》、《京剧与梅兰芳》等。

泰戈尔（1861—1941）：印度作家、诗人、社会活动家。生于地主家庭。曾留学英国。著有长篇小说《小沙子》、《沉船》、《戈拉》，剧本《摩吉多塔拉》、《邮局》、《红夹竹桃》，诗集《吉檀迦利》、《新月集》、《园丁集》、《飞鸟集》等。格调清新，具有民族风格、神秘色彩和感伤情调。1924年5月，曾在徐志摩、林徽因等陪同下访华。19日，观摩梅兰芳所演《洛神》一剧后，即兴赋诗一首，并以毛笔亲书于纨扇。梅兰芳则回赠多张京剧、昆曲、曲艺、民乐等唱片。据印度泰戈尔纪念馆“管理员说，泰翁晚年还津津有味地听过那些唱片”（梅绍武《中印金兰谊　绵延千载久——忆父亲和泰戈尔的友谊》，《我的父亲梅兰芳》，百花文艺出版社1984年版）。

先父：指俞粟庐（1847—1930）。名宗海，号韬龛。著名昆曲清唱曲家，有“江南曲圣”之誉。清光绪年间，署金山县守备，后改太湖水师营务处办事，遂移家苏州。曾就学于盛泽沈景修，通金石学，工书法，宗北碑，并精于书画鉴别。随娄县韩华卿习曲，尽得叶堂唱法。其法讲究出字重、行腔婉，结响沉而不浮，运气敛而不促；于音韵之阴阳、清浊，旋律之停顿、起伏，声音之轻重、虚实，节奏之松紧、快慢，要求尤为严格，人称“俞派唱法”，影响至巨。其子俞振飞根据家学，辑成《粟庐曲谱》两册行世。

所录昆曲唱片：1921年3月，百代公司录制俞粟庐昆曲唱片，时年七十五岁。计有《长生殿·定情》之【古轮台】，《千忠戮·惨睹》之【倾杯玉芙蓉】，《邯郸记·三醉》之【粉蝶儿】、【醉春风】，《西楼记·拆书》之【一江风】，《西厢记·佳期》之【临镜序】，《红梨记·亭会》之【桂枝香】，《牡丹亭·拾画》之【颜子乐】，《邯郸记·仙圆》之【油葫芦】，《玉簪记·秋江》之【小桃红】，《琵琶记·辞朝》之【啄木儿】，《琵琶记·书馆》之【太师引】，《长生殿·赐盒》之【绵搭絮】，《长生殿·哭像》之【快活三】、【朝天子】，凡十五支曲。

忭（biàn）异：欢乐之馀转为惊讶。手稿误作“抃异”，径改。

② 吴骚：指昆曲。

③ 恒河：南亚大河。发源于喜马拉雅山脉南坡，流经印度和孟加拉国，注入孟加拉国湾。这里即指印度。

④ 天竺：古印度别称。《后汉书·西域传》：“天竺国一名身毒，在月氏

之东南数千里。”以后《晋书》、《魏书》、《新唐书》、《宋史》均沿称“天竺”。玄奘《大唐西域记》：“详夫天竺之称，异议纠纷，旧云身毒，或曰贤豆，今从正音，宜云印度。”

⑤ “元音清婉”句：形容俞粟庐所唱声腔清幽婉转。

⑥ 謦欬（qǐng kài）：咳嗽。引申为谈笑。《庄子·徐无鬼》：“莫以真人之言，謦欬吾君之侧乎！”

⑦ 金针：传说唐时郑侃之女采娘，七月初七晚祭织女。织女赠其一根金针，从此她刺绣的技能更加精巧。见唐冯翊《桂苑丛谈·史遗》。金元好问《论诗》诗：“鸳鸯绣出从教看，莫把金针度与人。”此以金针比喻秘法、诀窍。

⑧ 坛坫（diàn）：古代诸侯会盟的坛台。详见《疏帘淡月·题〈梅兰芳唱腔集〉》注⑲。

⑨ “算匆匆、甲子劫尘飞，红桑现”句：作者自注：“唱片录制至今已逾六十年矣。”红桑现：比喻劫后重生，苦尽甘来。参见《蝶恋花·为江西临川汤显祖纪念馆题》注⑩。

⑩ 优昙：即优昙钵花。梵语 udumbara 的音译，即无花果树。其花如莲花十二瓣，隐于花托内，一开即敛。比喻事物或景象稍现即逝，难得见到。《法华经·方便品》：“佛告舍利弗：如是妙法，诸佛如来时乃说之，如优昙钵花时一现耳。”

⑪ 粉墨：用粉墨化妆，指登台演出。详见《奉贺顾生铁华彩爨昆曲〈百花赠剑〉、〈贩马记〉》注⑥。

⑫ 沧溟：海水弥漫貌，常指大海。

⑬ “遣氤氲（yīn yūn）、香祖历瀛寰（yíng huán），平生愿”句：期祝昆曲艺术发扬光大，早日走向世界，为更多的人所熟悉并喜爱。作者自注：“余近制昆曲录音，亦将对外发行。”香祖：兰花的别称。喻指昆曲艺术。氤氲：气和光色混合鼓荡貌。瀛寰：瀛海寰宇，对地球水陆的总称。

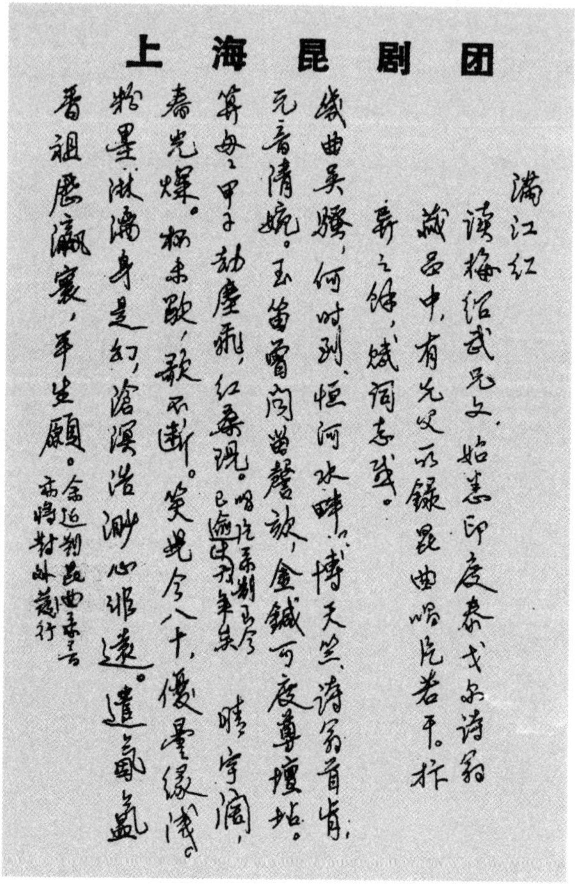
上海昆剧团

满江红

读梅绍武兄文，始悉印度泰戈尔诗翁藏品中，有先父所录昆曲唱片若干。于斯之作，赋词志感。

戏曲吴骚，何时到、恒河水畔。传天竺、诗翁首肯，元音清婉。玉笛曾闻当磬欬，金针可度尊坛坫。算匆匆甲子劫尘飞，红桑现。

晴宇阔，春光烨。梅未歇，歌不断。笑我今八十，优昙缘浅。粉墨淋漓身是幻，沧溟浩渺心非远。遣氤氲香祖感瀛寰，平生愿。

附录：

《中印金兰谊　绵延千载久——忆父亲和泰戈尔的友谊》补记

梅绍武

吴晓铃和石真两位教授应印度文化关系协会的邀请于一九八一年十二月至一九八二年二月去印度作了为期五十天的学术访问，受到隆重接待，……吴晓铃先生征得泰戈尔博物馆的特许，从库房里调出唱片，记录下来，记有：

京剧：谭鑫培的《碰碑》

刘鸿声的《探母》和《完璧归赵》

刘寿峰的《黑风帕》和《探阴山》

梅兰芳的《嫦娥奔月》、《汾河湾》、《虹霓关》和《木兰从军》

昆曲：俞粟庐（俞振飞之父）的《三醉》和《拆书》

蒲剧：元元红和小红秀的《南天门》

京韵大鼓：刘宝全的《战长沙》

器乐：钧天雅集的《云庆》和《花六板》

这些都是百代公司的钻针唱片。另有数张胜利公司的钢针唱片，经吴先生考证，非我父亲所赠。但据他的回忆，我父亲所赠的唱片远远不止以上此数。吴先生回国后写了一篇题为《泰戈尔和梅兰芳的友谊》的文章登载在北京《戏剧电影报》（1982 年 12 月 5 日）第 49 期上，谈到了以上情况。

张君秋属题所写画帧，率题二绝[①]

一九八二年

（一）

喜看当年京兆笔[②]，眉山[③]不画画兰芝[④]。
都中白石宗风在，合让今朝茁秀枝。[⑤]

（二）

再逢都是劫馀身，君过平头[⑥]我八旬。
影画新思欧老创，卅年重话《玉堂春》。[⑦]

注释：

① 据唐葆祥《俞振飞传》附录《俞振飞诗词选》（上海文艺出版社 1997 年版）。

张君秋（1920—1997）：京剧表演艺术家。一名俊秋。原名滕家鸿，字玉隐。江苏丹徒人。十三岁始学演青衣，博采王瑶卿、尚小云、梅兰芳、程砚秋诸家之长，表演含蓄端庄，自然率真，嗓音“娇、媚、脆、水”，甜润清新，并善于在传统基础上创制新腔，从而形成自己的艺术风格，世称“张派”。代表作有传统戏《春秋配》、《三娘教子》，新编剧目《望江亭》、《状元媒》、《诗文会》等。曾获美国林肯大学“人文学”名誉博士学位。曾任中国戏曲学院副院长、中国文联副主席、中国戏剧家协会副主席。著有《张君秋戏剧散论》、《张君秋唱腔选集》。

② 京兆笔：《汉书·张敞传》："（敞）又为妇画眉，长安中传张京兆眉怃。有司以奏敞。上问之，对曰：'臣闻闺房之内，夫妇之私，有过于画眉者。'上爱其能，弗备责也。"

③ 眉山：《西京杂记》卷二："（卓）文君姣好，眉色如望远山。"后因以"眉山"形容女子秀丽的双眉。

④ 兰芝：兰草、灵芝。

⑤ "都中白石宗风在，合让今朝茁秀枝"句：指张君秋所绘具有齐白石的风格。齐白石尤擅花鸟鱼虫，笔墨纵横雄健，造型简练质朴，色彩鲜明热烈，并善于将阔笔写意花卉与微毫毕现的草虫巧妙结合。

⑥ 君过平头：年过六十。平头：指十、百、千、万等不带零头的整数，即齐头数。唐白居易《除夜》诗："火销灯尽天明后，便是平头六十人。"

⑦ "影画新思欧老创，卅年重话《玉堂春》"句：作者自注："三十三年前，曾与君秋合摄《会审》电影。于唱段中插入三次进院及关王庙等形象，殊新颖可喜，盖欧阳予倩所设计也。回首前尘，想君秋亦当眷眷。"1949年1月，胜利影业公司摄制京剧影片《三堂会审》。俞振飞与张君秋分饰王金龙、苏三，艺术顾问欧阳予倩，导演白沉，美工丁聪。

欧老：即欧阳予倩（1889—1962），戏剧艺术家、戏剧教育家。原名立袁，号南杰，湖南浏阳人。早年留学日本，并参加春柳社。归国后组织新剧同志会、春柳剧场，倡导新剧运动，编、演京剧。曾任南通伶工学社主任，参加上海戏剧协社、南国社、中国左翼戏剧家联盟等，从事话剧、电影创作、编导。后历任中央戏剧学院院长、中国文联副主席、中国剧协副主席及中国舞协主席。著有回忆录《自我演剧以来》、《电影半路出家记》，论文集《予倩论剧》、《一得余抄》等，以及《运动力》、《屏风后》、《车夫之家》、《忠王李秀成》、《桃花扇》、《黑奴恨》等剧本二十馀部。

《玉堂春》：京剧名。叙苏三（玉堂春）同贵公子王金龙相识，后又被卖给富商为妾，蒙冤判死。王任八府巡按，复查此案，为之平反，并与其成婚。

共　　勉[①]

一九八二年十二月

上海昆剧团中青年演员，皆“传”字辈老师所授，不论主配角以至宫女龙套，演出时俱极严肃认真。余于月前偕同赴京公演，备承各方关怀鼓励，以为此一古老剧种推陈出新，生机蓬勃，大可为建设精神文明贡献力量。归赋一律，愿与全国戏曲界同志共勉之。上昆曾于一九七九年赴京调演，故首句云然。

两入都门载誉归，[②]春泥处处护芳菲。[③]
宫商宛转薪传火，花叶缤纷锦作围。
承启应知肩任重，煦濡[④]共励见生机。
愿将磨调[⑤]翻新制，鼓吹休明[⑥]笛韵飞。

注释：

① 据《文汇报》1983年1月9日。诗题原为“鼓吹休明笛韵飞”，编者改拟。

② “两入都门载誉归”句：1979年10月、1982年11月，上海昆剧团两度应邀赴京演出《蔡文姬》、《太白醉写》诸剧，均获美誉。1982年12月13日，叶剑英在寓所亲切接见俞振飞、李蔷华，以及剧团主要演员。

③ “春泥处处护芳菲”句：化用清龚自珍《己亥杂诗》其五：“落红不是无情物，化作春泥更护花。”

④ 煦濡：温和；惠爱。明张居正《吴镜川暨淑人合葬墓志铭》："与乡人处，恂恂煦濡，不为崖异。"

⑤ 磨调：作者原注："昆曲一名水磨调。"俞平伯《〈振飞曲谱〉序》："昆山腔，南曲之一派，盖明初即有之。及嘉、隆间，太仓有魏良辅者，夙娴旧曲，喉转新声，清唱南词，曰水磨调。以宫商五音配合阴阳四声，其度腔出字，有头腹尾之别，字清、腔纯、板正，称为三绝。古代乐府（包括宋词元曲）于声辞之间，尚或有未谐之处，至磨调始祛此病，且相得而益彰，盖空前之妙诣也。其以'水磨'名者，吴下红木作打磨家具，工序颇繁，最后以木贼草蘸木而磨之，故极其细致滑润，俗曰水磨功夫，以作比喻，深得新腔唱法之要。"

⑥ 休明：用以赞美盛世。唐孟浩然《送袁太祝尉豫章》诗："何幸遇休明，观光来上京。"

清平乐·为上海星期广播戏曲会题[①]

一九八三年一月

承平[②]歌咏[③]，百戏[④]同鸣盛[⑤]。绚采[⑥]都从声里映，刚健清新咸[⑦]胜。　　乐音传遍城乡，一周一度播扬。四化齐心协力，千花万叶韶光[⑧]。

注释：

① 据唐葆祥《俞振飞传》附录《俞振飞诗词选》（上海文艺出版社 1997 年版）。

清平乐：词牌、曲牌名。原为唐教坊曲名，传李白始作此调。又名《忆萝月》、《醉东风》等。双调四十六字。上阕四仄韵，下阕换三平韵。亦有全押仄韵者。曲牌属南曲羽调。有二体：其一字句格律与词牌前半阕同，另一与词牌不同，都用作引子。

星期戏曲广播会：上海人民广播电台节目之一。开播于 1983 年 1 月，初为每周一次，后改为双周一次。以弘扬、普及传统戏曲艺术为目的，忠实记录新时期戏曲舞台的面貌。培养出了一大批当代戏曲名家，见证了一代戏曲新人的成长足迹，为戏曲的繁荣和振兴做了大量实际而有影响的工作。通过舞台将电台与各地戏曲院团、与观众和听众联系在一起，增强了电台的社会影响力，成为华东地区享有广泛影响的一档品牌演出活动和广播节目。

② 承平：相承平安之意。谓社会秩序比较持久的安定。唐鲍防《杂

感》诗："汉家海内承平久，万国戎王皆稽首。"

③ 歌咏：歌唱；吟咏。这里指各类戏曲演出。

④ 百戏：古代乐舞杂技表演的总称。秦汉时已有，又称"角抵"。《汉书·武帝纪》："元封三年春，作角抵戏，三百里内皆来观。"这里则泛指各种戏曲剧种。

⑤ 鸣盛：歌颂盛世。《平山冷燕》第一回："天子又道：'朕见太祖高皇帝每宴群臣，必有诗歌鸣盛。'"

⑥ 绚（xuàn）采：文采；多彩。

⑦ 咸：都；皆。

⑧ 韶光：美好的时光，多指美丽的春光。

为荀派艺术专场演出题[①]

一九八三年一月

津门[②]胜事[③]沸笙簧[④]，歌扇舞衫[⑤]各擅场[⑥]。
艳说[⑦]羹墙[⑧]桃李盛[⑨]，千秋一脉永留香[⑩]。

注释：

① 据唐葆祥《俞振飞传》附录《俞振飞诗词选》（上海文艺出版社 1997 年版）。

荀派：即荀慧生（1900—1968）所创京剧流派。荀慧生，名词，号留香，艺名白牡丹，河北东光人。幼年在义和顺梆子班搭班学艺，十九岁改演京剧。演花旦、刀马旦。功底深厚，吸收梆子唱腔、唱法和表演艺术，对京剧传统技法有所发展，形成个人风格，世称“荀派”。擅演天真、活泼、温柔一类妇女形象，如《金玉奴》、《红楼二尤》、《钗头凤》、《荀灌娘》、《还珠吟》等。曾任北京戏曲研究所所长、河北省梆子剧院院长。著有《荀慧生舞台艺术》、《荀慧生演剧散论》等。

② 津门：天津市的别称。明永乐二年（1404）筑城置戍，三年移天津卫治此。自迁都北京后，因地当畿辅门户，故名。

③ 胜事：美好的事情。

④ 笙簧：指笙。簧：笙中之簧片。《礼记·明堂位》：“垂之和钟，叔之离磬，女娲之笙簧。”郑玄注：“笙簧，笙中之簧也……女娲作笙簧。”亦指笙的乐音。宋张子野《木兰花》词：“楼下雪飞楼上宴，歌咽笙簧声韵颤。”

⑤ 歌扇舞衫：歌者所持的扇子，舞者所著的衣服。泛指表演者的装束、用具，亦指歌舞及能歌善舞者。南朝陈徐陵《杂曲》诗："舞衫回袖胜春风，歌扇当窗似秋月。"

⑥ 擅场：压倒全场；胜过众人。形容技艺高超。

⑦ 艳说：艳羡地评说。清洪亮吉《漫赋截句》之三："才人艳说李深之，束发能题七字诗。"

⑧ 羹墙：《后汉书·李固传》："昔尧殂之后，舜仰慕三年。坐则见尧于墙，食则睹尧于羹。"后以"羹墙"为追念前辈或仰慕圣贤的意思。

⑨ 桃李盛：喻指荀门弟子众多，成绩突出。

⑩ 留香：荀慧生号"留香"，其书斋名"小留香馆"。这里借喻荀派艺术发扬光大。

赠詹萍萍、周有骏伉俪[①]

一九八三年二月

养生有道，祛病有方。[②]
夫妇笃爱[③]，同咏霓裳。[④]

注释：

① 据书迹影印件，见西泠拍卖网。该诗作共两件，一系书于虎皮宣，另有“萍萍、有骏同学属书并正，一九八三年元旦，俞振飞时年八十二”款识。另一件系白宣，并亲绘朱笔老松，另有“萍萍、有骏贤伉俪双粲，一九八三年二月，俞振飞时年八十二”款识。

詹萍萍（1948—　）：杭州市人。1959 年，考入上海市戏曲学校京剧专业，专攻花旦和刀马旦。师从童芷苓，主演《胭脂》、《封神榜》等。后转入影视表演，拍摄《南昌起义》、《快乐的单汉身》、《秋瑾》、《姑娘今年十二八》、《美食家》、《死去来活》，以及《西游记》、《女五子的日记》、《奋飞》、《杏林春雨》、《飞腾》等影视剧。1989 年 6 月赴美，担任舞蹈、健身、京剧指导教师。

周有骏：京剧琴师。1965 年毕业于上海市戏曲学校京昆音乐班。

② “养生有道，祛病有方”句：詹萍萍拍摄电影《南昌起义》时，被查出患有乳房癌，但她坚持拍完影片后才去治疗，故有此语相慰。

③ 笃爱：深爱。北齐颜之推《颜氏家训·教子》：“齐武成帝子琅邪王，太子母弟也，生而聪慧，帝及后并笃爱之，衣服饮食，与东宫相准。”

④“同咏霓裳”句：唐李商隐《留赠畏之》诗：“空寄大罗天上事，众仙同日咏霓裳。”详见《题女弟孙天申龙门郇曲叙横卷，次韵奉和驷才》注⑤。

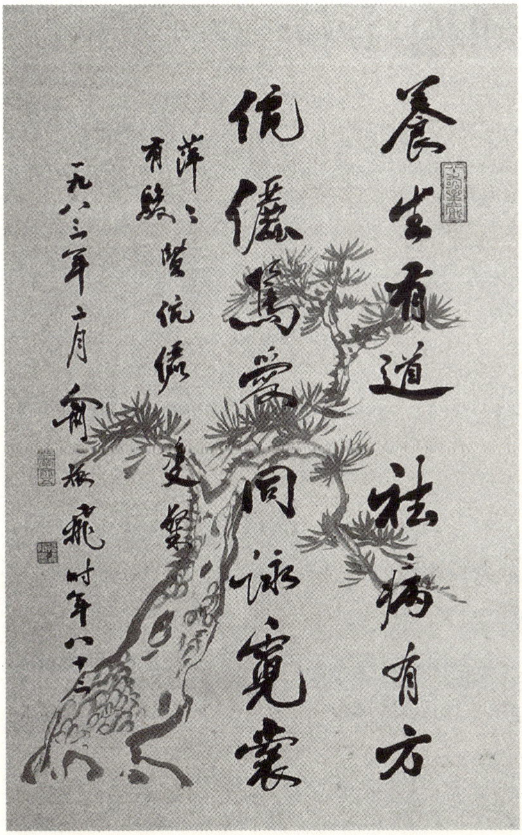

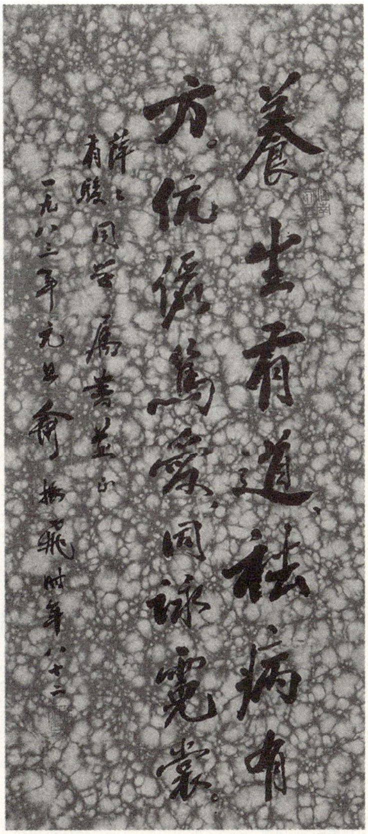

金缕曲·纪念越剧改革活动四十馀年[①]

一九八三年二月

四十年而往。蓦回首、艺程坎坷，情犹激荡。结得同心联袂起，奋臂冲开层网。为越吟、体尊神朗。[②]下里巴人[③]安可哂[④]？换新容刮目应非曩[⑤]。群相和，是真赏[⑥]。　人间红了春熙攘[⑦]。更调停、男声女律，俊才培养。[⑧]忽有鸱鸮[⑨]啼白昼，万卉俄[⑩]成榛莽[⑪]。雷霆过、河山明爽。又见勾馀[⑫]音不绝，溯前尘俯仰[⑬]如天壤[⑭]。色然喜[⑮]，抚吾掌[⑯]。

注释：

① 据书迹影印件，《上海戏剧》1983 年第 2 期（总第 83 期），另有“一九八三年二月谨赋《金缕曲》一阕，奉贺越剧改革活动四十馀年”等款识。诗题系编者所拟。

越剧改革：越剧原系流行于浙江嵊县（今嵊州）一带的曲艺“落地唱书”，清朝光绪三十二年（1906）春，开始正式在农村草台演出，初名“小歌班”、“的笃班”。1917 年，进入上海，称为“绍兴文戏”。1925 年始有“越剧”之名。艺人最初多为男性农民，故称男班。1930 年代中，形成全部由女演员演出的“女子文戏”。受绍剧、昆剧等影响，在表演等方面有所发展。1942 年，袁雪芬在大来剧场首倡越剧改革，聘请吕仲、韩义、郑传鉴等为编导；以剧本制代替幕表制；建立导演制度；改革服装；采用油彩化妆；改进舞台布景、灯光；充实乐队，并与琴师合作创造定弦 sol、re 的尺调腔，成为新越剧的声腔基调。演员在表演上也吸收昆曲和话剧表演艺术之长，形成写实与写意相结合的风格，使之得到丰富和发展。

② “结得同心联袂起”等句：1947 年 8 月，越剧界尹桂芳、袁雪芬、筱丹桂、范瑞娟、傅全香、徐玉兰、竺水招、张桂凤、徐天红、吴小楼等“十姐妹”，为反对旧戏班制度，并筹建越剧剧场和学校，举行联合义演《山河恋》。

③ 下里巴人：战国时楚国的民间通俗歌曲。《文选・宋玉〈对楚王问〉》：“客有歌于郢中者，其始曰《下里》、《巴人》，国中属而和者数千人。”李周翰注：“《下里》、《巴人》，下曲名也。《阳春》、《白雪》，高曲名也。”后多用以泛指通俗的文艺作品。

④ 哂（shěn）：讥笑。

⑤ 曩（nǎng）：往昔，从前。

⑥ 真赏：确能赏识。也指真能赏识的人。《南史・王昙首传》：“知音者希，真赏殆绝。”

⑦ 春熙攘：春风和煦，百姓熙来攘往，一派繁华太平的景象。《道德经》：“熙来攘往，如登春台。”

⑧ “更调停、男声女律，俊才培养”句：作者自注：“上海市戏曲学校原设越剧班，曾为男女声合唱奠下基础，故词中连及之。”1954 年 12 月，招收了第一届越剧演员训练班，培养了沈嘉麟、刘觉、史济华、张国华、曹银娣、姜佩东、张丽琳、金美芳等一批优秀男女演员。

⑨ “忽有鸱鸮（chī xiāo）啼白昼”句：指“文革”十年浩劫，越剧事业受到严重摧残。鸱鸮：鸟名。亦作“鸱枭”，俗称猫头鹰。常用以比喻贪恶之人，这里指“四人帮”。《文选・曹植〈赠白马王彪〉诗》：“鸱枭鸣衡扼，豺狼当路衢。”李善注：“鸱枭、豺狼，以喻小人也。”

⑩ 俄：短时间；突然间。

⑪ 榛莽（zhēn mǎng）：杂乱丛生的草木。唐李白《古风》之十四：“白骨横千霜，嵯峨蔽榛莽。”

⑫ 勾馀：古地名。在今浙江慈溪市慈城镇。《吴越春秋》：“少康封庶子于越，号曰无馀。”故在越境内设勾无、勾馀。这里由越地而借指越剧。

⑬ 俯仰：指瞬息之间，表示时间极短。晋王羲之《兰亭集序》：“俯仰之间，已为陈迹。”

⑭ 天壤：天地。比喻相距极远，相差悬殊。

⑮ 色然喜：喜悦之情流露在脸上。清谭嗣同《仁学》四：“彼鄙夫骀竖，得一美衣食，则色然喜，喜其得于我也。”

⑯ 抚吾掌：即“抚掌”，拍手。多表示高兴，得意。

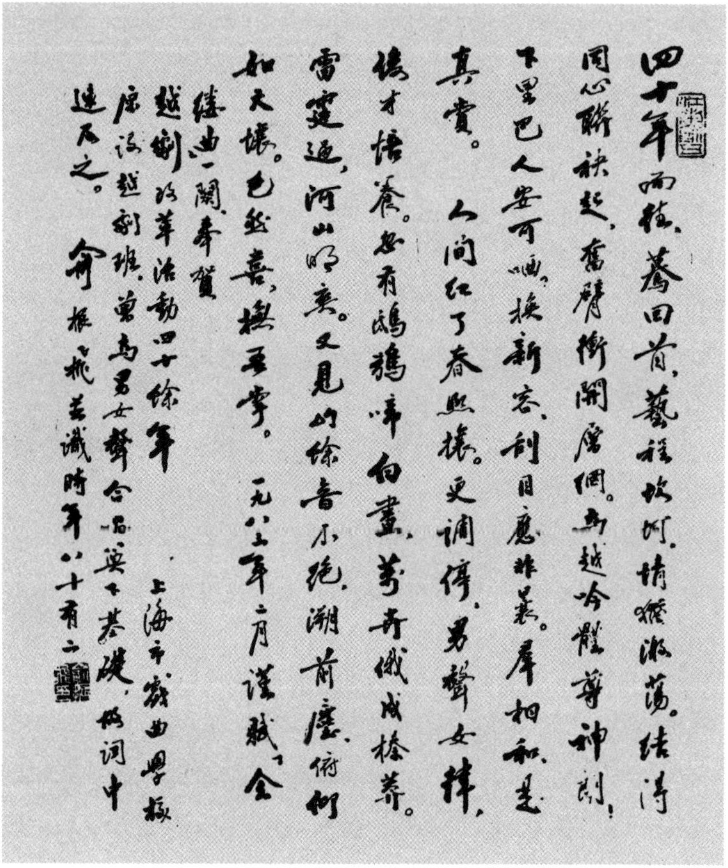

为《中国烹饪》题词[①]

一九八三年二月

调和鼎鼐，[②]文明足征[③]。
日精佳艺，[④]齿颊留馨。[⑤]

注释：

① 据书迹影印件，《中国烹饪》1984 年第 5 期（总第 33 期）。另有"一九八三年二月，为《中国烹饪》题词。涤叟俞振飞，时年八十有二"等款识。

《中国烹饪》：创刊于 1980 年 3 月，是我国第一本全面介绍国内外餐饮业、饮食文化及烹饪技艺的专业性期刊。设有烹调史话、名店介绍、名师高徒、佳肴美馔、地方风味、食疗营养、工作研究、通讯报道、文艺园地等栏目，以"探索天下食风，彰显四海美食，引领食尚文化"为宗旨，立足于推进中国餐饮业的发展。

② "调和鼎鼐"句：调和：烹调；调味。《吕氏春秋・去私》："疱人调和而食之。"鼎：古代炊器。圆形，三足两耳，亦有长方四足者。盛行于商周时期，汉代仍流行。鼐：大鼎。《书・说命下》：傅说相商王武丁，武丁告知曰："尔惟训于朕志。若作酒醴，尔惟曲蘖。若作和羹，尔惟盐梅。"旧以宰相治理国事，如同鼎鼐之调和五味，故后以"调鼎"为宰相权位、职责之喻。中国烹饪最讲究"调和"之功，注重"鼎中之变"，而目的在于"和"。即将各种不同的食材综合在一起，既要保持各自原有的特性，又要

达到一个整体综合的效果。老子亦有“治大国者若烹小鲜”之说。

③ 足征：足以证明。

④ “日精佳艺”句：烹饪技艺得以充分发展和提高意。

⑤ “齿颊（jiá）留馨”句：比喻食物的美味，长久地留存。宋章甫《谢张倅惠茶》诗：“世间万事不挂口，齿颊尽日留甘香。”齿颊：牙齿与腮颊。

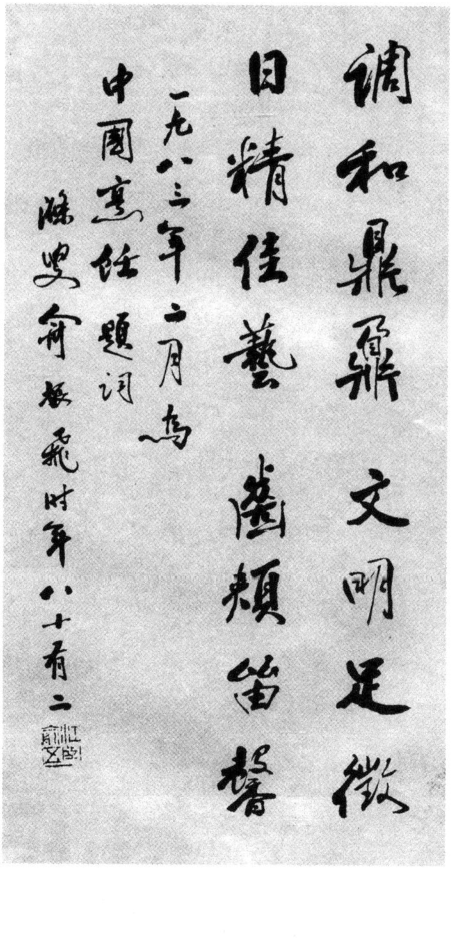

《武汉文化史料》题词[①]

一九八三年三月

大江滚滚接天流，荟萃人文古楚州[②]。
黄鹤楼[③]高传绝唱[④]，龟蛇山[⑤]峙赋新讴。
前朝云梦[⑥]多奇采，今日虹梁[⑦]见壮猷[⑧]。
俯仰千秋骚雅[⑨]业，珊瑚网[⑩]里好搜求[⑪]。

注释：

① 据书迹影印件，《武汉文化史料》第一辑（武汉文化志办公室编，1983 年版）。

② 古楚州：指武汉。

③ 黄鹤楼：江南三大名楼之一，故址在湖北武汉市蛇山黄鹤矶头。《寰宇记》："昔费祎登仙，每乘黄鹤于此憩驾，故号为黄鹤楼。"冲决巴山群峰，接纳潇湘云水，浩荡长江在三楚腹地与其最长支流汉水交汇，造就武汉隔两江而三镇互峙伟姿。素有"天下江山第一楼"之美誉。

④ 绝唱：指唐崔颢《黄鹤楼》诗："昔人已乘黄鹤去，此地空余黄鹤楼。黄鹤一去不复返，白云千载空悠悠。晴川历历汉阳树，芳草萋萋鹦鹉洲。日暮乡关何处是，烟波江上使人愁。"李白登楼本欲赋诗，见此诗，为之搁笔，并说："眼前有景道不得，崔颢题诗在上头。"

⑤ 龟蛇山：武汉市的龟山和蛇山。龟山在汉阳，古名翼际山，亦称鲁山、大别山。东滨长江，北临汉江，与武昌蛇山隔江对峙，形势险峻。蛇山

又名黄鹤山、黄鹄山，由殷家山等七山组成，绵亘蜿蜒如伏蛇，故名。武汉长江大桥即建于两山间。

⑥ 云梦：古泽薮名。历来说法不一。据《汉书·地理志》等汉、魏人记载，云梦泽在南郡华容县（今湖北潜江市西南）南，范围并不大。晋以后的经学家则将洞庭湖也纳入其中。据今人考证，一般泛指春秋战国时楚王的游猎区，大致包括整个江汉平原及东、西、北三面一部分丘陵山峦，南则春秋时兼有郢都以南的江南地，战国时改为限于江北。这里用典实，泛指武汉地区。

⑦ 虹梁：拱桥。后蜀何光远《鉴诫录·高僧谕》："双飞碧水头，对语虹梁畔。"这里指武汉长江大桥。

⑧ 壮猷（yóu）：宏大的谋划或功绩。《诗·小雅·采芑》："方叔元老，克壮其犹。"朱熹注："犹，谋也；言方叔虽老，而谋则壮也。"犹，通"猷"。

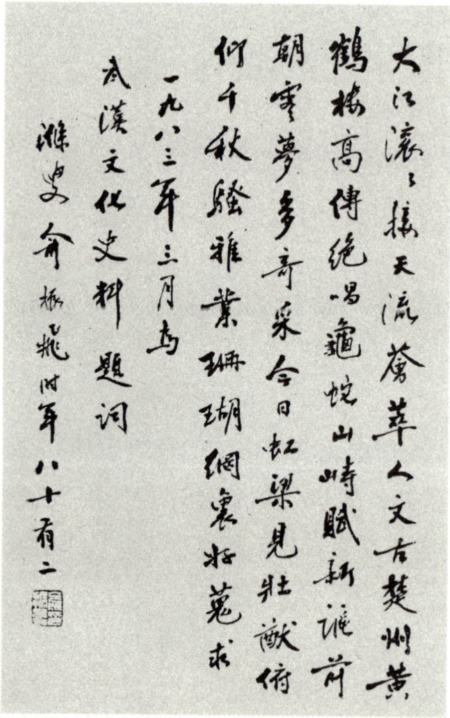

⑨ 骚雅：《离骚》与《诗经》中《大雅》、《小雅》的并称。借指由《诗经》和《离骚》所奠定的文学作品的优秀风格和传统。

⑩ 珊瑚网：《新唐书·西域下·拂菻》："海中有珊瑚洲，海人乘大舶，堕铁网水底。珊瑚初生磐石上，白如菌，一岁而黄，三岁赤，枝格交错，高三四尺，铁发其根，系网舶上，绞而出之。"后用以比喻搜罗珍奇。唐李商隐《碧城》诗："玉轮顾兔初生魄，铁网珊瑚未有枝。"该句期祝有更多的文化史料被挖掘发现，更好地为社会服务。

⑪ 搜（sōu）求：搜罗；搜辑。搜：聚集。

程砚秋同志逝世二十五周年[①]

一九八三年三月

人去琴亡[②]廿五年，御霜簃[③]畔月笼烟。
交深肝胆[④]君尤早，岁晚襟怀[⑤]孰共诠[⑥]？
薪火有传[⑦]遗范在，箕裘克绍[⑧]后昆[⑨]贤。
重歌一曲《春闺梦》[⑩]，回首前尘[⑪]意惘然。

注释：

① 据《俞振飞为程砚秋逝世二十五周年题诗》，《人民日报》1983 年 3 月 27 日。《戏剧电影报》总第 116 期（1983 年 3 月 20 日）刊载此诗，“重歌一曲《春闺梦》”句作“歌场再忆《春闺梦》”。《中华现代诗词千首》（新华出版社 1988 年版）选录该诗，“交深肝胆君尤早”句作“交深肝胆君独去”。

② 人去琴亡：比喻对知己、亲友去世的深切悼念之情。南朝宋刘义庆《世说新语·伤逝》：“王子敬、子猷俱病笃，而子敬先亡……子敬素好琴，（子猷）便径入坐灵床上，取子敬琴弹，弦既不调，掷地云：‘子敬子敬，人琴俱亡！’因恸绝良久，月馀亦卒。”

③ 御霜簃：程砚秋书斋名。

④ 交深肝胆：形容彼此真诚相待。肝胆：比喻真诚的心。

⑤ 襟怀：胸怀；心胸。

⑥ 诠：详细解释；阐明事理。

⑦ 薪火有传：传火于薪，前薪尽，火又传于后薪，辗转相传，火终不

灭。比喻学术道业由师生递相传授。语出《庄子·养生主》："指穷于为薪，火传也，不知其尽也。"该句喻指程派艺术很好地得到了继承发扬。

⑧ 箕裘克绍：《礼记·学记》："良冶之子，必学为裘；良弓之子，必学为箕。"箕：簸箕。裘：皮袄。克：能够。绍：继承。比喻子孙能够继承祖业。

⑨ 后昆：后嗣；子孙。这里指学生。唐白居易《叔孙通定朝仪赋》："可以发挥我洪德，启迪我后昆。"

⑩《春闺梦》：程派名剧。剧叙公孙瓒与刘虞争地，强征百姓从军。王恢与妻张氏新婚不久，亦被征，才至军中即战死。张氏在家悬念，积思成梦，梦王返家重叙，以及战火兵乱种种情状。作者与程砚秋在剧中分别饰演王恢、张氏。

⑪ 前尘：佛教称色、声、香、味、触、法为六尘，认为当前的境界由六尘构成，都是虚幻的，故称前尘。后来指从前或过去经历过的事情。

麦璐同学属题新编《望江亭》曲本[①]

一九八三年三月

麦璐同学为君秋[②]老友快婿[③]，谙[④]音律，能文词。出此索题[⑤]，欣然书之。

新声争唱《望江亭》，子夜风流[⑥]席上听。
更喜东床[⑦]传正脉[⑧]，一编[⑨]枕秘[⑩]有全型[⑪]。

注释：

① 据手迹影印件，《望江亭》曲谱（张学华、赵麦璐整理记谱，上海文艺出版社1984年版）。另有“一九八三年三月，俞振飞时年八十三”等款识。诗题系编者所拟。

麦璐：即赵麦璐。1965年毕业于上海市戏曲学校京昆音乐班，任上海京剧院一团京胡琴师。曾在《智取威虎山》剧组工作，为《审椅子》等剧配器，为《刑场上的婚礼》等设计唱腔。1983年4月，根据张君秋1979年的演出实况录音，整理记录《望江亭》剧本及曲谱，并请俞振飞题诗。其妻张学华，系张君秋之四女，现定居香港。

《望江亭》：原系元关汉卿所作杂剧剧本。一名《切脍旦》，全名《望江亭中秋切脍旦》。1956年王雁据原著及川剧《谭记儿》改编为京剧剧本，由张君秋、刘雪涛、李四广、耿世华、吕长福、慈永胜等主演。1958

年上海电影制片厂摄制为彩色戏曲片，成为“张派”代表作。剧叙白士中赴任途中，访姑母于清安观，得遇谭记儿，结为夫妇。权贵杨衙内谋夺谭氏，并向皇帝请得诏书、尚方剑。记儿扮作渔妇，在望江亭上智赚宝剑，制服衙内。

② 君秋：即张君秋，京剧表演艺术家。详见《张君秋属题所写画帧，率题二绝》注①。

③ 快婿：称意的女婿；才貌双全的女婿。《魏书·刘昞传》：“瑀有女始笄，妙选良偶……昞遂奋衣来坐，神志肃然，曰：‘向闻先生欲求快女婿，昞其人也。’瑀遂以女妻之。”

④ 谙（ān）：熟悉；精通。

⑤ 索题：请求题诗。

⑥ 子夜风流：剧中中秋之夜，谭记儿用酒灌醉杨衙内，获取圣旨与尚方宝剑。子夜：半夜；午夜。

⑦ 东床：《晋书·王羲之传》：“太尉郗鉴使门生求女婿于（王）导，导令就东厢遍观子弟。门生归，谓鉴曰：‘王氏诸少并佳。然闻信至，咸自矜持；惟一人在东床坦（袒）腹食，独若不闻。’鉴曰：‘正此佳婿邪！’访之，乃羲之也。遂以女妻之。”后因称女婿为“东床”。这里指赵麦璐。

⑧ 正脉：犹正统，正宗。宋戴复古《题郑宁夫玉轩诗卷》诗：“辨玉先辨石，论诗先论格。诗家体固多，文章有正脉。”这里指张君秋创立的张派艺术。

⑨ 一编：一卷。

⑩ 枕秘：亦作“枕中秘”。指珍藏于枕函中的秘传宝书。《汉书·刘向传》：“上（宣帝）复兴神仙方术之事，而淮南有枕中《鸿宝》、《苑秘书》。书言神仙使鬼物为金之术，及邹衍重道延命方，世人莫见。”颜师古注：“《鸿宝》、《苑秘书》，并道术篇名。藏在枕中，言常存录之不漏泄也。”清郎廷槐等《师友诗传录》：“盖唐人犹有六朝馀习，故以《文选》为论衡枕秘。”后泛指珍秘的书籍，这里指《望江亭》曲本。因系家传，故云。

⑪ 全型：典型。

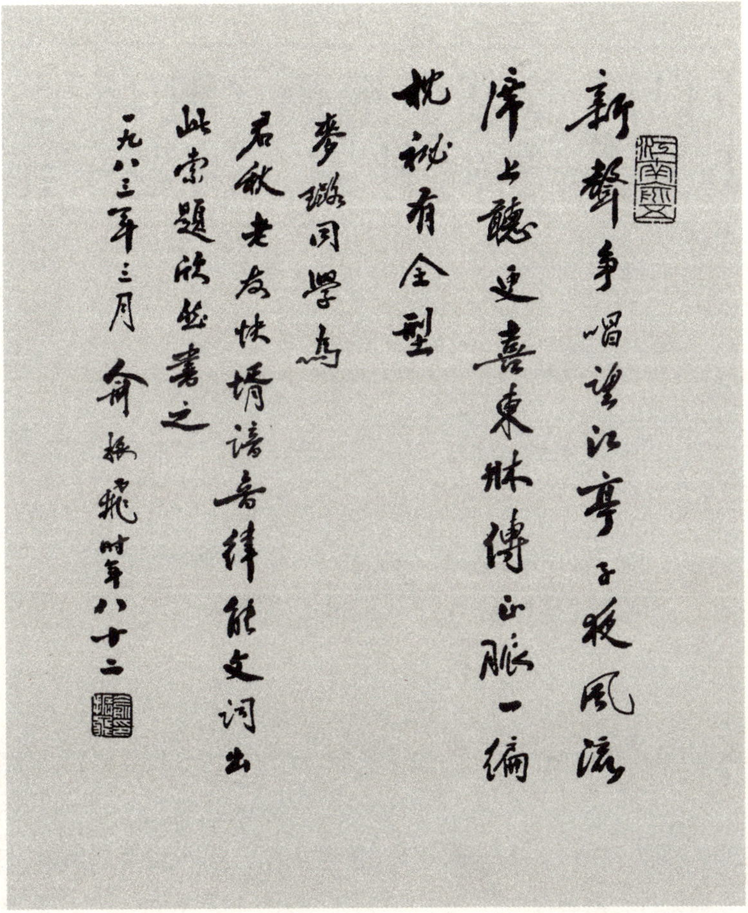
新聲爭唱望江亭子夜風流
席上聽更喜東林傳正脈一編
枕秘有全型
麥璐同學屬
君敏老友快婿諳音律能文詞出
此索題欣然書之
一九八三年三月 俞振飛 時年八十二

马得同志为小梅画《连环记·小宴》，笔简神完，因题一绝[①]

一九八三年四月

虎头燕颔[②]翠蛾[③]弯，各有丰神[④]顾盼间。
明日更陪师相宴，[⑤]笑他同扣玉连环[⑥]。

注释：

① 据唐葆祥《俞振飞传》附录《俞振飞诗词选》（上海文艺出版社 1997 年版）。

马得：即高马得（1917—2007），著名画家。江苏省南京市人。1940 年代即以漫画见称，从事新闻出版工作多年。1960 年代起醉心于戏曲艺术，遂以中国画形式描绘戏曲人物，笔墨简练洒脱，形象生动传神，情趣妙生，耐人寻味。多次在国内外举办个展，著有《画戏话戏》、《画碟余墨》、《马得水墨小品》、《马得昆曲画集》等。俞振飞曾应邀为其画展题写展名。

小梅：即石小梅（1949—）。女，昆剧著名演员。毕业于江苏省戏剧学校，原工旦、贴。后改小生，师从俞振飞、周传瑛、沈传芷。戏路较宽，嗓音清脆明亮，讲求吐字归韵，注重以声传情，做表富有激情，具阳刚之美。擅演《拾画》、《受吐》、《游殿》、《拆书》、《见娘》及《桃花扇》等。

《连环记·小宴》：剧叙吕布因王允赠送珍珠八宝紫金冠，乃亲自过府道谢，王允遂设宴款待。席间，王允借故离去，命貂蝉陪饮。吕布贪恋貂蝉美貌，王允则假意许以婚姻。

② 虎头燕颔（hàn）：形容吕布相貌威武，古人认为这是万里封侯之相。《东观汉记·班超传》："相者曰：'生燕颔虎头，飞而食肉，此万里侯相也。'"

③ 翠蛾：妇女细而长曲的黛眉。唐薛逢《夜宴观妓》诗："愁傍翠蛾深八字，笑回丹脸利双刀。"这里指代貂蝉。

④ 丰神：风貌神情。

⑤ "明日更陪师相宴"句：指《连环记》第二十折《大宴》。剧叙董卓应王允之邀过府饮酒，席间命女乐侍宴。董卓贪恋貂蝉美色，王允亦许以婚配，并约定翌日中秋节送入董府。师相：宰相的尊称。这里指董卓。

⑥ 玉连环：一种玉制的双环，用作佩饰。剧中吕布、貂蝉各以凤头簪、玉连环互赠。喻指王允以貂蝉为诱，巧施连环计，离间吕布、董卓二人，终致吕布杀死董卓之事。

悼张大千先生四首[①]

一九八三年四月

（一）

张季当年海外游，[②]屡曾谈艺一卮[③]酬。
凄然泪滴巴山土，[④]魂魄还应到九州[⑤]。

（二）

笔墨纵横十万张，何人真识大风堂[⑥]？
五洲四海半行遍，[⑦]梦绕青城绝顶光。[⑧]

（三）

艺苑长留不世[⑨]名，挥毫泼彩[⑩]座中惊。
大千好梦沉沉去，[⑪]倘遇清湘[⑫]拍手迎。

（四）

开拓画坛境界新，髯仙[⑬]豪气逼星辰。
招魂欲致生刍[⑭]祭，《人面桃花》话好春。[⑮]

注释：

① 据唐葆祥《俞振飞传》附录《俞振飞诗词选》（上海文艺出版社 1997

年版）。

张大千（1899—1983）：四川内江人，著名国画家。原名正权，后改名爰，又名季爰。初赴日本京都，学习绘画并研究染织工艺。回国后随李瑞清习诗文书画。一度为僧，法号大千，还俗后以法号行。曾任南京中央大学美术系教授。擅山水、花鸟、人物，工笔、写意俱佳。初习清初四僧，后泛涉各家，并赴敦煌石室临摹三年，超越宋、元、明、清而上接北魏、隋、唐，遂创个人艺术面目。画风初由清新俊逸，转而瑰丽雄奇，后臻苍浑渊穆之境。徐悲鸿称誉其为“五百年来第一人”。有《张大千画册》、《张大千书画集》等。

② “张季当年海外游”句：1949 年后，张大千离开大陆，先后寓居阿根廷、巴西、美国。1978 年起，始居台北。张季：即张大千，其又名张季爰。

③ 一卮（zhī）：一杯酒。卮：古代一种盛酒器。俞振飞自 1930 年代结识张大千始，1950 年代同寓居香港四年。观剧论艺，往来频繁，交谊深厚。其妻黄蔓耘即拜大千为师习画，获赠画作尤多。

④ “凄然泪滴巴山土”句：作者自注：“大千在海外，得人携去蜀中土块而为之堕泪，可见其思乡之切。”巴山：大巴山的简称。这里指四川。

⑤ 九州：传说中的中国上古行政区划。一般泛指全中国。详见《百字令·为苏州戏剧工作者协会、苏州博物馆、苏州市戏曲研究室联合主办昆剧展览作》注㉒。

⑥ 大风堂：1920 年代，张大千设“大风堂”于上海西门路西成里，收徒授艺。一时从学者极盛。

⑦ “五洲四海半行遍”句：张大千先后旅居阿根廷、巴西、美国诸地，自作诗云：“老夫足迹半天下，北游溟渤西西夏。”并刻有“东西南北人”闲章。

⑧ “梦绕青城绝顶光”句：作者自注：“大千曾居青城山多年，旅居异国，犹时时念之。”青城：即四川青城山。林木青翠，四季常青，诸峰环峙，状若城郭，故名。丹梯千级，曲径通幽，以幽洁取胜，有“青城天下幽”之誉。张大千寓居海外，营建八德园、可以居、环荜盦、摩耶精舍等，凿池濬水，引廊改桥，栽梅种竹，俨然故国风光。

⑨ 不世：非一世所有，罕有。多谓非凡。

⑩ 泼彩：指张大千所创泼彩画法，时年五十七岁。以唐代王洽泼墨画法为基础，借用工笔花鸟画“撞水”、“撞色”二法，并揉入西方绘画色光原理。

⑪ “大千好梦沉沉去”句：作者自注：“大千瓣香石涛，晚创泼彩之法。所藏涛师佳品，均以‘大千好梦’印钤之。”张大千早年师法石涛，所摹极肖，几难分辨。石涛（1641—约1718），清初画家。本明藩靖江王十世朱亨嘉嫡嗣，姓朱，名若极。号石涛，又号苦瓜和尚、大涤子、清湘陈人等。擅画山水，主张“笔墨当随时代”，“脱胎于山川”，“搜尽奇峰打草稿”，进而“法自我立”。所画山水、兰竹、花果、人物，讲求独创，笔墨恣肆，一反当时仿古之风，王原祁叹为：“大江以南，当推石涛为第一。”对近代中国画影响很大。兼工书法和诗，并擅园林叠石。有《苦瓜和尚画语录》等。

⑫ 清湘：石涛生于广西全州清湘。故又号清湘陈人、清湘老人。

⑬ 髯仙：张大千长髯及胸，飘然轻拂，望若仙者，故称。

⑭ 生刍：鲜草。《后汉书·徐穉传》：“郭林宗有母忧，穉往吊之，置生刍一束于庐前而去。”后因以称吊祭的礼物。《宋史·文苑传三·路振》：“生刍致祭，弊帷成礼。瘗尔崇冈，全尔具体。”

⑮ “《人面桃花》话好春”句：作者自注：“余昔在香港演出《人面桃花》，大千曾为作崔护画像。十年动乱中佚去，惜哉！”1954年夏，作者与葛兰排演新编京剧《人面桃花》。张大千先后两次绘赠画作，曾用为戏单封面。郑培凯《张大千画俞振飞》（上海《东方早报》2012年3月18日）载云：“眼前这幅直轴，高七十公分，宽三十二公分，品相甚佳。画一白面书生，头戴襆帽，背手而立，两根帽带飘垂脑后。书生剑眉朗目，瞳中炯炯有光，面庞微宽，带点福相。笔挺的鼻梁下面，画一似笑非笑的嘴形，衬着微微凸出的下巴，显出风流倜傥又不失沉稳内敛的性格。书生身穿一袭圆领长衫，腰围玉带，意态悠闲，正是人面桃花故事里的崔护。书生身后，画几枝盛开的桃花，横斜过画幅下方三分之一，正好支撑起整个画面。画幅右上角有张大千的题款：‘壬辰七月，振飞五兄将上演《人面桃花》，戏为写此博笑。大千居士爰。’下面钤印两方，分别是白文‘张爰’与朱文‘三千大千’。画幅左下角则钤有朱文闲章两方，一是‘东西南北人’，二是‘昵燕楼’。”此画现已于香港拍卖。

香港《文汇报》创刊三十五周年纪念[①]

一九八三年五月

岁月堂堂[②]卅五周，天南坛坫[③]少伦俦[④]。
景风[⑤]嘘被声华[⑥]重，谠论[⑦]公明珠玉[⑧]收。
载笔摛词[⑨]歌四化，扬清激浊[⑩]峙中流[⑪]。
赋诗遥寄神飞越，香海荡波忆旧游。[⑫]

注释：

① 据唐葆祥《俞振飞传》附录《俞振飞诗词选》（上海文艺出版社 1997 年版）。

② 堂堂：悠远；远大。清汪懋麟《茶村枉过和见投原韵》诗：“十年真忽忽，旧事已堂堂。”

③ 坛坫（diàn）：古代诸侯会盟的坛台。详见《疏帘淡月・题〈梅兰芳唱腔集〉》注⑲。这里称颂《文汇报》的地位及其声誉。

④ 伦俦：同辈；流辈。

⑤ 景风：指四时祥和之风。《尔雅・释天》：“春为发生，夏为长嬴（盈），秋为收藏，冬为安宁。四时和为通正，谓之景风。”《尸子》卷上：“祥风，瑞风也。一名景风，一名惠风。”

⑥ 声华：声名；声誉。

⑦ 谠（dǎng）论：正直之言；直言。宋欧阳修《为君难论》：“忠言谠

论，皆沮屈而去。”

⑧ 珠玉：比喻妙语或美好的诗文。

⑨ 载笔摛（chī）词：执笔为文，铺陈文词。摛：舒展；铺陈。

⑩ 扬清激浊：本指冲去污水，浮起清水。后用以喻斥恶奖善。《尸子·君治》：“水有四德……扬清激浊，荡去滓秽，义也。”

⑪ 峙（zhì）中流：即“砥柱中流”。河南三门峡东有一石岛，名“砥柱”，屹立于黄河急流之中。后比喻能担当重任、支撑危局的人或力量。峙：直立；耸立。

⑫ “香海荡波忆旧游”句：俞振飞平生先后七度赴港演出、讲学。其中，自 1950 年 12 月至 1955 年 4 月，寓居香港长达近五年之久。香海：香港。

浣溪沙·赠张洵澎[①]

一九八三年六月

昆剧《南西厢·佳期》[②]旧本，辍演[③]已久。今张洵澎改为红娘不满于崔夫人食言赖婚，从而玉成崔、张，表演动作，亦非旧观。嘉其用意，以词为勖[④]。

待月西厢有所期，[⑤]红丝[⑥]系上好花枝。曲中新意赏音知。
剪雪裁冰[⑦]成别调[⑧]，绘声摹影[⑨]见多姿。笙琶岂独说相思。[⑩]

注释：

① 据《解放日报》1983 年 6 月 12 日。诗题系编者所拟。

浣溪沙：词牌、曲牌名。原为唐教坊曲名。亦作《浣纱溪》、《小庭花》等。双调四十二字，上片三平韵，下片二平韵，过片二句例用对偶。另有《摊破浣溪沙》，又名《山花子》，上下片各增三字，韵全同。南唐李煜有仄韵之作。又宋周邦彦曾作《浣溪沙慢》，双调九十三字，仄韵。曲牌有二，均属南曲南吕宫。其一字句格律与词牌半阕同，用作引子；另一与词牌不同，用作过曲。

张洵澎（1941— ）：昆剧旦角，国家一级演员。毕业于上海市戏曲学校首届昆曲演员训练班，师从朱传茗、言慧珠等，工五旦。扮相华丽，嗓音清柔，有“小言慧珠”之誉。表演洒脱高雅，娇柔中见阳刚，并适当融入芭蕾舞元素，达到歌、舞、音、画为一体的境界。擅演《牡丹亭》、《玉簪记》、《长生殿》、《拜月亭》，以及《百花赠剑》、《亭会》等。

② 《南西厢·佳期》：剧叙崔莺莺怨母悔婚，在侍女红娘帮助下，月夜前往西厢与张珙相会。

③ 辍（chuò）演：停演。

④ 勖（xù）：勉励。

⑤ “待月西厢有所期”句：唐元稹《月明三五夜》诗：“待月西厢下，迎风户半开。拂墙花影动，疑是玉人来。”

⑥ 红丝：五代王仁裕《开元天宝遗事·牵红丝娶妇》：“郭元振少时，美风姿，有才艺。宰相张嘉贞欲纳为婿。元振曰：‘知公门下有女五人，未知孰陋，事不以仓卒，更待忖之。’张曰：‘吾女各有姿色，即不知谁是匹偶，以子风骨奇秀，非常人也。吾欲令五女各持一丝，幔前使子取便牵之，得者为婿。’元振欣然从命。遂牵一红丝线，得第三女，大有姿色。后果然随夫贵达也。”又传说月下老人以赤绳系夫妻之足，虽仇家异域，此绳一系，终不可避。后因以“红丝”为婚姻或媒妁的代称。

⑦ 剪雪裁冰：比喻构思精妙、新巧。

⑧ 别调：另一种曲调、格调。宋孙光宪《北梦琐言》卷七：“（高骈）一日闻奏乐声，知有改移，乃题风筝寄意曰：‘夜静弦声响碧空，宫商信任往来风。依稀似曲才堪听，又被移将别调中。’”

⑨ 绘声摹影：意同绘声绘色，谓叙述、描写、表演等，极其生动逼真。

⑩ “筀琶岂独说相思”句：化用宋晏几道《临江仙》词：“琵琶弦上说相思。”

赠顾生兆琪[①]

一九八三年十月

顾生兆琪，擫笛[②]为后起之冠，深得叶剑英[③]同志赞许。余以为数十年来，斯道高手殊鲜[④]。顾生衷气[⑤]充沛，指法灵活，益且熟悉表演，尤为难得。故余每逢登台爨弄[⑥]，必出其伴奏，可免后顾之忧。赋诗以赠，并志欣慰之忱云尔。

裁来嶰竹[⑦]擫宫商[⑧]，陆许[⑨]传薪[⑩]独擅场[⑪]。
吹彻玉山[⑫]腔百转，有人真赏到骊黄。[⑬]

注释：

① 据书迹影印件，《上海昆剧精英展览演出特刊》，1985 年 5 月编印。另有“一九八三年十月，涤叟俞振飞，时年八十有二”等款识。诗题系编者所拟。

顾兆琪（1940—2007）：国家一级演奏员，上海昆剧团首席笛师。毕业于上海市戏曲学校首届昆剧音乐班，师从许伯遒、陆巧生。笛风饱满，底气充沛，指法灵活，与演员配合默契，能背诵二百余出折子戏。深得叶剑英、俞振飞、卫仲乐等人赞誉，因有“笛王”之誉。著有《兆琪曲谱》。

② 擫（yè）笛：吹笛。擫：同“擪”。用手指按压。

③ 叶剑英（1897—1986）：原名宜伟，字沧白，广东梅县人。中国无产阶级革命家、军事家，中国共产党和中华人民共和国领导人，中国人民解放

军创建人和领导人。工诗词，著有《远望集》、《叶剑英诗词选集》等。公馀雅好昆曲，亦能擫笛，与俞振飞及岳美缇、金彩琴、张洵澎等交谊颇深。

④ 殊鲜：很少。

⑤ 衷气：应作“中气”。中医学名词，出自《黄帝内经·素问·至真要大论》：“是故百病之起，有生于本者，有生于标者，有生于中气者。”《类经》：“中气，中见之气也。如少阳厥阴互为中气，阳明太阴互为中气，太阳少阴互为中气，以其相为表里，故其气互通也。”中医认为“中气不足”，则说话无力。反之，声音响亮。

⑥ 爨（cuàn）弄：金元时院本的别称。后一般泛指演出。详见《卜算子·赵朴初先生赠词，依韵奉和乞正》注⑦。

⑦ 嶰（jiè）竹：产于嶰谷的竹。嶰谷：昆仑山北谷名。又作“解谷”、“澥谷”。汉应劭《风俗通·声音序》：“昔黄帝使伶伦自大夏之西，昆仑之阴，取竹于嶰谷，生其窍厚均者，断两节而吹之，以为黄钟之管。”后因以借指箫笛之类管乐器。唐黄滔《送君南浦赋》：“莫不捻嶰竹以凄楚，拨湘弦而激越。”这里喻指笛子。

⑧ 擫宫商：吹奏昆曲音乐。宫商：我国古代五声音阶（宫、商、角、徵、羽）的第一、第二音级。一般泛指音乐。

⑨ 陆许：指陆巧生、许伯遒。陆巧生（？—1963），昆曲笛师。苏州人。清音班堂名出身，精于清唱，兼擅各种乐器，为各曲社拍曲司笛。沦陷时期，受聘为“中日文化协会”游艺组昆曲系笛师。一度随汪伪政府驻日“大使”褚民谊赴日，以备随时唱曲伴奏。抗日胜利后，回乡充鼓手。1949年后入华东戏曲研究院，后任上海市戏曲学校音乐班教师，传授昆曲锣鼓和吹打曲牌。所传《汉寿亭侯》吹打曲为“十番锣鼓”之精华，经过整理，1958年由上海音乐出版社出版。

许伯遒（1902—1963）：昆曲笛师。名闻铎，字百遒（伯遒）。原籍浙江海宁。从小随父宦游，久居杭州。受家庭熏陶，八岁即能吹笛，经俞粟庐、方蓴亭、赵桐寿指授，融会贯通，自成一家。笛音饱满，醇厚宽亮，有“满口风”美誉。与俞振飞、许鸿宾、李荣生并称为“江南四大笛”。曾为梅兰芳、程砚秋司笛。1955年由银行文书主任调入上海市戏曲学校任音乐教师。精通古典文学，擅书法、金石。手书《度曲百粹》，皆传唱名曲，1990年由其妹许闻佩影印于台湾地区。

⑩ 传薪：传火于薪，前薪尽，火又传于后薪，辗转相传，火终不灭。比喻学术道业由师生递相传授。详见《北中吕【迎仙客】题寄美国张充和》注⑲。

⑪ 擅场：强者胜过弱者，专据一场。后因以形容技艺超群。

⑫ 玉山：喻指昆曲发源地昆山。

⑬ “有人真赏到骊黄”句：叶剑英极为称赏顾兆琪笛艺，誉之为“仙笛”。曾于1963年6月17日，赋诗为赠：“一笛横陈响太空，英雄高唱大江东。移宫换羽关时局，吹彻东方万古红。”骊黄：黑马、黄马，泛指马。《列子·说符》载：古代善相马者伯乐因年高，遂推荐九方皋为秦穆公访求骏马。三月后于沙丘求得一匹“牡而黄”，穆公派人查看，却是“牝而骊”。于是责备伯乐。伯乐叹息说：九方皋所注意的是马的风骨品性，那些外表已不再关注，这正是他善于相马的证明。等到马牵来，果然是天下稀有的良马。

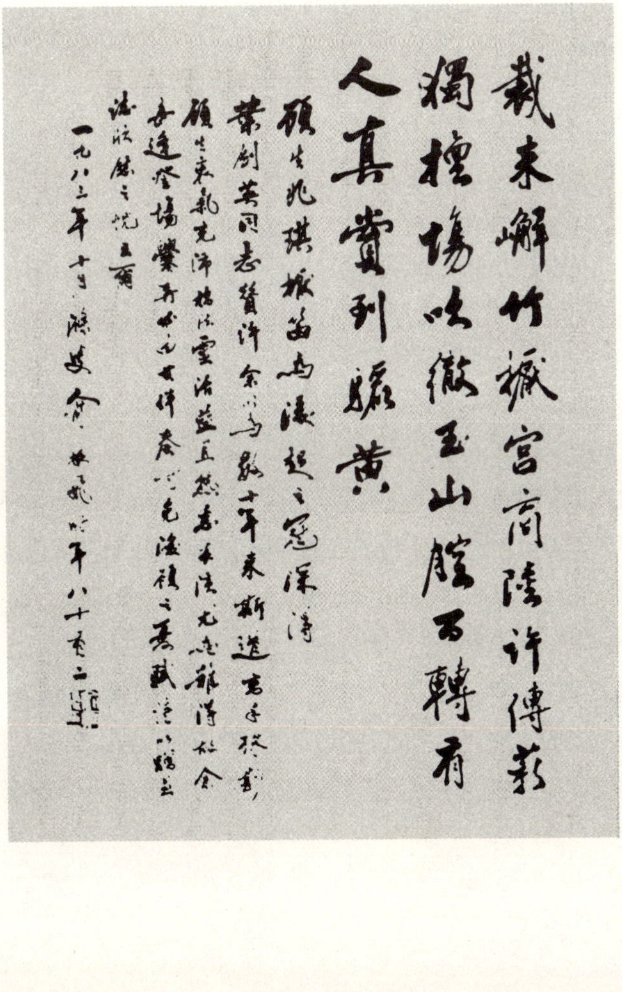

一九八四年迎春词[1]，调寄《画堂春》

一九八四年一月

重开甲子值丰年，髦翁喜欲狂颠。[2]更看六出[3]雪回旋，却正在春前。　　曼舞清歌无限，[4]蒸蒸[5]宝气腾天。豪情何让后来贤，齐唱铜弦[6]。

注释：

① 据书迹影印件，《文汇报》1984 年 2 月 5 日。另有“涤叟俞振飞校，时年八十三”等款识。

画堂春：词牌名。宋秦观《淮海词》有词名《画堂春》，咏画堂春色，因以为名。双调四十七字，前片四平韵，后片三平韵。变格有四十六字、四十八字、四十九字诸体。本词在上片结句增添一字，系一变格。

② “重开甲子值丰年，髦翁喜欲狂颠”句：1984 年岁次农历甲子年，距离上一个甲子年（1924）已经过去六十年。因民间有“人生难得双甲子”之说，作者欣逢两个甲子年，故云。髦（máo）翁：年老之人。作者自称。该句又作“重周甲子值丰年”，见俞振飞为计镇华所书扇页。

③ 六出：雪花的别称。花分瓣称“出”，雪花六角，故名。《太平御览》卷十二引《韩诗外传》：“凡草木花多五出，雪花独六出。”

④ 该句又作“曼舞清歌成浪”，见俞振飞为计镇华所书扇页。

⑤ 蒸蒸：上升貌。

⑥ 铜弦：宋俞文豹《吹剑续录》："东坡在玉堂，有幕士善讴，因问：'我词比柳词何如？'对曰：'柳郎中词，只好十七八女孩儿执红牙拍板，唱'杨柳岸晓风残月'；学士词，须关西大汉执铁板，唱'大江东去'。公为之绝倒。"后人演为"抱铜琵琶，执铁绰板"，因以"铜琶铁板"、"铁板铜弦"形容豪爽激越的文词。这里喻指豪迈的心情。

赠浙江小百花越剧团[①]

一九八四年三月上旬

锦绣团成小百花，苎萝[②]香处越风夸。
西湖春色曾相识，海上重逢好岁华。[③]

注释：

① 据书迹影印件，《新民晚报》1984 年 3 月 12 日。另有“一九八四年三月上旬，涤叟俞振飞，时年八十又三”款识。

浙江小百花越剧团：1982 年，浙江省委从全省七十多个专业越剧团中精心选拔四十名越剧新秀，进行严格训练，由京、昆、婺等剧名家指授，并组织排练新剧目和优秀传统剧目。翌年 9 月，精选二十八人组成浙江省越剧小百花演出团。先后赴沪、宁、京、港诸地演出《五女拜寿》、《汉宫怨》、《双玉蝉》诸剧，及《楼台会》、《送花楼会》、《法场祭夫》等折子戏，嘉誉如潮。《五女拜寿》一剧后由长春电影制片厂拍摄为彩色影片。

② 苎（zhù）萝：山名。在浙江省诸暨市南，相传西施为此山鬻薪者之女。见汉赵晔《吴越春秋·勾践阴谋外传》。越剧发源于浙江嵊州，两地紧邻，故以此指代越剧。

③ “西湖春色曾相识”等句：作者自注：“去冬旅港，曾与相遇。顷值该团来沪演出，赋此预祝成功。”西湖春色：即指浙江小百花越剧团。海上：即上海。

赐杨生春霞赴港演出[①]

一九八四年三月

一片春霞香岛[②]游，丝桐[③]鼓板[④]乐声稠。

东风为我传心颂，甲子逢春兴更遒。[⑤]

注释：

① 据唐葆祥《俞振飞传》附录《俞振飞诗词选》（上海文艺出版社 1997 年版）。

杨春霞（1943— ）：京、昆剧旦角，国家一级演员。毕业于上海市戏曲学校首届昆曲演员训练班，初习昆剧旦角，得朱传茗、方传芸传授。后改学京剧，师承言慧珠、杨畹农。扮相俊美，演唱动人。1973 年调入北京京剧团《杜鹃山》剧组，主演柯湘，在唱念表演上都有所发挥。

② 香岛：指香港。

③ 丝桐：琴。古代琴多用桐木制成，上安丝质琴弦，故称。汉王粲《七哀诗》：“丝桐感人情，为我发悲音。”

④ 鼓板：单皮鼓和檀板两种乐器的组合，为戏曲乐队的指挥乐器。这里指代舞台演出。

⑤ “甲子逢春兴更遒（qiú）”句：1984 年岁次农历甲子年，即杨春霞赴港之年。民间有“人生难得双甲子”之说，俞振飞欣逢两个甲子年，故云。

为著名中年京剧演员交流汇演题[1]

一九八四年六月

行舟艺海浩无垠，人到中年业更勤。
合璧联珠腾异彩，埙谐篪协[2]播清芬。
如斯胜事[3]融南北，好为明时[4]萃乐文[5]。
淑气[6]熏风[7]嘘[8]万木，新涂[9]属望[10]益殷殷。

注释：

① 据唐葆祥《俞振飞传》附录《俞振飞诗词选》（上海文艺出版社 1997 年版）。《新民晚报》1984 年 6 月 8 日所载报道《急管繁弦笑语多　电视台昨晚京剧盛会》云："昨晚，上海电视台的花园内张灯结彩，乐曲缭绕，……气氛热烈的电视京剧联欢会在这里举行。……表演艺术家俞振飞首先献词一首并讲话。"文中所谓"献词"即本诗。

② 埙（xūn）谐篪（chí）协：指两种乐器合奏，声音和谐。《诗·大雅·板》："如埙如篪。"毛传："如埙如篪，言相和也。"埙：古代吹奏乐器。陶制，亦用石、骨、象牙制成。有球状和椭圆形等数种，音孔一至三、五不等。篪：古代竹制管乐器之一。像笛，有八孔，横吹。唯其开孔数及尺寸，各书记载不一。

③ 胜事：美好的事情。

④ 明时：政治清明的时代。古时常用以称颂本朝。

⑤ 乐文：音乐曲调。《礼记·乐记》："乐文同则上下和矣，好恶著则贤不肖别矣。"孔颖达疏："文谓声成文也。若行乐文采谐同则上下各自和好也。"

⑥ 淑气：温和之气。晋陆机《悲哉行》诗："蕙草饶淑气，时鸟多好音。"

⑦ 熏风：和暖的南风或东南风。三国魏王肃《孔子家语·辩乐解》："昔日舜弹五弦之琴，造《南风》之诗。其诗曰：'南风之熏兮，可以解吾民之愠兮。'"

⑧ 嘘：这里是吹拂的意思。

⑨ 新涂：新的道路。涂：同"途"。

⑩ 属望：期望。《后汉书·李固传》："既拔自困殆，龙兴即位，天下喁喁，属望风政。"该句殷切期祝广大中年京剧演员继承传统，更好地弘扬京剧艺术。

柳梢青·为《传统昆剧演唱珍本汇编》题[①]

一九八四年夏

洛下[②]新词，吴中[③]旧谱，亭畔枳枝[④]。院本[⑤]万千，名家多少，总是吾师。　平生结习[⑥]犹痴，纵八十、难忘少时。文献足征，[⑦]宫商[⑧]在耳，骚雅[⑨]萦思。

注释：

① 据书迹影印件，《传统昆剧演唱珍本汇编》油印本，苏州市戏曲研究室编。另有“调寄《柳梢青》，为《传统昆剧演唱珍本汇编》题。甲子夏季，俞振飞题”等款识。诗题系编者所拟。

《传统昆剧演唱珍本汇编》：苏州市戏曲研究室自建立以来，多方收集昆剧演唱剧本，数量宏富。自1984年起，根据所藏各剧曲谱，由周瑞深校订、缮写，曲白俱全。同年以油印方式刊印《浣纱记》、《一捧雪》二种，翌年印《风筝误》。均由俞振飞题签，并书题《柳梢青》一词。词及赵景深所作总序印于各剧卷首。尚待印行有《渔家乐》、《十五贯》、《钗钏记》、《奈何天》、《占花魁》、《铁冠图》、《邯郸梦》、《三笑缘》、《绣襦记》等。

② “洛下新词”句：喻指《传统昆剧演唱珍本汇编》。洛下：指洛阳城。宋苏轼《次韵刘景文、周次元寒食同游西湖》诗：“山西老将诗无敌，洛下书生语更妍。”这里暗用“洛阳纸贵”典故。

③“吴中旧谱”句：亦喻指《传统昆剧演唱珍本汇编》。吴中：苏州。

④枳（zhǐ）枝：枳枝舞的省称。唐代西北民族舞蹈。自西域石国（今乌兹别克斯坦的塔什干一带）传来。最初为女子独舞，舞姿矫健，节奏多变，大多以鼓伴奏。后来又有双人舞，名“双枳枝”。又有女童藏于莲花形道具中，花瓣开放，出而对舞，女童帽施金铃，舞时转动作声。宋时发展为多人队舞。唐沈亚之《枳枝舞赋》：“……既罢，升鼓堂上，弦吹大奏，命为枳枝舞，则皆排目矢座。”范文澜《中国通史》：“西域乐舞在长安处于压倒中国乐舞的优势，是在开元天宝间……枳枝舞女穿着窄袖罗衫。”这里喻指昆曲的身段舞蹈。

⑤院本：戏曲名词。金元时行院演剧所用的脚本。元陶宗仪《南村辍耕录》：“院本、杂剧，其实一也。”是北方的宋杂剧向元杂剧过渡的一种形式。演出时用五人，又称“五花爨弄”。作品都已失传，仅《南村辍耕录》载有院本名目七百馀种。元以后亦称宋杂剧为院本，以别于元杂剧。或泛指短剧、杂剧、传奇等。王国维《宋元戏曲考》：“院本者，行院之本也。”“行院者，大抵金元人谓倡伎所居。其所演唱之本，即谓之院本云尔。”

⑥结习：指烦恼习气。结：烦恼；习：习气。《维摩诘经·观众生品》：维摩诘丈室中有一天女散花。天花飞到菩萨们的身上，纷纷坠地；然而碰到大弟子们的身上，却黏附不去。天女说：“结习未尽，华（花）着身耳；结习尽者，华不着也。”后多指积久难除的习惯。

⑦“文献足征”句：语出《论语·八佾》：“子曰：‘夏礼吾能言之，杞不足征也；殷礼吾能言之，宋不足征也。文献不足故也。足，则吾能征之矣。’”朱熹集注：“文，典籍也；献，贤也。”意谓孔子学夏、殷二代之礼，心知其意，能言所以然。但由于杞、宋两国的典籍和贤人不足，难以征引和证成孔子学说。足征：足以证明。

⑧宫商：我国古代五声音阶（宫、商、角、徵、羽）的第一、第二音级。一般泛指音乐。

⑨骚雅：《离骚》与《诗经》中《大雅》、《小雅》的并称。借指由《诗经》和《离骚》所奠定的古诗优秀风格和传统。唐杜甫《陈拾遗故宅》诗：“有才继骚雅，哲匠不比肩。”亦引申为诗文之才、风流儒雅。

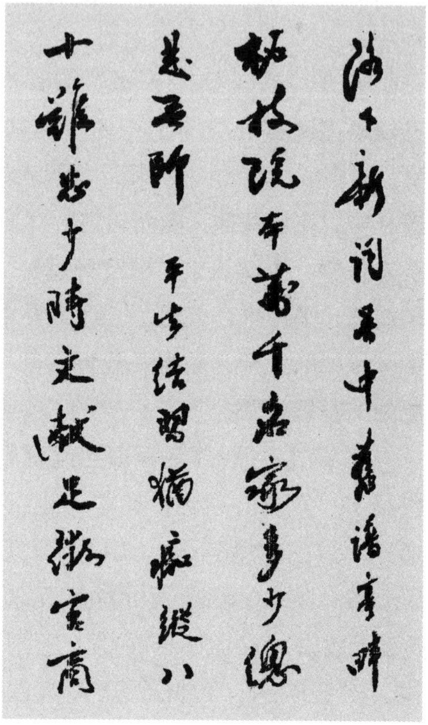

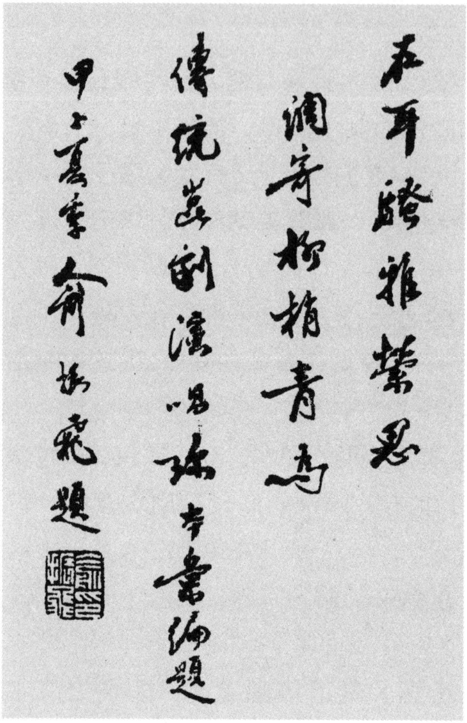

浣溪沙·奉题王退斋所绘《梅兰芳画像》[①]

一九八四年夏

谁貌翩翩绿萼仙[②]？依稀吹笛在梅边。素心晨夕记当年。

八十浑忘吾已老，沧波何处觅成连[③]？繁声促调[④]意茫然。

注释：

① 据书迹影印件，《退斋画集》（1997 年 5 月自印本）。另有“《浣溪沙》一首，奉题畹华老友画像。一九八四年夏季，涤叟俞振飞，时年八十有三”等款识。诗题系编者所拟。《退斋诗钞》一书中有《七律·挽俞振飞先生》一首，诗前小序云：“……余所绘梅先生像三帧，皆蒙先生题词。”现已知二阕，所馀一首内容待考。

王退斋（1906—2003）：名均，字治平，号退斋，江苏泰州人。毕业于江苏省立教育学院，长期从事教育工作。精诗词，工书画，著有《退斋诗钞》、《退斋画集》等。曾任上海市文史研究馆馆员、江南诗词学会副会长、上海半江老人诗画社社长、上海诗词学会常务理事等职。

② 绿萼仙：绿萼梅。因萼片为绿色，故名。宋范成大《梅谱》：“……绿萼梅。凡梅花跗蒂皆绛紫色，惟此纯绿，枝梗亦青，特为清高，好事者比之九嶷仙人萼绿华。”这里喻指梅兰芳。

③ 成连：春秋时著名琴师。详见《满江红（平韵）·前词意犹未尽，再

赋一阕》注②。

④ 繁声促调：繁杂的声音，急促的旋律。

思佳客·又题[①]

一九八四年夏

夙昔常怀缀玉翁，[②] 纫兰佩芷[③] 忆清风。高楼倚笛人何在？[④]珠箔飘灯[⑤] 曲未终。　　花勃勃[⑥]，月溶溶，九州生气[⑦]慰词雄[⑧]。题真[⑨]置笔闻丝竹，倘许邀群一笑同。

注释：

① 据王退斋《梅影话当年》，《梅兰芳与故乡》(《江苏文史资料》第 76 辑、《泰州文史资料》第 7 辑，江苏省政协文史资料委员会、泰州市政协文史资料委员会 1994 年 7 月版)。诗题系编者所拟。

② “夙昔常怀缀玉翁”句：作者自注：“梅先生书斋号‘缀玉轩’”。夙昔：朝夕。《后汉书·张衡传》：“共夙昔而不贰兮，固终始之所服也。”

③ 纫兰佩芷：战国楚屈原《离骚》：“扈江离与辟芷兮，纫秋兰以为佩。”详见《国庆三十周年献词二首》其一注⑥。

④ “高楼倚笛人何在”句：化用唐赵嘏《长安秋望》诗：“残星几点雁横塞，长笛一声人倚楼”诗意。

⑤ 珠箔飘灯：唐李商隐《春雨》诗：“红楼隔雨相望冷，珠箔飘灯独自归。”珠箔：即珠帘。《汉武故事》：“武帝起神室，以白珠织为箔。”

⑥ 勃勃：原指兴盛的样子，这里形容花开得很茂盛。

⑦ 九州生气：喻指祖国到处呈现出生机勃勃的局面。详见《百字令·为苏州戏剧工作者协会、苏州博物馆、苏州市戏曲研究室联合主办昆剧展览

作》注㉒。

⑧ 词雄：犹词杰。唐沈佺期《酬杨给事兼见赠台中》诗：“子云推辨博，公理擅词雄。”这里喻指梅兰芳。

⑨ 题真：为画像题句。真：即真真，画中美人之名。唐杜荀鹤《松窗杂记》载：唐进士赵颜，从画工处得一软障，图上绘一丽人。赵颜对画工说：“世无其人也，如可令生，余愿纳为妻。”画工说：“余神画也。此亦有名，曰真真，呼其名百日，昼夜不歇，即必应之。应，则以百家彩灰酒灌之，必活。”赵颜如其言行事，果活，步下言笑如常，并生一子。后赵颜其女为妖，真真即携子复上软障而没，画上多添一子。见《太平广记·闻奇录·画工》。

清平乐·庆祝建国三十五周年[①]

一九八四年九月

年周卅五，指点江山舞。[②]松绑放权相继许，腾跃真如虎。[③]　　振兴赫赫中华，[④]文坛粲列[⑤]奇葩。老眼摩挲[⑥]欣望，人民事业无涯。

注释：

① 据《戏剧百家国庆抒怀（上）》，《戏剧报》1984 年第 9 期。诗题系编者所拟。

② “年周卅（sà）五，指点江山舞”句：喻指中华人民共和国成立三十五年以来，各项事业蒸蒸日上，一派繁荣景象。卅：三十。该句原作“年周三十五”，按律当为四字句，径改。

③ “松绑放权相继许，腾跃真如虎”句：实行改革开放政策以后，文艺主管部门相应地下放了管理权限，各剧团也有了更多自主经营的权利。

④ “振兴赫赫中华”句：1894 年 11 月，孙中山发起成立兴中会于檀香山，最先提出“振兴中华”。《兴中会章程》：“是会之设，专为振兴中华、维持国体起见。”赫赫：显著盛大的样子。

⑤ 粲列：鲜明而有序。清黎庶昌《卜来敦记》：“迨夫暮色苍然，灯火粲列，音乐作于水上，与风潮相吞吐。”

⑥ 摩挲：模糊。宋陆游《睡起遣怀》诗：“摩挲困睫喜汤熟，小瓶自拆山茶香。”

偶　　吟[①]

一九八四年初秋

谁与钝根[②]证果因[③]，八旬惭我滞黄尘[④]。
欣然一饱青精饭[⑤]，未识拈花[⑥]会上人[⑦]。

注释：

① 据书迹影印件，另有“甲子初秋，涤叟俞振飞时年八十有三”等款识。诗题系编者所拟。

② 钝根：佛教语。谓根机愚钝，不能领悟佛法。《法华经·药草喻品》：“正见邪见，利根钝根。”宋苏轼《以玉带施元长老元以衲裙相报次韵》之一：“病骨难堪玉带围，钝根仍落箭锋机。”亦泛指缺少灵性。这里是作者的谦称。

③ 证果因：证：佛教语。参悟，修行得道。唐张鷟《朝野佥载》：“禅师后证果，居于林虑山。”果因：即“因果”。佛教语。事情的起因和结局。

④ 黄尘：比喻俗世；尘世。明高启《江上晚眺图》诗：“观图忽起沧洲想，身堕黄尘又几年。”

⑤ 青精饭：即立夏所食的乌米饭。相传首为道家太极真人所制造，服之延年。后佛教徒亦多于阴历四月初八造此饭以供佛。唐杜甫《赠李白》诗：“岂无青精饭，使我颜色好。”宋林洪《山家清供》卷上：“青精饭，首以此重谷也。按本草：南烛木，今名黑饭草，又名旱莲草，即青精也。采枝

叶，捣叶，浸上白好粳米，不拘多少，候一二时，蒸饭。曝干，坚而碧色，收贮。如用时，先用滚水量以米数，煮一滚，即成饭矣……久服，延年益颜。”

⑥ 拈花：相传释迦牟尼在灵山上说法，大梵天王献上金色波罗华，佛即拈花示众，大众不解其意。唯有摩诃迦叶破颜为笑。佛说：这是不立文字的教外别传法门，今付与迦叶。因此，后世禅宗推尊迦叶为始祖。语见宋释普济《五灯会元·七佛·释迦牟尼佛》卷一。此为佛教禅宗以心传心的第一公案。后以喻心心相印，会心。

⑦ 上人：指持戒严格并精于佛学的高僧。《释氏要览·称谓》引古师云："内有智德，外有胜行，在人之上，名上人。"自南朝宋以后，多用作对僧人的尊称。

题程十髮为计镇华写《弹词》剧照[①]

一九八五年四月

《长生殿·弹词》为老生之基础戏，镇华同学初演此剧时，余曾往观。喜其对形神合一[②]之法，已知其门径[③]，为之忻慰[④]无任。十髮画师亦擅歌此曲，故于观剧后，欣然提笔为其绘像。形神毕肖，宜宝而藏之。

形似非神似，神似才为真。[⑤]
神形合一体，方是剧中人。

注释：

① 据书迹影印件，《计镇华的表演艺术》（上海富图摄影图片制作有限公司1996年版）。另有“乙丑三月，俞振飞题识”等款语。诗题系编者所拟。

计镇华（1943—）：昆剧老生，国家一级演员。毕业于上海市戏曲学校首届昆曲演员训练班，初随沈传芷习小生，后改老生，师从郑传鉴、倪传钺。扮相清秀刚正，嗓音苍劲雄沉，表演重视内心体验，精准传神，唱念随人物感情变化。擅演《烂柯山》、《钗头凤》、《蔡文姬》等，并出演多部电影、电视剧。

《弹词》：《长生殿》之一折。详见《题女弟孙天申龙门郙曲叙横卷，次韵奉和驷才》注⑲。

② 形神合一：“形神”作为中国古代美学概念，一般认为外在的形，必

须与内在的神统一。神寓于形，以显示形象和创作主体的精神、气质，神似高于形似，既要求“形神兼备”，又可以“离形得似”。

③ 门径：门前的小路。引申为做事的途径、方法、窍门。

④ 忻（xīn）慰：欣慰。

⑤ “形似非神似，神似才为真”句：形似：指形式、外观相似。神似：与“形似”对称，中国画术语。指主客观相统一，由事物的表象到意象的深化。即“神者形之用，形者神之质”。北宋苏轼有“论画以形似，见与儿童邻”之说。宋画家袁文《瓮牖闲评》：“作画形易而神难。形者具形体也，神者其神采也。凡人之形体，学画者往往皆能，至于神采，自非胸中过人，有不能为者。”宋黄休复论“六法”云：“惟形似、气韵二者为先，有气韵而无形似，则质胜于文；有形似而无气韵，则华而不实。”明李贽《焚书·读史·诗画》云：“画不徒写形，正要形神在。”

题程十髮为计镇华写《弹词》剧照

赴　　蜀[①]

一九八六年四月

八五衰翁兴尚遒，春来重拟剑门游。[②]
黄鹂隔叶心长醉，翠柏成围梦久留。[③]
濯锦江[④]虽停蜡屐[⑤]，题桥人[⑥]亦换霜裘[⑦]。
明朝执手逢新雨[⑧]，好载珠玑[⑨]出峡舟。

注释：

① 据陈福国《周企何舞台艺术》（四川人民出版社 1989 年版）。诗题系编者所拟。

1986 年 4 月 20 日至 5 月 17 日，俞振飞随上海昆剧团赴四川交流演出，并担任艺术顾问。因撰《赴蜀前言》短文，有云："我这次偕同上海昆剧团入蜀演出的目的，既是介绍一些昆剧剧目给四川省广大观众，听取宝贵意见。"诗即作于行前。

② "春来重拟剑门游"句：作者曾于 1936 年、1947 年两度入蜀，在重庆、成都二地演出，此为第三次，故曰"重拟"。剑门：古县名。周武则天圣历二年（699）置。治今四川剑阁东北，因境内有剑门山而得名。这里指四川。

③ "黄鹂隔叶心长醉，翠柏成围梦久留"句：化用唐杜甫《蜀相》之"隔叶黄鹂空好音"、"锦官城外柏森森"诗句。

④ 濯（zhuó）锦江：江名。即锦江。岷江流经成都附近的一段。一说，

成都市内之浣花溪。濯锦：锦彩鲜润逾于常，故名。唐王维《送王尊师归蜀中拜扫》诗："大罗天上神仙客，濯锦江头花柳春。"

⑤ 蜡屐：以蜡涂木屐。语出南朝宋刘义庆《世说新语·雅量》："或有诣阮（孚），见自吹火蜡屐，因叹曰：'未知一生当箸（著）几量屐！'神色闲畅。"后因以指悠闲的生活。该句意谓已多年未访蜀地。

⑥ 题桥人：指司马相如。典出"题桥柱"，又作"题柱"。《华阳国志·蜀志》："城北十里有升仙桥，有送客观。司马相如初入长安，题市门曰：'不乘赤车驷马，不过汝下也。'"后用为矢志功名之典。

⑦ 霜裘：即"鹔鹴裘"。相传为汉司马相如所穿的裘衣。用鹔鹴鸟的皮制成。一说，用鹔鹴飞鼠之皮制成。《西京杂记》卷二："司马相如初与卓文君还成都，居贫愁懑，以所着鹔鹴裘就市人阳昌贳酒，与文君为欢。"该句喻指蜀地的沧桑变化。

⑧ 新雨：即"今雨"，相对于"旧雨"而言，指新朋友。唐杜甫《秋述》："秋，杜子卧病长安旅次，多雨生鱼，青苔及榻。常时车马之客，旧，雨来；今，雨不来。"

⑨ 珠玑：比喻美好的诗文。该句意谓此次访蜀，必将获得丰硕成果。

题陈国福所著《周企何舞台艺术》[①]

一九八六年五月

周君企何，[②]久享盛誉。
幽默含蓄，老少皆宜。
识者国福，载诸文字。
炳耀[③]剧坛，流香后世。

注释：

① 据书迹影印件，陈国福《周企何舞台艺术》（四川人民出版社 1989 年版）。另有“祝《周企何舞台艺术》出版。一九八六年五月，时旅蓉城。涤叟俞振飞，时年八十又五”等款识。

陈国福（1939— ）：笔名东方福、陈大伍、伍大成、王思成。四川宜宾人。曾任四川省川剧院编导室主任、二级编剧。编演剧目有：现代戏《骄杨颂》（合作）、传统喜剧《牡丹级》等。另著有《天府之花》、《川剧揽胜》、《周企何舞台艺术》、《中国川剧》等。从戏曲创作转向戏曲理论，由搜集戏曲史料进而系统论述剧种和艺术家，视角独特，颇受好评。

② “周君企何”句：即周企何（1911—1988）。川剧表演艺术家。原名园园，四川成都人。五岁入太洪班学艺，九岁登台演出，后参加三庆会，从师唐阴甫，习文武小生。1930 年倒嗓后改学丑。擅演《梅花簪》、

《做文章》、《迎贤店》等剧。1949 年后担任四川省川剧院副院长，对川剧传统表演艺术有所发展、创新。曾获第一届全国戏曲观摩演出大会获得一等奖。

③ 炳耀：亦作“炳曜”、“炳燿”。显示光芒；照耀。

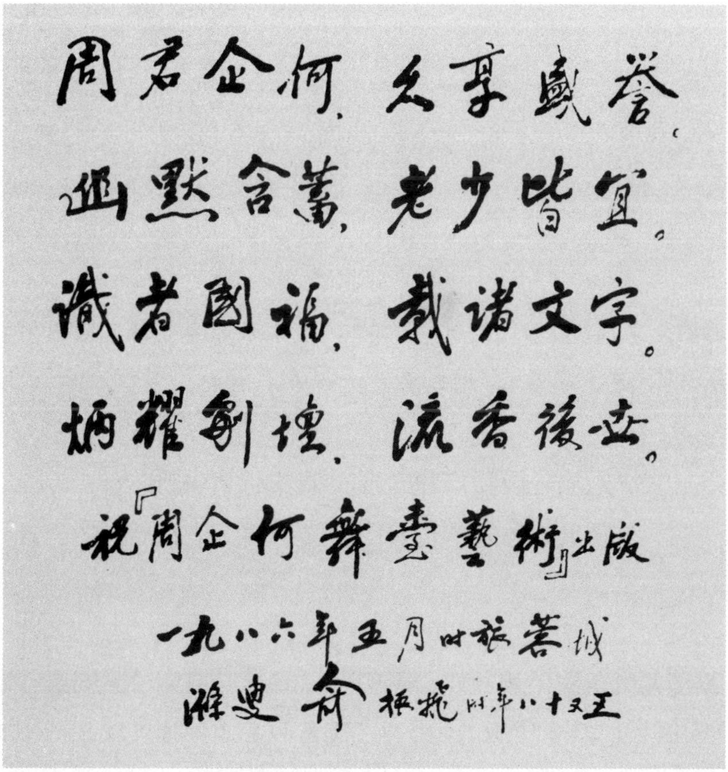

赠顾生兆琳[①]

一九八六年初夏

兆琳顾生爨演[②]之馀，耽研[③]曲律[④]。十年来融会贯通，颇有所获。余喜其继承绝学[⑤]，用志不纷[⑥]，诗以嘉之。

乐府[⑦]翻新点勘[⑧]春，魏梁徐叶嗣谁人？[⑨]
履痕[⑩]深处传心印，正始[⑪]微茫[⑫]识谛真[⑬]。

注释：

① 据顾兆琳所藏手迹原件。影印件见龚学平主编《昆剧泰斗俞振飞》（上海辞书出版社 2002 年版）。另有“丙寅初夏，俞振飞时年八十又五”等款识。诗题系编者所拟。

顾兆琳（1943—　）：昆剧老生演员，国家一级作曲。毕业于上海市戏曲学校首届昆曲演员训练班，初随俞振飞、沈传芷习小生，后改老生，师从郑传鉴、倪传钺。擅演《贩马记》、《寻亲记》，以及《望乡》、《跪池》、《男监》、《开眼上路》等。并在上海音乐学院进修戏曲作曲，对昆曲音乐的继承整理，能保持格律规范，在创新中不离传统风格。先后为《琵琶记》、《烂柯山》、《潘金莲》、《血手记》、《班昭》、《寻亲记》、《拜月亭》、《宝黛红楼》、《川上吟》等剧目谱曲，多次获得文华奖等国家级大奖。曾任上海昆剧团副团长、上海戏剧学院附属戏曲学校常务副校长，主编《昆曲曲牌及套数范例集》（南、北套）、《昆曲精编剧目典藏》（二十卷），著有《昆剧曲学探究》。

② 爨（cuàn）演：金元时院本的别称。后一般泛指演出。

③ 耽研：专心研究。《宋史·律历志三》："臣耽研既久，引证尤明。"

④ 曲律：戏曲名词。主要指写作和演唱南北曲时应注意的各种原则。如作曲的选字、造句、体裁、风格；唱曲的发音、归韵、板眼等。

⑤ 绝学：体现民族特色、独一无二，且面临失传危险的学问。宋儒张载以"为天地立心，为生民立命，为往圣继绝学，为万世开太平"为学术宗旨。

⑥ 用志不纷：用心专一，不分心。《庄子·达生》："用志不纷，乃凝于神。"

⑦ 乐府：指昆曲音乐唱腔。详见《疏帘淡月·题〈梅兰芳唱腔集〉》注⑮。

⑧ 点勘：检点；查看。

⑨ "魏梁徐叶嗣谁人"句：指魏良辅、梁辰鱼、徐大椿、叶堂。

徐大椿（1693—1772）：清医学家、戏曲理论家。一名大业，字灵胎，晚号洄溪老人，江苏吴江人。工文辞，通晓音律、水利等学，尤精医学。著有《难经经释》、《伤寒类方》、《神农本草经百种录》、《兰台轨范》、《医学源流论》等。又精研戏曲音乐，所著《乐府传声》，详述昆曲五音、四呼、阴阳四声的唱法，出声、收声、归韵的方法，以及起调、顿挫、轻重、徐疾、重音叠字、句韵等有关语言和行腔的处理，高腔、低腔用气发声的实践经验，提出"正字音，审口法，别宫调，重曲情，放松喉咙"基本原则，并指出昆曲发声唱法中的流弊，为时所重。

叶堂：清戏曲音乐家、理论家。字广明、广平，号怀庭，江苏吴县人。研究南北曲的唱法多年，尤其注重演出时的唱腔的运用。乾隆五十七年（1792）编订《纳书楹曲谱》二十四卷。又为《牡丹亭》等"四梦"、《西厢记》等订出全谱，并与冯起凤共同编订昆曲谱《吟香堂曲谱》。其唱法俗称"叶派唱口"，声家奉为圭臬。执曲坛演唱之牛耳的"俞家唱"、"俞派唱法"，即是俞粟庐、俞振飞父子两代人在"叶派唱口"的基础上，通过实践、倡导、总结、提高而最终形成的。

嗣（sì）：接续，继承。

⑩ 履痕：足迹。

⑪ 正始：正其始；合乎礼仪、法则之始。《文选·卜商〈毛诗序〉》：

"《周南》、《召南》，正始之道，王化之基。"刘良注："正始之道，谓正王道之始也。"

⑫ 微茫：亦作"微芒"。隐秘暗昧；隐约模糊。

⑬ 谛真：即真谛。原为佛教语。与俗谛合为"二谛"。泛指最真实的意义或道理。

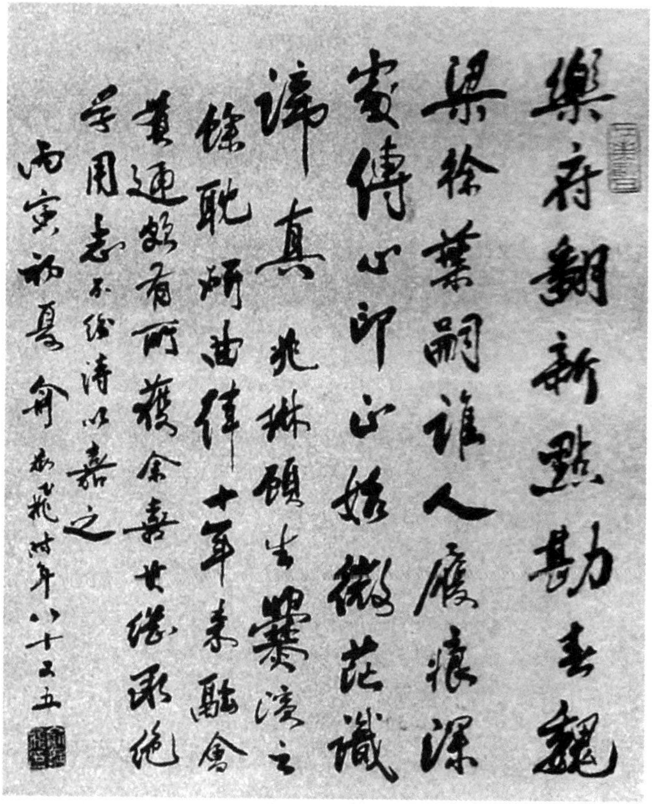

祝贺江苏省戏曲学校建立三十周年[①]

一九八六年六月

作育[②]英才，增光艺苑。
粉墨[③]春秋，流长源远。
钟阜[④]崔巍[⑤]，青溪[⑥]委宛[⑦]。
薪火相传，[⑧]如星赫烜[⑨]。

注释：

① 据书迹影印件，《江苏省戏曲学校建立三十周年纪念册》。

江苏省戏曲学校：创建于1956年，初设京剧、昆剧、锡剧、扬剧、话剧、戏曲文学、戏曲作曲、戏曲伴奏、戏曲导演、舞蹈、音乐、舞美等专业。1959年，升格为大专性质的江苏戏曲学院。“文革”结束后，恢复江苏省戏剧学校建制，并增设越剧专业及实验京剧团。2003年，与江苏省文化学校合并为江苏省艺术高等职业学校。系国家级重点中等艺术学校。

② 作育：培养，造就。明李东阳《重建成都府学记》：“虽道德勋业与时高下，而作育之效，磋切之益，皆不可诬。”

③ 粉墨：用粉墨化妆，登台演戏。

④ 钟阜：即钟山。亦称金陵山、蒋山、圣游山、神烈山。在江苏省南京市区东。多紫红色砂页岩、石英砾岩，阳光映照，远望呈现紫金色，故又名紫金山。山势险峻，蜿蜒如龙。学校位于南京东南隅，北望钟山，故言。

⑤ 崔巍：山势高峻貌。《楚辞·七谏·初放》：“高山崔巍兮，水流汤汤。”

⑥ 青溪：古水名。三国吴赤乌四年（241）在建业城东南凿东渠，称为青溪。发源于今江苏南京市钟山西南，屈曲穿过今南京市区流入秦淮河，长十馀里。因曲折最多，后世亦称为九曲青溪。六朝时，为京师漕运要道；溪上置栅，亦为防守要地。五代吴以后，逐渐湮废，今仅存入秦淮河的一段。该校南接十里秦淮，故言。

⑦ 委宛：同“委婉”。形容水流婉转曲折。

⑧ 薪火相传”句：传火于薪，前薪尽，火又传于后薪，辗转相传，火终不灭。比喻学术道业由师生递相传授。详见《北中吕【迎仙客】题寄美国张充和》注⑲。

⑨ 赫烜（xuǎn）：明盛貌。元蒲道源《春晚山茶始开》诗：“及兹春事深，渥丹始赫烜。”烜：亦作“咺”、“暄”。

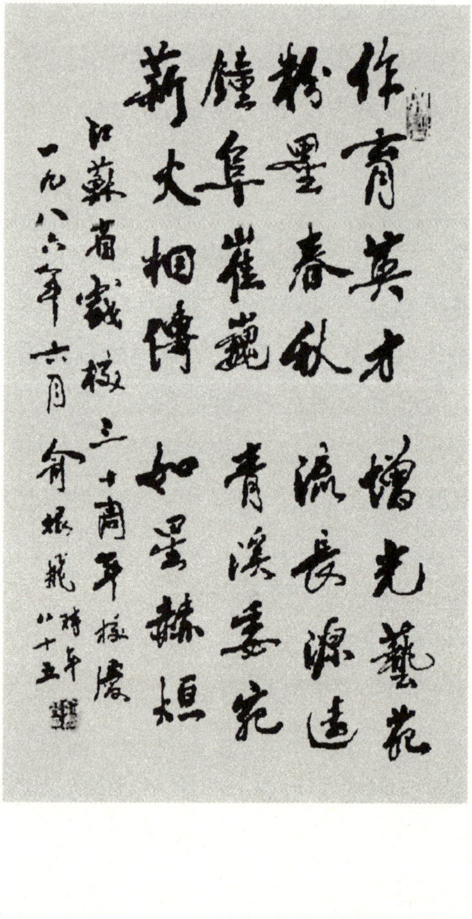

洞仙歌·为上海昆剧团第三次晋京演出赋[1]

一九八六年八月

珠歌翠舞[2]，又传来海上[3]。幻出氍毹[4]万花浪。正西山气爽[5]，将插茱萸[6]，春明[7]好、尊畔吟怀激宕[8]。　是谁留驻了，嶰谷[9]馀音，不绝嘉隆[10]旧时唱？寡和[11]未为高，绵丽沉雄[12]，得真意、端凭心匠[13]。听巷陌千家赏兰人，[14]道九畹芳馨[15]，怎么抛漾[16]？

注释：

① 据俞振飞《星月联辉奏水磨——写在上昆三度晋京之前》，《戏剧报》1986 年第 8 期。诗题系编者所拟。

② 珠歌翠舞：声色美妙的歌舞。宋辛弃疾《贺新郎·赋滕王阁》词：“物换星移知几度，梦想珠歌翠舞。”

③ 海上：上海。指上海昆剧团。

④ 氍毹（qú shū）：一种毛织或与其他材料混织的毯子，旧时演剧时用以铺地，因此用为歌舞场、舞台，或是演出的代称。详见《武汉京剧团成立三十周年祝词》注⑩。

⑤ 西山气爽：南朝宋刘义庆《世说新语·简傲》：“王子猷作桓车骑参军。桓谓王曰：‘卿在府久，比当相料理。’初不答，直高视，以手版拄颊云：‘西山朝来，致有爽气。’”后因以言人性格疏傲，不善迎奉。这里的

“西山”是指北京的西山，该句喻指北京秋天的天气明爽。

⑥“将插茱萸”句：作者自注：“上昆在重九节前晋京。”茱萸：植物名。香气辛烈，可入药。古俗农历九月九日重阳节，佩茱萸囊以祛邪辟恶。《西京杂记》卷三：“九月九日，佩茱萸，食蓬饵，饮菊华酒，令人长寿。”唐王维《九月九日忆山东兄弟》诗：“遥知兄弟登高处，遍插茱萸少一人。”

⑦春明：唐都长安城东面三门，中间称春明门。后人因以“春明”作为都城的别称。这里即指北京。

⑧激宕（dàng）：心情激越跌宕。

⑨嶰（jiè）谷：昆仑山北谷名。据《汉书·律历志上》所载，传说黄帝使伶伦取嶰谷之竹以制乐器。详见《赠顾生兆琪》注⑦。

⑩嘉隆：指明朝嘉靖（1522—1566）、隆庆（1567—1572）年间，是昆曲发展、兴盛时期。

⑪寡和：曲高和寡意。指昆曲的观众稀少。

⑫绵丽沉雄：委婉清丽，深沉雄浑。此指昆曲的表演风格。

⑬心匠：独特的构思设计。

⑭“听巷陌千家赏兰人”句：指昆曲为广大普通的观众所接受。巷陌：街巷的通称。赏兰人：喻指昆曲观众。昆曲有“幽兰”之誉，故言。

⑮九畹芳馨：《楚辞·离骚》：“余既滋兰之九畹兮，又树蕙之百亩。”王逸注：“十二亩曰畹。”一说：田三十亩曰畹（见《说义》）。后以“九畹”作为兰花的典实。这里喻指昆曲。

⑯抛漾：抛弃。清洪昇《长生殿·哭像》之【叨叨令】：“说什么生生世世无抛漾，早不道半路里遭魔障。”

祝贺浙江省昆剧团成立暨《十五贯》首演三十周年[①]

一九八六年八月下旬

浙江省昆剧团以《十五贯》著誉海内外，复兴昆剧，功居其首。顷值建团及此剧初演三十周年纪念，赋诗为贺。并奉传瑛[②]、传淞[③]同志及诸老友同正。

桑红海碧[④]岁骎骎[⑤]，玉振金声[⑥]在武林[⑦]，
应记紫光阁中语，[⑧]至今长慰故人心。

注释：

① 据书迹影印件，全国政协京昆室编《中国昆曲精选剧目曲谱大成》第二卷（上海音乐出版社 2004 年版）。另有“时在一九八六年八月下旬，涤叟俞振飞年方八十有五”等款识。诗题系编者所加。

浙江昆剧团：成立于 1956 年，初名浙江昆苏剧团。由周传瑛、王传淞、朱国樑等在民间戏班“国风苏昆剧团”的基础上组建而成，是当时全国唯一的昆剧表演团体。以编演《十五贯》一剧而闻名全国，《人民日报》以《从“一出戏救活了一个剧种”谈起》为题发表社论。历年来编创、演出剧目有《西园记》、《风筝误》、《长生殿》、《浮沉记》等，以及《拾画叫画》、《题曲》、《界牌关》等折子戏。先后培养了“世”、“盛”、“秀”、“万”字辈四代演员，拥有汪世瑜、王世瑶、沈世华、王奉梅、林为林等优秀演艺人才。

《十五贯》：昆剧传统剧目。剧叙肉商尤葫芦借得本金十五贯，夤夜醉归。赌徒娄阿鼠图财杀尤，无锡知县过于执误将尤之养女苏戌娟及过路店伙熊友兰问成死罪。苏州知府况锺奉命监斩时发现疑点，乃深夜入辕，面见应天巡抚周忱，请准停刑重审。经亲赴现场勘查，并微服查访，取得罪证，抓住真凶，平反冤狱。1955 年冬，黄源、郑伯永、周传瑛、王传淞、朱国梁、陈静据朱素臣同名传奇（即《双熊梦》）整理改编，删去熊友蕙一线，突出况锺实事求是、为民请命精神以及深入民间、实地调查作风。演出后，轰动全国，各剧种多有移植。后摄制成影片，影响极广。

② 传瑛：即周传瑛（1912—1988）。昆曲表演艺术家。原名根荣，江苏苏州人。早年入昆剧传习所，先学旦，后改生。艺名传瑛，为新乐府、仙霓社主要演员。后加入国风苏剧团，改唱苏剧，兼任编剧、导演。中华人民共和国成立后任浙江苏昆剧团（后改浙江昆剧团）团长。擅演《长生殿》、《连环记》、《彩楼记》、《绣襦记》等。参加改编、导演昆剧《十五贯》，并在剧中扮演况锺一角，推动了当时的戏曲改革。著有《舞台生涯六十年》。

③ 传淞：即王传淞（1906—1987）。昆曲表演艺术家。原名森如，祖籍山东，生于江苏苏州。早年入昆剧传习所，初习生，后改副。艺名传淞，为新乐府、仙霓社主要演员。后加入国风苏剧团，改唱苏剧。中华人民共和国成立后任浙江苏昆剧团（后改浙江昆剧团）副团长。工冷二面，兼油二面和丑角。擅演《吃茶》、《狗洞》、《议剑献剑》、《借茶》、《活捉》等。曾参加改编、导演昆剧《十五贯》，并在剧中扮演娄阿鼠一角。著有《丑中美——王传淞谈艺录》。

④ 桑红海碧：即沧海桑田之意，喻指世事变迁。

⑤ 骎骎：马速行貌。这里比喻时间迅速消逝。

⑥ 玉振金声：又作“金声玉振”。以钟发声，以磬收韵，奏乐从始至终。比喻音韵响亮、和谐。《孟子·万章下》：“孔子之谓集大成。集大成也者，金声而玉振之也。金声也者，始条理也；玉振之也者，终条理也。始条理者，智之事也；终条理者，圣之事也。”

⑦ 武林：旧时杭州的别称，以武林山得名。

⑧ “应记紫光阁中语”句：1956 年 4 月，浙江昆苏剧团晋京演出《十五贯》，毛泽东主席等中央领导两度观看该剧，给予高度评价。5 月 17 日，文化部和中国戏剧家协会在中南海紫光阁联合举行“昆剧《十五贯》座谈

会”。首都文艺界二百馀人莅会，会议从上午 9 时持续到下午 3 时。周恩来总理全程参加会议，并作重要讲话。他指出：“昆曲受过长期的压抑，但是经过艺人们的努力奋斗，使得这株兰花更加芬芳了。”从此，昆曲有了“兰花”的雅誉。翌日，《人民日报》发表题为《从“一出戏救活了一个剧种”谈起》的社论，高度评价《十五贯》的艺术成就和现实意义：“昆曲《十五贯》的丰富的人民性、相当高的思想性和艺术性，是我国戏曲艺术中的优异成就。”社论出自田汉之笔。

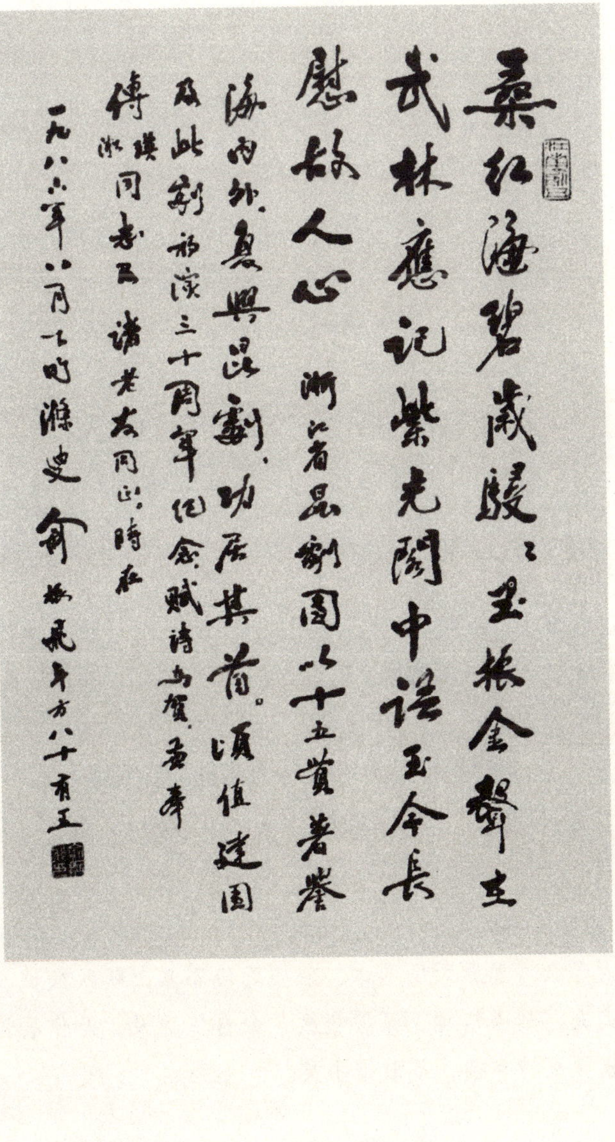

谨贺福建芳华越剧团建立四十周年并赠尹桂芳同志[①]

一九八六年十一月

(一)

福建芳华越剧团，创自尹桂芳同志之手，迄今已值四十周年，赋诗遥贺。桂芳同志艺精品高，迥异凡俦[②]。因以鄙见，连缀及之，以志心折[③]。

重睹芳华洗俗尘，辛勤不负劫馀人。
春秋四十匆匆过，闽海苍茫曙色新。

(二)

桂芳同志所演《宝玉哭灵》[④]，不用花腔，而人物感情曲曲传出，熨贴[⑤]精当[⑥]。其悱恻[⑦]动人之意，深蕴饱含于平淡中，足见真实功夫，近世所绝少也。

红楼昔见哭潇湘，平淡天然最擅场[⑧]。
正是丰神[⑨]称独绝，于无泪处断人肠。

(三)

曾有友人贻余《屈原》昆剧本，余亦忍俊不禁，跃跃欲试。嗣观桂芳同志所演三闾大夫，刻画传神，深厚极致，余自愧莫及，乃作罢论。犹如黄鹤楼头，已有崔颢题诗在前，不敢措手矣。[⑩]

词宗[11]万古楚灵均[12]，呵壁问天愤不伸。[13]
崔颢在前应俯首，题诗焉许后来人。

（四）

戏曲表演之身段动作，宁炼毋冗，宁洁毋滥，宁自然毋矫饰，宁朴实毋华靡。凡为高手，必于繁简浓淡间，斟酌审慎，以传神为指归[14]。否则浓盐赤酱[15]，难免书家所谓墨猪[16]之诮。尹派表演含而不露，动而不烦，斯乃深得剧艺真谛。愿以此旨，告之后学，俾芳华薪传[17]，绳绳[18]相继。

规折矩回[19]有正途，含光敛采[20]格清腴[21]。
偶然落笔《黄庭》[22]现，笑煞凡夫嗜墨猪。

注释：

① 据《芳华越剧团成立四十周年纪念特刊》，福建省芳华越剧团、《福建戏剧》编辑部 1987 年编印。李惠康《一代风流尹桂芳》（上海文艺出版社 1995 年版），题作《赠尹桂芳同志》。

芳华越剧团：1946 年，由越剧名家尹桂芳创建于上海。1959 年 1 月，支援内地建设，剧团迁往福建。“文革”中，被迫解散。1979 年 8 月，恢复建制。先后排演《沙漠王子》、《何文秀》、《浪荡子》、《信陵君》、《盘妻索妻》、《屈原》、《江姐》、《梅玉配》、《碧水赞》等剧目，影响至深。

尹桂芳（1919—2000）：越剧表演艺术家。浙江新昌人。十岁入嵊县（今嵊州市）小歌班学艺，初习旦角，后改小生。1946 年创建芳华越剧团。功底扎实，戏路较宽。表演以纯朴隽永、潇洒流畅见长，尤以眼神、靴子功、扇子功见长。唱腔深沉委婉，醇厚细腻，自成一派，世称“尹派”，因有“越剧皇帝”之誉。代表剧目有《陈琳与寇珠》、《义救孤儿记》、《宝玉与黛玉》、《屈原》、《拜月亭》、《秦楼月》、《红花村》、《西厢记》、《红楼梦》、《红色风暴》、《江姐》、《盘妻索妻》等，风靡日久，影响深远。弟子众多，有“十生九尹”之谓。历任芳华越剧团团长、上海黄浦区第一届政协副主席、中国剧协福建分会副主席等。有《尹桂芳的男腔选集》等行世。

② 迥异凡俦：与普通人完全不同。俦：伴侣，同辈。

③ 心折：折服，佩服。

④《宝玉哭灵》：越剧《红楼梦》之一折。剧叙贾宝玉悟悉自己已中“掉包计”，并闻知林黛玉长辞时，匆匆赶至潇湘馆中，哭悼芳魂，无限哀痛。

⑤ 熨贴：同“熨帖”。贴切，妥帖。

⑥ 精当：精确，恰当。

⑦ 悱恻：悲苦凄切。

⑧ 擅场：压倒全场；胜过众人。形容技艺高超。

⑨ 丰神：风貌神情。

⑩“犹如黄鹤楼头”等句：相传唐李白登黄鹤楼欲赋诗，读崔颢“昔人已乘黄鹤去，此地空余黄鹤楼……”诗后，为之倾服，罢笔而去。宋计有功《唐诗纪事》卷二十一于《黄鹤楼》诗下注曰：“世传太白云：‘眼前有景道不得，崔颢题诗在上头。’遂作《凤凰台》诗以较胜负，恐不然。”

⑪ 词宗：文学词章为众所宗仰的人；词坛泰斗。

⑫ 灵均：屈原字灵均。《楚辞·离骚》：“名余曰正则兮，字余曰灵均。”

⑬“呵壁问天愤不伸”句：指剧中《天问》一场。

⑭ 指归：主旨；意向。

⑮ 浓盐赤酱：也作“浓油赤酱”。指重油浓酱。明孙柚《琴心记·花朝举觞》：“汤水要像模样，一味浓盐赤酱。”一般指烹饪言，这里指戏曲表演中烦琐的身段动作。

⑯ 墨猪：书法术语。比喻字体笔画丰肥、臃肿而乏筋骨。因字如墨团，故名。东晋卫夫人《笔阵图》：“善笔力者多骨，不善笔力者多肉。多骨微肉者，谓之筋书；多肉微骨者，谓之墨猪。”

⑰ 薪传：传火于薪，前薪尽，火又传于后薪，辗转相传，火终不灭。比喻学术道业由师生递相传授。

⑱ 绳绳（mǐn mǐn）：众多貌；绵绵不绝貌。《诗·周南·螽斯》：“螽斯羽，薨薨兮。宜尔子孙，绳绳兮。”朱熹集传：“绳绳，不绝貌。”

⑲ 规折矩回：合乎规矩、法度。规、矩：校正圆形、方形的两种工具。

⑳ 含光敛采：含蕴光彩。意指表演含蓄。

㉑ 清腴：犹清美。

㉒《黄庭》：王羲之书写的《黄庭经》小楷法帖。这里喻指戏曲表演的基本规律。详见《八十自寿（组诗）》之三注⑥。

笠翁所作《风筝误》传奇，昆剧舞台至今流传，余亦曾演之，漫题一绝[①]

一九八六年十一月

新词十种[②]写霞笺[③]，此是兰溪[④]妙笔传。
我亦临场吟爨本[⑤]，风筝未误好姻缘。

注释：

① 据手迹影印件，唐吉慧编选、洪惟助编《俞振飞书信集》（台湾秀威资讯科技股份有限公司 2016 年版）。另有“丙寅秋暮，书奉十髮乡兄方家莞尔。涤叟俞振飞年方八十有五”等款识。诗题系编者所拟。

笠翁：即李渔（1611—1680）。浙江兰溪人，清初戏曲理论家、作家。本名仙侣，号天徒。后改名渔，字笠翁。又名笠鸿、谪凡，别署笠道人、湖上笠翁、觉世稗官、随庵主人、新亭樵客等。三十岁前，数度参加乡试，均遭落第，一度担任幕宾。后移家杭州，开设“芥子园”书铺。并以家姬组成家班，组织排演自撰新剧，周游各地，来往于达官贵人之间“打抽丰”。著有《闲情偶寄》，小说《合锦回文传》，短篇小说集《十二楼》、《无声戏》，诗文集《笠翁一家言》，辑印《芥子园画谱初集》、《资治新书》等。今人合编为《李渔全集》。

《风筝误》传奇：李渔所著传奇之一。剧叙书生韩琦仲题诗于风筝上，风筝落于詹家，二女淑娟和诗其上，其姐爱娟冒名约见。经过一番曲折后，琦仲与淑娟终于结为婚姻。剧中穿插诸多误会和巧合，故长期流传昆剧舞台。

“余亦曾演之”句：俞振飞曾多次演出该剧之《惊丑》、《前亲》、《后亲》诸折。

② 新词十种：李笠撰有传奇《奈何天》、《比目鱼》、《蜃中楼》、《怜香伴》、《慎鸾交》、《风筝误》、《凰求凤》、《巧团圆》、《玉搔头》、《意中缘》等十种，合称《笠翁十种曲》。

③ 霞笺：彩笺。《剪灯馀话·贾云华还魂记》：“娉便濡毫，展双鸾霞笺，次其韵，顷刻而成。”

④ 兰溪：李渔系浙江兰溪人。

⑤ “我亦临场吟爨本”句：喻指多次演出《风筝误》一剧。爨本：指《风筝误》演出剧本。

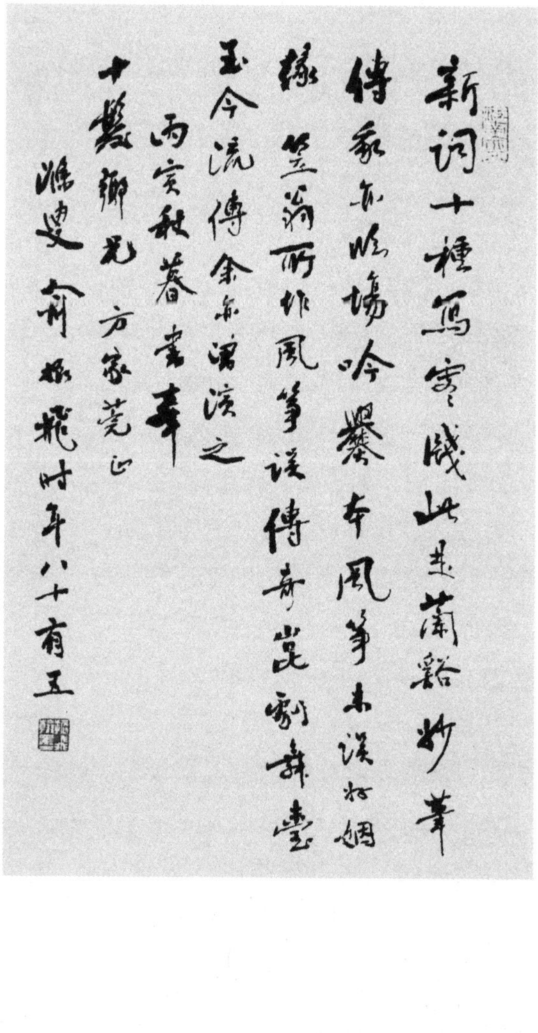

集句题豫园东部曲苑古戏台联[①]

一九八六年

天增岁月人增寿；[②]
云想衣裳花想容。[③]

注释：

① 据楹联石刻手迹。联题系编者所拟。

陈从周《谷音涧》(《随宜集》，同济大学出版社 1990 年版）载云："……我希望园林与昆曲两者互相依存，正在建造中的豫园古戏台将来就是'曲苑'，专门演昆剧，曲、园映辉。俞振飞先生在戏台上题'天增岁月人增寿；云想衣裳花想容'的对联。他说建成后的首次演出，他愿意唱打炮戏，重温一下青年时在苏州补园演出时的旧梦。老兴不浅，亦寿者之兆也。"

豫园：上海现存最大、最完整的古典园林。始建于明嘉靖三十八年至万历五年（1559—1577）。原系四川布政使潘允端为其父母而建，取义"豫悦老亲"（豫与愉同义），故名。有三穗堂、仰山堂、大假山、萃秀堂、亦舫、万花楼及点春堂、鱼乐榭等建筑。水面楼台，曲廊回环，虚实结合，集中体现明、清江南园林艺术风格。

东部曲苑：豫园东部景区荒废多年，1986 年始由陈从周主持修葺，恢复"寰中大快"等景点。同时增建"曲苑"，移建原闸北钱业会馆古戏台，并加建双层看廊，可容纳三百馀名观众，与园内原有还云楼连为一片，用于昆曲演出、清唱等活动。

古戏台：原位于闸北区塘沽路钱业会馆内，建于清光绪十九年（1892），天仙茶园伶人等曾登此戏楼献艺。1974 年，因市政改建工程需要，该戏楼被拆除，所有构件，保存完好。歇山顶，藻井呈穹窿状，中为一面圆形明镜，四周二十八只金鸟展翅欲飞。斗拱、额枋、台顶天花、雀替等处均饰以真金，极为华丽。且契合声学原理，被誉为“江南第一台”。

② “天增岁月人增寿”句：民间常用春联：“天增岁月人增寿；春满乾坤福满门。”该句借指昆曲悠久的历史。

③ “云想衣裳花想容”句：见唐李白《清平调词》三首之一：“云想衣裳花想容，春风拂槛露华浓。若非群玉山头见，会向瑶台月下逢”。该句借誉昆曲轻歌曼舞的表演特色。

家熙同志方撰《中国戏曲志·上海卷》，辄赠长歌以抒鄙怀[①]

一九八七年九月

北国王生津沽长，[②]南来讲肆[③]多玄赏[④]。
缀拾[⑤]丛残[⑥]勤补阙[⑦]，往往脱宝[⑧]出泉壤[⑨]。
广聚雄积成家珍[⑩]，众中历数[⑪]语清朗。
老人昂首天地春，相逢海上笑言[⑫]温。
说梦[⑬]殷殷分雅俗，忘年絮絮析京昆。
助我岁时[⑭]编纂乐，俨然文字芸笈[⑮]陈。
君今力撰词场纪[⑯]，菊部[⑰]沧桑穷靡已[⑱]。
其中人间泪与欢，墐户[⑲]见闻别憎喜。
正是百年众生相，悠悠不尽春江水[⑳]。
燃犀烛幽[㉑]兕[㉒]怪鸣，世态澜翻[㉓]入眼底。
歌衫舞扇[㉔]岂仅学风流，野史亭[㉕]中我重此。
此意从来几人知，春花如簇雨如丝。
为君作语非河汉[㉖]，君当伸眉[㉗]同一叹。

注释：

① 据王家熙所藏手迹原件。另有“一九八七年九月，自美利坚讲学归来题。涤叟俞振飞，时年八十有六”等款识。

家熙同志：即王家熙（1940—2014）。上海艺术研究所研究员。1979年起，为俞振飞担任艺术记录，整理、出版《俞振飞艺术论集》。1980年、1996年分别主持《京剧艺术讲座》系列广播节目十八期、《京剧艺术》电视系列片二十一集。收藏清末以来原版京剧唱片、剧照、书刊杂志宏富，精研京昆各流派艺术，尤其于荀慧生、马连良、金少山和杨宝森、张君秋、裘盛戎等流派有创见性阐释。著有《王家熙戏剧论集》。

《中国戏曲志·上海卷》：上海艺术研究所自1985年底起至1996年初，编纂的大型丛书。系国家艺术科研重点项目，同年12月出版。该书全面系统地整理、记录上海地区自元代开始的七百余年间的戏曲活动，涉及历史发展、剧种、音乐、表演、舞台美术等多方面。

长歌：篇幅较长的诗歌。鄙怀：谦称自己的心愿、心意。宋苏舜钦《舟中感怀寄馆中诸君》诗："作诗寄诸君，鄙怀实所望。"

② "北国王生津沽长"句：王家熙出生于天津。津沽：天津的别称。天津本名直沽，故称。

③ 讲肄（yì）：讲论肄习。《诗·小雅·甫田》"攸介攸止，烝我髦士"汉郑玄笺："闲暇则于庐舍及所止息之处，以道艺相讲肄，以进其为俊士之行。"孔颖达疏："相讲论而肄习其业。"王家熙求学于上海戏剧学院，故言。

④ 玄赏：对奥妙旨趣的欣赏。明陈子龙《萧山许寺作》诗："悟理尘网超，蕴真玄赏契。"

⑤ 缀拾：采集连缀。明张居正《重刊〈大明集礼〉序》："汇为《大明集礼》一书，盖编摩缀拾，虽出于一时诸臣之手，而斟酌损益，皆断自圣衷。"

⑥ 丛残：琐碎，零乱。亦指琐碎零乱的事物。汉牟融《理惑论》："众道丛残，凡有九十六种。"

⑦ 补阙：增补遗漏。阙：通"缺"，缺失。

⑧ 脱宝：发现宝藏。

⑨ 泉壤：犹泉下，地下。该句称誉王家熙所获见的研究心得。

⑩ 家珍：家中的珍贵物品。《韩诗外传》卷一："仲尼去鲁，送之不出鲁郊，赠之不与家珍。"

⑪ 历数：一个一个地举出来。

⑫ 笑言：谓又说又笑；边说边笑。这两句即言王家熙从事俞老的艺术整理的文字工作，彼此甚为契合。

⑬ 说梦：谈论梦中的事。引申为回忆旧事。

⑭ 岁时：一年；四季。

⑮ 芸笈：书籍的代称。又名芸编。芸：香草名。多年生草本植物，其下部为木质。叶互生，羽状深裂或全裂。夏季开黄花。花叶香气浓烈，可入药。置书页内，可以驱辟蠹虫，故藏书处称“芸台”。

⑯ 词场纪：指编辑《中国戏曲志·上海卷》一书。词场：犹文坛。这里指戏曲界。

⑰ 菊部：宋周密《齐东野语·菊花新曲破》：“思陵（宋高宗）朝，掖庭有菊夫人者，善歌舞，妙音律，为仙韶院之冠，宫中号为‘菊部头’”。后因以“菊部”为戏班或戏曲界的泛称。

⑱ 穷靡已：没有穷尽之意。

⑲ 墐（jìn）户：用泥涂塞门窗空隙。《诗·豳风·七月》：“穹室熏鼠，塞向墐户。”孔颖达疏：“墐户，明是用泥涂之，故以墐为涂也。”这里意同“陋室”。

⑳ 春江水：指上海的黄浦江。相传春秋时春申君开凿，故名。

㉑ 燃犀烛幽：比喻明察事物，洞察奸邪。燃犀：南朝宋刘敬叔《异苑》卷七：“晋温峤至牛渚矶，闻水底有音乐之声，水深不可测。传言下多怪物。乃燃犀角而照之。须臾，水族覆火，奇形异状。”后以“燃犀”为烛照水下鳞介之怪的典实。烛幽：明察事物隐微之处。

㉒ 兕（sì）：我国古代传说中类似犀牛的一种猛兽。

㉓ 澜翻：形容水势翻腾貌。

㉔ 歌衫舞扇：亦作“歌扇舞衫”。歌舞时所著服装及所用扇子，即指歌舞。也指擅长歌舞的人。

㉕ 野史亭：金朝诗人元好问所筑六角亭，其址在山西忻州。《金史·文艺传下·元好问》：“晚年尤以著作自任，以金源氏有天下，典章法度几及汉唐，国亡史作，已所当任。时金国实录在顺天张万户家，乃言于张，愿为撰述，既而为乐夔所沮而止。好问曰：‘不可令一代之迹泯而不传。’乃搆亭于家，著述其上，因名曰‘野史’……纂修《金史》，多本其所著云。”

㉖ 河汉：《庄子·逍遥游》：“肩吾问于连叔曰：‘吾闻言于接舆，大而无当，往而不返，吾惊怖其言，犹河汉而无极也。’”后因以“河汉”比喻言论夸诞迂阔，不切实际。转指不相信或忽视（某人的话）。

㉗ 伸眉：舒展眉头。形容意气昂扬的样子。汉司马迁《报任少卿书》：“乃欲仰首伸眉，论列是非，不亦轻朝廷羞当世之士耶？”

题重建豫园东部[①]

一九八八年二月

浦江西畔豫园中，七亩荒原改旧容。[②]
楼阁参差[③]灵隐[④]现，回廊屈曲[⑤]径幽通。
已传消息池波绿[⑥]，未报东君[⑦]春意红。
接笔洵为大手笔，[⑧]巧思恰似玉玲珑。[⑨]

注释：

① 据周道南辑《豫园新咏》（同济大学出版社 1989 年版）。原诗未署年月，俞振飞于 1988 年 2 月致周道南函云：“道南同志：《题豫园东部重建》七律一首已书就，希即来寓取去。……”因据以酌定为 1988 年 2 月。

② 作者自注：“豫园东部占地七亩，荒废百年，去岁由陈从周教授主持重建。”

③ 参差：高低错落貌。

④ 灵隐：指杭州西湖的灵隐寺。寺前有飞来峰、冷泉、龙泓洞等胜景，林木耸秀，高崖深穴，云烟万状。这里借喻豫园秀美的景色。

⑤ 屈曲：弯曲，曲折。此句化用唐常建《题破山寺后禅院》诗“曲径通幽处”诗意。

⑥ 池波绿：园外有建筑名“绿波廊”。

⑦ 东君：主管春天之神。

⑧ “接笔洵为大手笔”句：作者自注：“从周教授之《重建豫园东部

记》称：‘接笔之作，自惭续貂。’”接笔：书法术语，指笔画相接处的写法。字的结构中，左与右相接，上与下相接，必有一定位置，所谓“斗笋接缝”。因接处多用尖笔，故亦谓“尖接”。又视尖接笔画之多少、形势，分为“一尖接”、“两尖接”等。一尖接如“人”字等，二尖接如“门”等，三尖接如“支”字等，四尖接如“攵”等，五尖接如“欠”字等。这里指接续完成豫园东部建造工作。洵：诚然；实在。

⑨ “巧思恰似玉玲珑”句：作者自注：“玉玲珑乃镇园之宝，相传系宋徽宗所搜罗花石纲之一。石高丈馀，色泽青黝，朵云突兀，万窍灵通。据说古人曾以一炉香置石底，孔孔烟出；一盂水灌石顶，孔孔泉流。”清王孟洮《记玉玲珑石》：“石本浦东三林庄南园旧物。南园，故明储少参昱之别墅。少参归林下时，摩挲此石以自娱。尝以一炉香置石底，孔孔烟出；以一盂水灌石顶，孔孔泉流。玉玲珑之名，实非虚誉。少参女嫁恭定（按：即潘恩）子允亮（按：即潘允端之弟）。少参殁后，无嗣。允亮移石置己园，即豫园也。邑城离三林庄十馀里，复隔一浦。由乡移城，所费甚巨。及渡浦，中流风作，舟石俱沉。乃觅善泅者入水，以巨绠系石，牵曳至岸。……起岸嫌城门路迂，毁城垣以入，其后竟不修合。添辟一门，即今小南门也。明季乡绅之横，亦可想。”见胡祖德（云翘）所辑《胡氏杂钞》（1912年版）。

悼周传瑛同志[1]

一九八八年二月下旬

饮誉昆坛六十秋，承先启后著风流。[2]
新歌一曲《十五贯》，赢得清名万古留。[3]

注释：

① 据书迹影印件，《新民晚报》1988 年 3 月 24 日。另有“一九八八年二月下旬，俞振飞时年八十有七”诸款识。唐葆祥《俞振飞传》附录《俞振飞诗词选》（上海文艺出版社 1997 年版），亦收本诗，另有小序：“周传瑛同志乃昆剧‘传’字辈之代表，在昆剧危亡之际，他与王传淞等改编演出《十五贯》，大获成功。余与传瑛交游六十馀载，切磋艺术，坦诚相待，堪称契友。噩耗传来，悲痛不已。小诗一首，聊表悼念之情。”不知所据，兹录。

周传瑛：昆曲表演艺术家、教育家。1988 年 2 月 16 日，因患癌症，病逝于杭州。详见《祝贺浙江省昆剧团成立暨〈十五贯〉首演三十周年》注②。

② “饮誉昆坛六十秋，承先启后著风流”句：周传瑛自 1921 年入苏州昆剧传习所，从事昆曲演艺事业凡六十余载。唱腔苍劲有力，表演细腻准确，善于刻画人物，尤以巾生为工，有“‘三子’（褶子、翎子、扇子）唯传瑛”之誉。同时扶持先进，奖掖后学，殚精竭虑，建树尤多。历任浙江昆苏剧团团长、中国戏剧家协会浙江分会副主席、文化部振兴昆剧指导委员会副主任等。

③ “新歌一曲《十五贯》，赢得清名万古留”句：1956 年 1 月，改编本《十五贯》在杭州、上海试演，即获好评。4 月晋京，毛泽东、周恩来、刘少奇、朱德等党和国家领导人观看演出，给予高度评价。5 月 18 日《人民日报》以《从“一出戏救活了一个剧种”谈起》为题发表社论，轰动全国，各剧种多有移植。后由上海电影制片厂摄制成彩色影片，影响极广。昆曲因此得以复兴，主演周传瑛、王传淞亦列名《苏联大百科全书》。

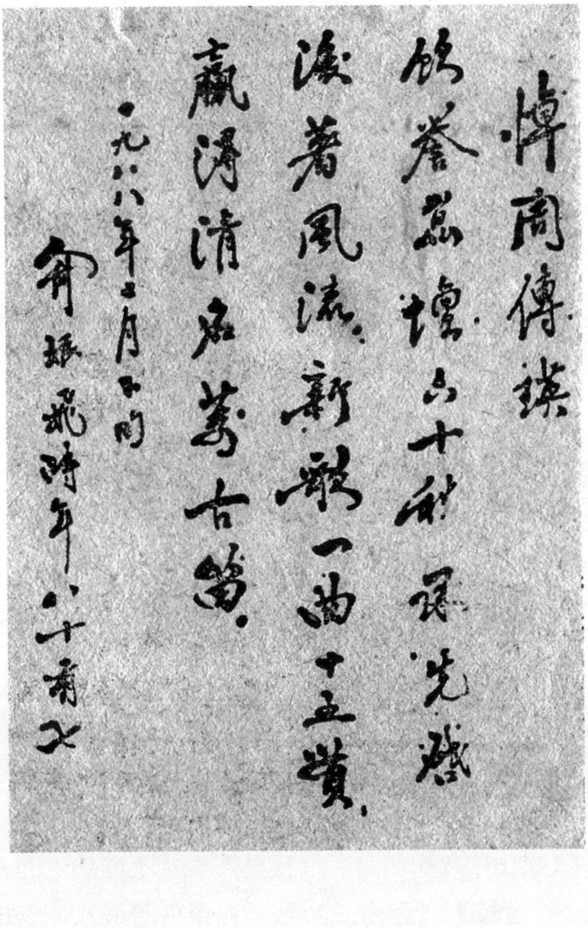

范瑞娟表演艺术研讨演唱会赋题[①]

一九八八年四月

李娃传奇[②]花屏[③]开，梁祝歌舞[④]动地哀。
范傅[⑤]声名香万里，馀音袅袅绕梁来。[⑥]

注释：

① 据傅骏《范瑞娟的晚年生活》,《上海戏剧》1997 年第 4 期（总第 169 期）。诗题系编者所拟。

范瑞娟（1924—2017）：女，越剧表演艺术家。浙江嵊县（今嵊州市）人。十一岁入龙凤舞台学艺，习小生。十三岁起在杭州、宁波农村演出，后到上海，与姚水娟、竺素娥、邢竹琴等人合作。1945 年参加雪声剧团，与袁雪芬一起从事越剧改革。1947 年与傅全香组织东山越艺社。1951 年加入华东戏曲研究院，任越剧实验剧团副团长，后转上海越剧院。唱腔淳朴宽厚，稳健大方，热情内敛，独树一帜，形成“范派”。并与琴师合作，首创“弦下调”。代表作有《梁山伯与祝英台》、《祥林嫂》、《不准出生的人》、《十年树木》、《踏伞》、《打金枝》、《金山战鼓》、《孔雀东南飞》、《李娃传》、《宝莲灯》、《西厢记》、《沈园绝唱》等。有《范瑞娟唱腔选集》、《范瑞娟表演艺术》等行世。

② 李娃传奇：即越剧《李娃传》，据唐白行简传奇小说《李娃传》改编。剧叙荥阳公之子郑元和与妓女李亚仙相爱，不容于家庭，几为其父鞭

死，并流落街头。幸得亚仙救护，登科授官，终成夫妇。

③ 花屏：有雕绘装饰的屏风。前蜀韦庄《上春词》："金楼美人花屏开，晨妆未罢车声催。"

④ 梁祝歌舞：即越剧《梁山伯与祝英台》。剧叙祝英台女扮男装与梁山伯同窗共读三年，感情深厚。乃托言为其妹作媒，自许山伯。因祝父另许婚配，英台坚拒不从，后双双化蝶。1953 年 10 月，摄制成新中国第一部彩色戏曲片，获第八届卡罗维·发利国际电影节音乐片奖、英国第九届爱丁堡国际电影节映出奖。

⑤ 范傅：指范瑞娟与其长期合作者傅全香。

傅全香（1923—），女，越剧表演艺术家。九岁入四季春科班学艺，习旦。十二岁起在杭州等地演出，与袁雪芬、马樟花、尹桂芳、徐玉兰等人合作。1947 年与范瑞娟组织东山越艺社，1951 年加入华东戏曲研究院，后转上海越剧院，主演《珍珠塔》、《情探》、《江姐》、《杜十娘》、《人比黄花瘦》等。彼此合作默契，先后排演《天涯梦》、《绿珠》诸剧。其中以《梁山伯与祝英台》、《孔雀东南飞》、《李娃传》等最负盛名。有《坎坷前面是美景——傅全香的艺术生涯》、《傅全香唱腔选集》等行世。

⑥ "馀音袅袅绕梁来"句：形容范派、傅派声腔优美，给人留下至深印象。《列子·汤问》："昔韩娥东之齐，匮粮，过雍门，鬻歌乞食。既去，而馀音绕梁欐，三日不绝。"

忆旧游·重游补园[①]

一九八八年十月

记狮林夕呗，虎阜霜钟，[②]往事如烟。卅六鸳鸯[③]梦，是人家池馆[④]，花树蓊然[⑤]。闲情[⑥]枉抛多少，都付笛中传。算粉墨[⑦]衣冠[⑧]，当场学步[⑨]，七十年前。　　深缘。我生也，正小巷幽居，夏木鸣蝉。[⑩]不作云间鹤，掬胥江江水，[⑪]润沃心田。几回海桑红碧，[⑫]长念五湖船[⑬]。幸拄杖重寻，曼陀罗[⑭]映霞满天。

注释：

① 据费三金《俞振飞传》(上海文化出版社 2011 年版)。

忆旧游：词牌名。双调一百零二字，上片十一句四平韵，下片十一句五平韵。

补园：清光绪三年(1877)，吴县盐商张履谦以六千五百两白银购得苏州东北街汪硕甫宅园，重加修葺，取名“补园”。主要建筑有卅六鸳鸯馆、十八曼陀罗花馆、拜文揖沈之斋、与谁同坐轩、留听阁、宜两亭等。现为拙政园一部分。俞粟庐应履谦之聘，担任西席，为之考证金石，鉴定书画，搜罗文史，教授子弟，凡三十馀年如一日，直至逝世。俞振飞幼年即在园中读书习曲。1988 年 10 月参加虎丘曲会之际，重游补园。感慨系之，因赋此词。

② “记狮林夕呗(bài)，虎阜霜钟”句：俞振飞生于苏州义巷，后迁居

西北街，再徙狮林寺巷。呗：诵经礼佛声。虎阜：即虎丘。原名海涌山，《越绝书》载：吴王阖闾葬于此，“筑三日而白虎踞上”，故名。

③ 卅六鸳鸯：即卅六鸳鸯馆。俞振飞幼年曾在此馆习曲。费三金《俞振飞传》载：“俞振飞尤其喜欢卅六鸳鸯馆上方的弧形‘卷棚顶’，说在这里唱曲特别‘笼音’，馀音袅袅，绕梁萦回。厅下有与故宫相仿的‘地龙’，冬日厅外生火，暖气源源不断，是古时的‘天然暖气’；加上地下留空，念白清唱渡水越空，缥缈不尽。厅四周的耳室，是曲家换妆的后台，可谓精致极了……”

④ 池馆：池园馆舍。

⑤ 蓊（wěng）然：草木茂盛的样子。卅六鸳鸯馆背面即是十八曼陀罗花馆，故言。

⑥ 闲情：闲适的情趣。

⑦ 粉墨：用粉墨化妆，喻指登场演戏。

⑧ 衣冠：古代士以上戴冠，衣冠连称，是古时士以上的服装。这里借指演出服饰，暗用“优孟衣冠”典实。楚相孙叔敖死后，其子贫困。优孟着孙叔敖衣冠，模仿其神态，为楚庄王寿。庄王大惊，以为复生，欲以为相。优孟遂讽谏。庄王召其子，封之寝丘。见《史记・滑稽列传》。

⑨ 学步：《庄子・秋水》：“且子独不闻夫寿陵余子之学行于邯郸？未得国能，又失其故行矣，直匍匐而归耳。”成玄英疏：“寿陵，燕之邑；邯郸，赵之都。弱龄未壮，谓之余子，赵都之地，其俗能行，故燕国少年原来学步。”按《汉书・叙传上》引《庄子》，“学行”作“学步”。后用以比喻模仿别人不成，反而丧失固有的技能。这里则指研习昆曲。

⑩ “我生也，正小巷幽居，夏木鸣蝉”句：清光绪壬寅六月初十一日，即公元 1902 年 7 月 15 日，俞振飞出生于苏州范庄前义巷。时值盛夏，故言。费著作“夏木蝉鸣”，依据格律当押韵，故径改作“夏木鸣蝉”。

⑪ “不作云间鹤，掏胥江江水”句：俞振飞祖籍江苏娄县（今上海松江），出生并生长于苏州，故言。云间鹤：指陈继儒（1558—1639）。明代文学家、书画家。字仲醇，号眉公、麋公。华亭（今上海松江）人。自命隐士，居小昆山，而又周旋于官绅间，时人颇有讥评。清蒋士铨所著传奇《临川梦・隐奸》一折出场诗云：“妆点山林大架子，附庸风雅小名家。终南捷径无心走，处士虚声尽力夸。獭祭诗书充著作，蝇营钟鼎润烟霞。翩然一只云

间鹤，飞去飞来宰相衙。”即为刺陈之作。云间：古华亭、松江府的别称。因西晋文学家陆云（字士龙），家在华亭。赴京遇见洛阳名士荀鸣鹤，各称“日下荀鸣鹤”、“云间陆士龙”。因而得名。见南朝宋刘义庆《世说新语·排调》。这里借指上海。胥江：相传系伍子胥辅佐吴王阖闾时所开凿，因以得名。这里借指苏州。

⑫ “几回海桑红碧”句：指世事变化，意同“沧桑”。费著为“几回海桑碧红”，依律应为“仄平仄平（或仄）平仄”，故径改作“几回海桑红碧”。

⑬ 五湖船：春秋末越国大夫范蠡，辅佐越王勾践，灭亡吴国，功成身退，乘轻舟以隐五湖。见《国语·越语下》。

⑭ 曼陀罗：梵语音译。意译作悦意花，即曼陀罗花。原产印度。花朵略似百合，夜开昼合，其香淡雅；结蒴果，表面多刺；全株有毒，花、叶、种子均可入药。补园植有曼陀罗花多棵，建有十八曼陀罗花馆。

陈伯华同志舞台生活六十周年纪念联[1]

一九八八年冬

旦角创新推古瑁[2]；
复兴汉曲[3]赖陈腔[4]。

注释：

① 据书迹影印件，《陈伯华表演艺术文集》（中国戏剧出版社 2001 年版）。另有“一九八八年冬季，书祝陈伯华同志舞台生活六十周年纪念。涤翁俞振飞时年八十又七”诸款识。联题系编者所拟。

陈伯华：汉剧表演艺术家。详见《思佳客·赠别陈伯华同志赴港演出》注①。

② 古瑁：指京剧表演艺术家、教育家王瑶卿（1881—1954）。名瑞臻，字穉庭。其书斋名“古瑁轩”。原籍江苏淮阴，生于北京。初演青衣，后兼演刀马旦。长期在北京演出。曾融会青衣、花旦、刀马旦的表演艺术，形成花衫一行。又以善创新腔著称，对京剧旦角艺术有所发展。中年以后致力授徒，弟子众多，程砚秋等人皆出其门下，因被尊奉为“通天教主”。

③ 汉曲：指汉剧。详见《思佳客·赠别陈伯华同志赴港演出》注⑧。

④ 陈腔：指陈伯华所创的流派。在长期演出实践中，熔铸汉剧正旦（青衣、闺门旦）与贴旦（花旦、娃娃旦）诸行于一炉，在继承传统剧目《祭

江》、《祭塔》的［反二黄］和《重台》、《断桥》的［慢西皮］基础上，丰富了乐曲，美化了旋律。

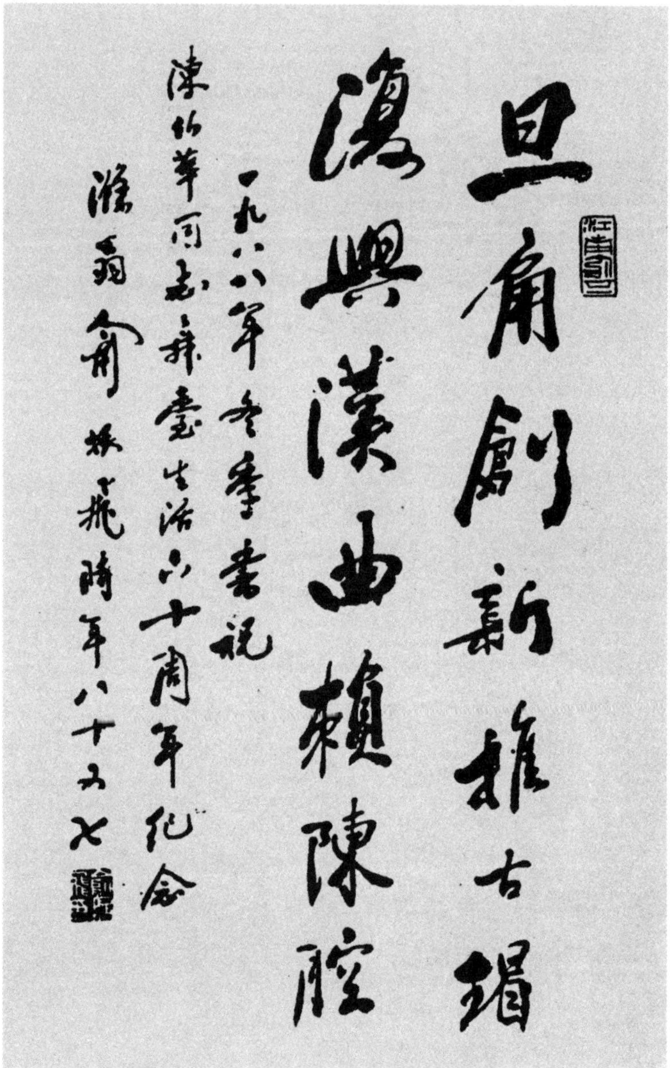

张云霞表演艺术研讨会贺联[①]

一九八八年冬

学流派，创流派，自成一派；
演人生，唱人生，示范后生。

注释：

① 据书迹影印件，李惠康、蓝凡《张云霞表演艺术》（学林出版社 1990 年版）。另有“一九八八年冬月，书贺张云霞表演艺术研讨会圆满成功。涤盦居士俞振飞，时年八十又七”诸款识。联题系编者所拟。

张云霞（1926—2004）：女，越剧表演艺术家。原名陶涤民，祖籍杭州。童年习京剧老生，后改习越剧，曾参加雪声剧团后、东山越艺社、少壮越剧团、芳华越剧团、上海实验越剧团等，“文革”后任上海市卢湾越剧团团长。运用真假嗓结合发声，唱腔脱胎于“袁（雪芬）派”，兼蓄“傅（全香）派”，并师从昆曲“传字辈”艺人方传芸。行腔清丽委婉，华彩多姿，形成“张派”。代表剧目有《李翠英》、《春草闯堂》、《貂蝉》、《辕门斩女》、《孟丽君》、《碧玉簪》、《秦香莲》，以及《游龙飞凤》、《金殿让子》、《相思曲》等。

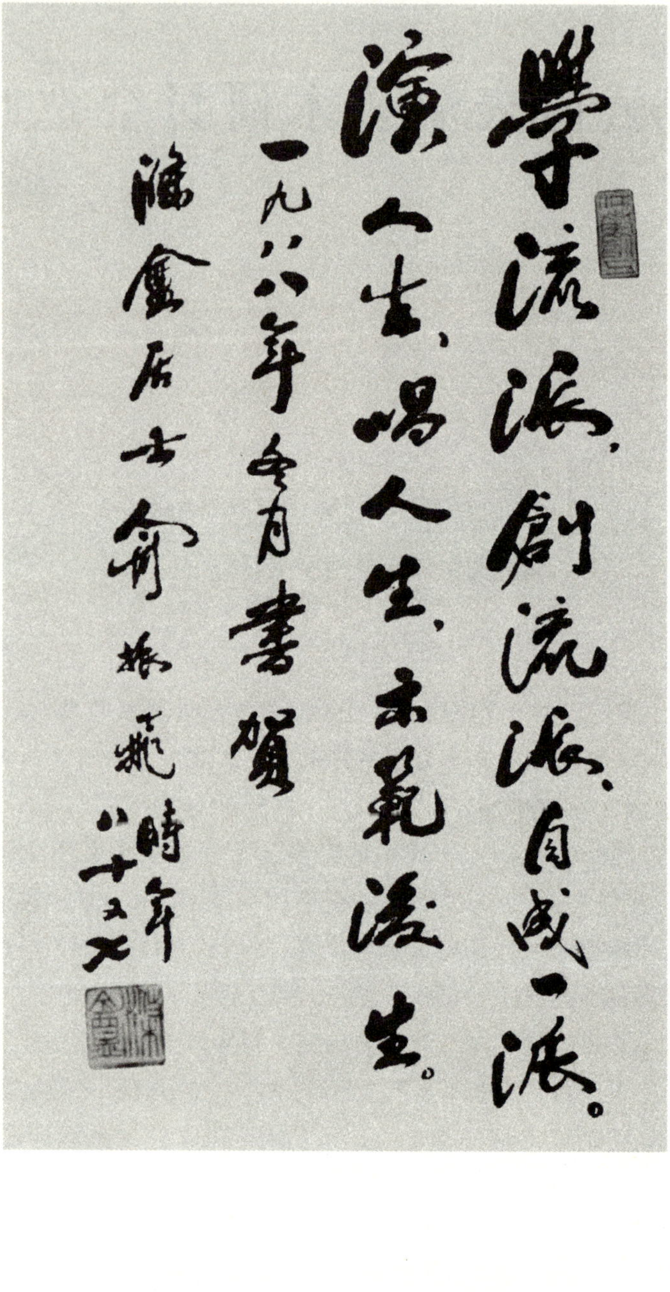
學流派、創流派、自成一派。
一九八八年冬月書贈
俞振飛 時年八十又七

敬挽徐炎之联[1]

一九八九年四月

顾曲[2]君应推独步[3]；
老怀我惭感孤行。

注释：

① 据书迹影印件，《水磨曲集——纪念昆曲大师两岸巡演》特刊（台北水磨曲集剧团 2001 年版）。另有“炎之老兄冥鉴”、“涤叟俞振飞拜挽”等款识。联题系编者所拟。

徐炎之（1898—1989）：业馀昆曲唱家。名涛，字炎之，浙江金华人。幼从母舅习曲，工冠生，兼擅巾生。演唱清雅恬静，行腔朴实工稳，讲究出声收音。1948 年赴台湾后，偕夫人张善芗积极提倡昆曲，努力培养新生力量。先后在台湾大学、东吴大学、政治大学、中国文化学院等十馀所院校授曲及身段，风雨无阻，不遗馀力。又擅擫笛，有“笛王”之誉。弥留之际，仅言“见娘、乔醋、寄子”六字，皆昆曲剧目。著有《张善芗昆曲身段谱》（稿本）。

② 顾曲：《三国志·吴书·周瑜传》：“瑜少精意于音乐，虽三爵之后，其有阙误，瑜必知之，知之必顾。故时人谣曰：‘曲有误，周郎顾。’”这里指研习昆曲。

③ 独步：独一无二，超群出众。三国魏曹植《与杨祖德书》：“昔仲尼独步于汉南，孔璋鹰扬于河朔。”

顧曲君應推獨步
美之老兄冥鑒
老懷我慙感孤行
瀛翁俞振飛拜挽

痛悼俞琳同志[①]

一九八九年四月

万物有衰歇[②]，悲君去太匆。[③]
蕙兰思雨露，[④]桃李泣东风。[⑤]
一曲周郎顾，重泉[⑥]遗爱[⑦]浓。
惘然倚杖[⑧]望，泪洒落花中。

注释：

① 据俞振飞《辛勤艺苑护幽兰——怀念俞琳同志》，《戏曲艺术》1989 年第 3 期。

俞琳（1926—1989）：戏曲研究家、戏曲教育家，曾任中国戏曲学院院长、文化部艺术局副局长、中国昆曲研究会副会长等职。原名俞允麟，祖籍安徽婺源（今属江西）。1956 年入中国戏曲研究院工作，先后组织并参加《中国戏曲通史》、《中国大百科全书·戏曲卷》的编纂工作。担任中国艺术研究院戏曲研究所副所长、研究生班班主任等行政工作期间，为培养戏曲研究及表演的后继人才尽心尽力。

② 衰歇：衰落；止息。

③ “悲君去太匆”句：1989 年 3 月 13 日上午，俞琳协调解决上课教室问题，下午为数班学生讲授大课，晚上接待来访者商谈工作事宜，夜 11 点尚在安排学生演出剧目。不想半个小时后，突发心肌梗塞，因抢救无效，于 14 日 0 时 20 分溘然逝世，终年六十三岁。

④ “蕙兰思雨露”句：喻指俞琳大力扶持昆曲艺术。他在协助张庚、郭汉成编写《中国戏曲通史》时，撰写了《昆山腔传奇作家作品概述》、《明清杂剧创作概述》等章节。任文化部振兴昆剧指导委员会常务副主任时，主持对昆剧实行特殊保护政策的文件起草工作。同时力促在苏、杭、京分别举办两期昆剧培训班，各团中青年演员共抢救学习了一百多出优秀传统折子戏，并进京集中汇演，成效卓著，故言。下句“一曲周郎顾”亦是此意。

⑤ “桃李泣东风”句：指俞琳自 1986 年 8 月担任中国戏曲学院院长以来，全身心力专注于戏曲艺术教育事业，贡献良多。如进行组织机构和干部配备调整，主持职称评定工作，使戏曲教育界第一次有了教授。同时，创办京剧青年演员专修班等。

⑥ 重泉：犹九泉。旧指死者所归。宋苏轼《祭单君贶文》：“云何不吊，衔痛重泉。”

⑦ 遗爱：指有古人高尚德行、被人敬爱的人。《左传・昭公二十年》：“及子产卒，仲尼闻之，出涕曰：‘古之遗爱也。’”杜预注：“子产见爱，有古人之遗风。”后亦谓“仁爱”遗留于后世。该句本此义。

⑧ 倚杖：拄着手杖。唐王维《辋川闲居赠裴秀才迪》诗：“倚杖柴门外，临风听暮蝉。”

为陈朝红所著《春夏在西欧》题联[①]

一九九零年一月

送京剧去西欧；
传见闻回祖国。

注释：

① 据书迹影印件，陈朝红《春夏在西欧——一个京剧女演员的演出手记》(学林出版社 1990 年版)。该联未署年月，经询诸陈朝红本人，知撰于 1990 年 1 月。联题系编者所拟。

陈朝红（1946— ）：京剧旦角演员。十五岁进上海京剧院学馆学艺，师从李玉茹，并得到吴富琴、杨畹农、魏莲芳、黄桂秋、童芷苓诸名师指点。工青衣、花旦、刀马，兼学程、荀、梅、张诸派，主演《杨门女将》、《秦香莲》、《玉堂春》、《红娘》、《四郎探母》、《望江亭》、《红灯记》、《曹操与杨修》等剧。曾获 1978 年上海市青年演员会演一等奖。演出之余，勤于写作，在各类报刊发表散文作品。1986 年创作大型京剧剧本《回春曲》，发表于《新剧作》杂志，并由潍坊京剧团上演，颇受好评。

1987 年 3 月至 6 月，陈朝红随上海京剧院赴联邦德国、奥地利和瑞士三国演出，行程十万里，访问五十个城市，历时一百日。归来写成《春夏在西欧——一个京剧女演员的演出手记》一稿，叙述演出感受和途中见闻，近十六万字。

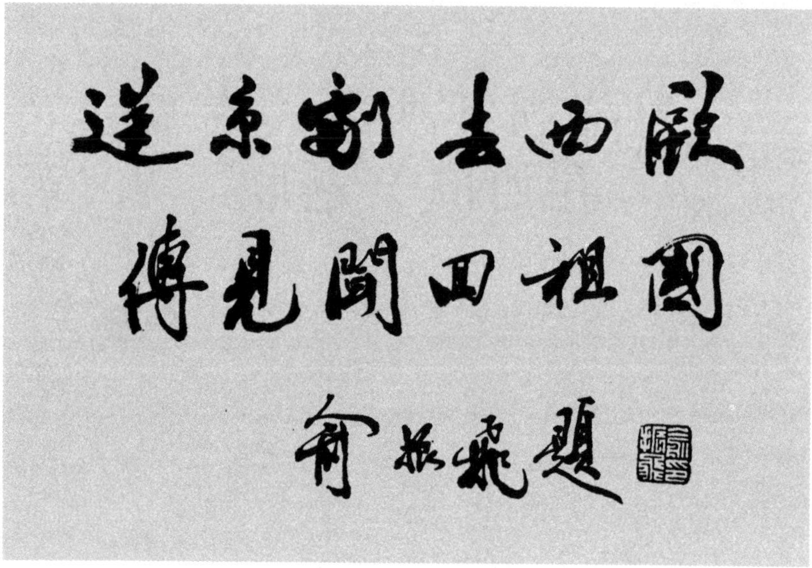

附　录

寿　楼　春[1]

徐树铮

一九二四年三月

春夜，偕叔明携儿子审交，同集徐凌云宅。座客徐静仁、俞振飞、项远村馨吾兄弟、李旭堂、徐念萱，皆曲坛巨子。乐工数人，间次以坐。当歌对酒，万情酣适。俯仰宇宙，诚不知何者可哀，何者可欣？彼牛栏马皂中，鸡虫得失，更复何预吾事！主人藏酿至美，客多健饮。余虽禁杯数岁，引满亦豪。因请以酒兴曲，互角胜负。于是负者举醽，胜者抗喉。争唱迭和，乐而忘醉。夜漏三下，始勉抑余兴，坚订后约而罢。十年来朝野辛苦，尘俗满胸。今乃得此雅集，不可不有咏以为之记。适主人出先德棣山公画册索题，遂填此解，书而归之。册作草虫花鸟，设色极工。成于甲子秋，是为同治三年，今恰周甲也。甲子二月树铮识。

临江城闻笳。正东风燕子，身是天涯。肯负侵宵清吹，泛瓯流霞。云未敛，轻阴遮。怅故园、春寒迟花。趁素女凝弦，金槽按板，飞恨寄龙沙。　　宫商换，星蟾斜。倚钗鸾瘦笛，蕃马哀琶。细认秋檐纤绢，雨沈墙蜗。增怨抑，追芳华。度暗愁、江南无家。笑阑角铜丸，风流谩夸腰鼓挝。

【注】① 据搜韵——诗词门户网站，http://sou-yun.com/index.aspx。

程砚秋、俞振飞来沪公演贺联[①]

周今觉

一九三五年十二月

玉振珠联，愿天下同命鸟、断肠花，絮果兰因，终成眷属；
霜飞月满，把人间忧离别、怨憎惧，春愁秋恨，写入弦歌。

【注】① 据程永江《程砚秋史事长编（下）》（北京市政协文史资料委员会编，北京出版社 2000 年版）。上下联同时嵌入“玉霜”、“振飞”二位名字。

《奇双会》，砚秋此戏与俞振飞合演，可谓空前[①]

佟孚慧 佟晶心

一九三九年一月

李门骨肉走天涯，会演奇双各异家。
婢侍红颜真薄命，继妻水性似杨花。
男装女扮翻成假，阴错阳差恰可嗟。
多谢内衙能解事，夫君端合帽乌纱。

【注】① 据《立言画刊》第十七期（1939 年 1 月 21 日出版）。

赠俞振飞曲家[①]

张舜九

一九四一年五月

现代曲家俞振飞隶籍苏州，现年三十九岁，家学渊源，世家子也。其尊公俞粟庐先生为南中昆曲名家，宗法清康熙昆腔前辈叶蔚庭讳堂先生一派。叶曾自题其书斋曰“纳书楹”，后著曲谱一部，即采其斋名，曰《纳书楹曲谱》。讲究阴阳四声及反切变音最为精细，非用苦工细心考究穷其妙，决不能生色，可知昆剧之难，固不仅词句典丽而已。振飞性慧，通翰墨，对于昆曲，幼年曾经其尊公指授，根底甚深，有“江南俞五”之徽号，盖可见其造诣之深矣。举凡小生戏如《琴挑》潘必正、《游园》柳梦梅、《奇双会》赵宠等剧，皆其杰作。后以昆剧曲高和寡，不为时流所重，乃兼习皮黄。曾从故老伶蒋砚香习文武小生，以求深造。二十九岁游北京，拜小生名宿程继先为师。继先为程大老板长庚之孙，文武昆乱无不精通，身段台步落落大方，现代小生中硕果仅存之一人也。振飞今从其问业，努力不辍，将来继程伶之衣钵，执小生泰斗之牛耳，必能一展其才。名师高足，诚不虚传。事变前在程砚秋之秋声社，与砚秋配演新剧，堪称珠联璧合。 历至长沙、重庆、济南、上海诸外埠奏技，备受顾曲者之赏识。盖其才质之颖异，万非俗伶所可企及。自脱离程剧团后，颇厌倦梨园生活，甚鲜与人合作。仅去岁一度随坤伶新艳秋赴上海，应更新之聘南下奏技，一时轰动沪滨仕女，咸称其艺术造诣之精深，在现代小生中实不多睹，今与新伶合作真有红花绿叶相映生辉之妙。近在京与昆曲名宿韩世昌、白云生诸人组织昆曲研究会，志在提倡雅曲，造就真才，俾免失传。振飞任此，定克展其抱负，爰为此记，并附俚句，照录如下：

江南俞五早知名，磊落奇才秉性纯。
散财堪媲古君子，家学渊源信有征。
氍毹现法好风光，养性何期气宇昂。
阳春白雪知音少，菊部咸钦谱霓裳。

程门立雪几星霜，欲求深造习皮黄。
肝胆相照真知己，沧桑阅尽话兴亡。
海上归来声名噪，牡丹还须绿叶参。[②]
最是伤心折馥桂，[③]知命何愁不弄璋。

【注】① 据《立言画刊》第一四零期（1941 年 5 月 31 日出版）。题为《九畹室主谈剧——记俞振飞曲家》。

② 作者自注："指与坤伶新艳秋合作。"编者按："参"字不协韵，原著如此。待考。

③ 作者自注："振飞有一子，年十五矣，不幸今春病亡，惜哉。"

大圣乐·四月十七夜，俞五振飞雅集惜阴堂，强余继声。因学《长生殿·小宴》折"天淡云闲"四字，殊不能工[①]

赵尊岳

芳约扶花，梦云凝碧，画楼深处。更隔帘、轻簌梁尘，醉薄夜遥，清课乍翻新谱。记曲九宫银屏畔，问谁省、春莺弦上语。馀寒侧度。依约凤箫，伶俜金缕。　　妆浓镜边自觑。早一片黄昏花欲妒。费帕罗消泪，篝香愁坐，闲情多许。彩笔倦题清商怨，剩百折、回肠堪诉与。鸾笙倚，许著我、瑶台仙侣。

【注】① 据搜韵——诗词门户网站，http://sou-yun.com/index.aspx。写作时间不详，待考。

永遇乐·拙政园盛会[①]

宋　词

一九五六年秋

秋雨新晴，艳阳天气，南北昆伶与姑苏文坛曲苑士女，盛会于拙政园，游园联欢。湖山增色，名园添彩；钗光玉影，笙歌笑语。诸“传”谈艺于枇杷园，俞五论曲于卅六鸳鸯馆，白云生与锡、越名伶说戏，徐凌云与评弹名家话旧。时余新婚，兰也在苏州演出，是日同游。锦瑟年华，欢乐时光。一九五六年秋。

南北昆伶，风流人物，姑苏盛会。时值三秋，蟹肥鲈鲜，处处飘香桂。名园生色，游人争看，卅六鸳鸯惊起。听那边、娇声笑语，来了红妆队队。　　山亭水榭，月窗曲径，盛会今朝当记。琵琶声中，笙歌喧处，花里人如醉。还陪诸传，倾杯赌酒，席畔谈歌论艺。正年少、流连醉赏，一时豪气。

念奴娇·江南俞五[②]

宋　词

一九五六年九月

江南俞五，逢盛世、开镜重涂粉墨。香岛归来，花甲过、依旧英姿秀绝。一曲高歌，长空鹤唳，顿觉笛声裂。自然潇洒，书生名士本色。　　且看马嵬坡前，帝王肠断处，几番悲哭。梦里春情，一时间、神护花眠柳宿。最是风流，谪仙李学士，淋漓醉写。声名又振，弦歌重起吴越。[③]

【注】① 据搜韵——诗词门户网站，http://sou-yun.com/index.aspx。

② 《上海戏剧》1980年第3期（1980年6月28日出版）。另有说明云："这首词，是一九五六年秋苏州举行昆曲会演时所写。十年浩劫中，幸得保存。今逢俞振飞同志舞台生活六十年纪念演出，将这首旧词奉献，以表祝贺。一九八〇、四、廿 南京。"

③ 作者原注："京昆艺术大师俞振飞，生于昆曲世家。父粟庐先生为度曲名家，著有《粟庐曲谱》。俞六岁从父习曲，后师沈锡卿、沈月泉，又拜京剧小生泰斗程继先门下。兼唱京昆，长期与梅兰芳、程砚秋合作。俞天赋嗓音，天生秀色，擅长书画，能诗词，以书卷气著称。虽年过花甲，颜未老，鬓尚青，粉墨登场，依然丰姿秀绝，英俊神逸。不久前从香港归来，参加苏州昆剧会演，演出《惊变·埋玉》、《琴挑》、《跪池》、《太白醉写》等戏。俞为昆坛领袖，诸'传'配合，犹如众星捧月。"

续观剧竹枝词[①]

李释戡

一九五六年十一月

韩白[②]齐名出水磨，赵吴[③]遗韵得偏多。
江南俞五[④]今公瑾，城北徐君[⑤]老伏波。

婀娜琴挑莽夜巡，刺梁弱质胆轮囷。
谪仙沉醉东风笔，自写昭阳殿里人。[⑥]

观剧竹枝词[⑦]

李释戡

一九五七年十二月

百花点将久无声，受吐湖楼剧有情。
旧管新收皆可喜，成蹊桃李见经营。[⑧]

【注】①⑦ 据吴新雷《李释戡有关昆剧的竹枝词》,《田笙集》第二辑，上海田笙昆曲研习会 2000 年 6 月编印。原载《苏堂诗拾》，油印本。其中部分诗稿曾刊于《新民晚报》1956 年 12 月 8 日，题作《长江剧场观剧》(竹枝词)，署名“蔬畦”。

② 作者自注：“君青、云生”。

③ 作者自注：“子敬、瞿安”。

④ 作者自注：“振飞”。

⑤ 作者自注：“凌云”。

⑥ 作者自注：“《琴挑》、《夜巡》、《刺梁》、《醉写》、《惊鸿记》、《贩马记》诸剧，振飞恒与其夫人黄蔓耘合演。”

⑧ 作者自注：“俞振飞、言慧珠率戏校诸生合演《赠剑》、《花魁》诸剧。”

寅恪翁寄示听赣剧二绝句，适于广播中闻俞振飞、言慧珠歌《游园惊梦》，感成二章[①]

龙榆生

一九五九年

话到还魂意惘然，堂前玉茗渺飞烟。
不将灵秀钟男子，寂寞人间三百年。

闭门觅句亦何忧，忽听寒泉绕屋流。
流到床前仍有语，未须咄咄且休休。

【注】① 据龙榆生《葵倾室吟稿》,《忍寒诗词歌词集》(复旦大学出版社 2012 年版)。

昆曲世家俞振飞[①]

陆陇梅

一九七零年十月

风流罪过李三郎，对酒悲歌一引吭。
何限世间埋玉恨，雨霖铃曲断人肠。

俞振飞得父粟庐衣钵，为昆曲世家。工演《醉写》、《埋玉》等折，风流儒雅，兼而有之。粥艺后迎合台下，时或过火，风斯下矣。

【注】① 据《诗书合璧·顾曲杂忆》(沈宽编，文汇出版社 2014 年版)。

红毹纪梦诗注·补遗[①]

张伯驹

一九七四年

两世相传唱懊侬，名高沪渎继流风。
演来曾看《渔家乐》，韵用中州是正宗。

俞振飞两世皆善昆曲，在上海夙有名。戏曲百花齐放时，倡昆曲南北皆成立昆曲院。北昆、南昆于上海合演，余曾往观。俞振飞演《渔家乐》，唱念皆用中州韵，乃其家传，洵为昆曲正宗也。

【注】① 据张伯驹《红毹纪梦诗注》(香港中华书局 1978 年版)。

沪上逢俞振飞[1]

吴白匋

一九七六年

与子十年别，江南重看花。
春衫裁白纻，日色散霜华。
鹊报朝朝聒，莺歌处处赊。
应怜双耳聩，端坐听笙琶。

【注】① 据《吴白匋诗词集》（南京大学出版社 2000 年版）。

看戏杂咏·金玉奴[1]

高 唐

一九七九年一月

俞振飞扮莫稽，刻划穷秀才的那般酸劲，真是一绝。他是程继先的学生。“文化大革命”前，他领导上海戏曲学校，出了一批又一批的昆剧人材，都是他的门墙桃李。

眼前莫惜龟年老，刻划穷酸谁似君？
不向程门数流派，南昆领出几营军。

消暑词（八首之五）[2]

高 唐

一九七九年夏

见面真同借债难，诸兄忙甚我长闲。
偶逢赖有荧屏在，俞五唐云与阿丹。

在电视里有时能见到经年碰不到的许多老友，足慰相思之苦。作诗为了要调节声韵，这里只能举振飞、唐云、赵丹三位老兄而已。

【注】① 据《艺术世界》1979 年第一辑（创刊号），上海文艺出版社 1979 年 7 月出版。
② 据《香港〈文汇报〉创刊三十周年纪念集》，香港文汇报社 1978 年 9 月出版。

预贺俞振飞先生舞台生活六十周年[1]

周传瑛

一九七九年十月

江南独步卉中王，曲海歌坛几慨慷。
甲子欣逢九畹好，从容朱墨赋春光。

【注】① 据书作原件，现藏上海图书馆。

词二首[1]

李宝森

一九八零年二月

庚申二月，振飞、蕾华伉俪时新婚，复值文艺界为振老举办演剧生活六十年纪念盛会，献词以贺。

鹊桥仙

神仙眷属，承平歌管，重现红氍毹上。万人观赏共轩眉，远胜却、玉堂金榜。　　舞台周甲，群英寰宇，盛会一时无两。耄龄今日庆弹冠，难得是、风清月朗。

浣溪沙

学士风流笔一支，写兰喜气溢屏帷。画眉深浅信相宜。　　继往开来传绝艺，创新扬旧报明时。愿君长葆少年姿。

【注】① 据《戏剧界》1981年四月号（总第14期），安徽《戏剧界》杂志社1981年4月5日出版。

满庭芳·祝贺俞振飞同志演剧生活六十年[1]

李沥青

一九八零年四月

一代师承，俞家绝唱，俯仰群马皆空。沉香亭北，更有牡丹红。霓裳羽衣犹在，果然是梅柳音容。人说道：诗狂酒渴，潇洒与仙同。[②] 匆匆六十载，手挥弦管，目送归鸿。[③]算申江雅集，赢得殊荣。“四化”密锣紧鼓，有多少粉墨英雄。春未老，铜琶铁板，高唱大江东！

【注】① 据《解放日报》，1980 年 4 月 14 日。

② 俞振飞在《太白醉写》、《惊梦》中，扮演李白、柳梦梅，神态活现。“沉香”、“霓裳”、“诗狂酒渴”，均出自《醉写》；“牡丹”，暗指《牡丹亭》，“梅柳”者，《牡丹亭·游园惊梦》之柳梦梅也。

③ 贺铸《六州歌头》有“手寄七弦桐，目送归鸿”之句。

俞振飞先生舞台生活六十周年贺联[①]

朱家溍

一九八零年春

金丹拟驻千年貌；
玉醴还分万寿觞。

【注】① 据朱家溍《我所熟悉的俞振飞先生》，香港《大公报》1980 年 4 月 18 日。联语分别集自唐韦应物（一说张萧远）《送宫人入道》、张说《舞马千秋万岁乐府词三首》诗。

浣溪沙·奉题振飞先生所编曲谱并祝八十寿[①]

叶圣陶

一九八零年冬

鸣鹤相和后转妍，一丝袅曳几回旋。怀庭余韵快流传。 以爱闻歌成夙好，还欣度曲有新编。南天星朗八旬年。

【注】① 据《振飞曲谱》，上海文艺出版社 1981 年版。编者按：此词实系俞平伯代撰。详见江沛毅《俞平伯代叶圣陶赋〈浣溪沙〉词及其它》，《社讯》第十三期（总第二十三期），北京昆曲研习社 2000 年 6 月编印。

振飞先生艺术生活六十周年贺联[①]

张元和

一九八零年

国音剧艺，振兴六十载；
家学俞腔，飞播万千春。

【注】① 据张允和《昆曲日记》（修订版），中央编译出版社 2012 年版。上、下联第五字，分别嵌入“振”、“飞”二字；下联第三字，嵌入“俞”字。

桂枝香·贺俞振飞先生舞台生活六十周年[①]

陈　朗

一九八零年

先声布粟[②]，问世上几番，换黄呈绿？[③]意态从来难写，彩毫谁属？呼他力士千千遍，眼乜斜、醉容如掬。[④]更教肠转，画来拾叫，像来迎哭。[⑤]　听鸣和、筝琶断续。记珠璧梅程，会通南北。[⑥]且喜新苗育秀，漫矜奇独。岂知老树开犹好，对琼枝、自还芳馥。古春长在，人间双会，[7]舞台齐六。

苏州捕笛十二咏之三
《千钟禄·惨睹》[8]

陈 朗

一九八一年

一阳才听已回肠，[9]俞老耄年竟胜场。
非是惨多愁不睹，且从录相看全阳。

【注】①⑧ 据陈朗《瓿斋戏剧杂咏》（宝文堂书店 1990 年版）。

② 作者自注：“粟：俞振飞父亲粟庐为名曲家。”

③ 作者自注：“‘问世上’二句：古乐府《休洗红》：‘回黄转绿无定期，世事返复君所知。’”

④ 作者自注：“‘意态’四句：谓俞擅演《惊鸿记》中《太白醉写》。关汉卿《望江亭》第三折【秃斯儿】：‘着鬼祟醉眼乜斜。’”

⑤ 作者自注：“‘画来’二句：拾叫：指《牡丹亭》中《拾画叫画》。迎哭：指《长生殿》中《迎像哭像》。此二戏亦为俞所专长。”

⑥ 作者自注：“‘听鸣和’三句：鸣和：指鸣和社，为程砚秋之班名。三十年代初，俞正式参加其班。在此之前，以票友身份分别与梅兰芳、程砚秋合演昆曲。后又从程继先学戏，擅皮黄，于小生一角会通南北。”编者按：“听鸣和、筝琶断续”句，原作“等琶断续”。“等”当系误字，因改“筝”。或作“笙”亦可。

⑦ 作者自注：“‘古春’二句：《奇双会》（即《贩马记》）中《写状》一出为俞所最喜演出节目之一，纪念会上以七十九高龄犹与张君秋合演此出（俞饰赵宠，张饰李桂枝）。”

⑨ 作者自注：“‘一阳’句：《惨睹》由俞振飞与郑传鉴合演。此出八支曲句末皆押‘阳’字，故亦名《八阳》。此句谓苏州演出时虽只唱头支曲，然声腔、风貌已感人至深。”

振飞先生八十华诞联[①]

启　功

一九八一年

金声玉振钧天乐；
草长莺飞大地春。

【注】① 据贺联原件，现藏上海图书馆。此联于第四字分嵌“振”、“飞”二字，俗称“蜂腰格”。

祝俞振飞同志舞台生活六十年[①]

石凌鹤

一九八二年夏

粉墨春秋六十年，雄飞万里艳阳天。
京昆剧艺开新面，桃李风和着意妍。
醉写翰林尊学士，笑看海内颂华篇。
先生幸遂青云愿，文化神州更向前。

鹧鸪天·祝俞振飞从艺七十年[②]

石凌鹤

一九九一年

艺海翻腾七十年，云霞万里势冲天。饶将绿扇遮红粉，更伴朱唇弄管弦。　　情切切，意绵绵，高楼锦幕锁轻寒。春风桃李阶前秀，满院蔷薇着意看。

【注】① 据石凌鹤《放怀吟选集》，百花洲文艺出版社 1991 年版。

② 据石凌鹤《放怀吟二集》，江西诗词学会 1992 年 12 月编印。

金缕曲·敬谢俞振老为余所绘梅先生像题词[①]

王退斋

一九八四年夏

盛世尊耆旧。早蜚声、剧坛艺苑，咸推祭酒。余绪兼长三绝擅，更属倚声妙手。允一代、风流魁首。挥翰随心工力富，羡年登耄耋精神擞。劳向往，倾心久。　　吾乡先达公知友。主梨园、双辉瑾瑜，并时山斗。桑梓崇贤谋纪念，属我图形为寿。知长者、情深念旧。幸荷挥毫题锦句，使画图生色江山秀。留天壤，垂不朽。

挽俞振飞先生[②]

王退斋

一九九三年七月

八四年吾乡举办梅兰芳九十诞辰纪念，余与先生同受邀请，同车还乡参加。余所绘梅先生像三帧，皆蒙先生题词。一九九三年七月十七日逝世，寿九十二岁。

剧坛山斗早名驰，一代京昆号大师。

幸识荆仪亲雅范，拙涂梅像荷题词。
梨园绝艺推前辈，菊部传薪启后知。
一别何期成永诀，白头闻耗动悲思。

【注】① 据王退斋《梅影话当年》,《梅兰芳与故乡》(《江苏文史资料》第76辑、《泰州文史资料》第7辑)，江苏省政协文史资料委员会、泰州市政协文史资料委员会1994年7月出版。诗题系编者所拟。

② 据《退斋诗钞》(上、下集)，1994年12月私印本。

为俞振飞先生演出鼓掌，调寄《上林春》[①]

姚昆田

一九八五年五月

又见芳华相照，容光未老。普天桃李自成蹊，都祝愿：春长好！
今夜知音齐到,《八阳》开道。"江山无恙"看英风，新词铸，称高妙！[②]

【注】① 据《新民晚报》1985年5月20日。

② 作者自注："《八阳》指曲文末尾都有一个阳字。俞先生表演《惨睹》即为《八阳》。当唱到'江山无恙'时，全场热烈鼓掌。"

敬谢俞老赠书，感赋四首[①]

徐欣木

一九八六年六月

丙寅重午前三日，趋谒高轩。重亲芝范，畅倾积愫，不尽低徊。复蒙宠锡尊编《振飞曲谱》，如获至宝。故人情重，心感靡涯。爰赋四绝句奉酬，录呈　振飞兄长吟坛郢正，并祈玉和。

阔别悠悠六十春，几多往事已成尘。
难忘卅六鸳鸯馆，夜夜笙箫酒一巡。

江南俞五久蜚声，衣钵家传一脉赓。
谊切苔岑[②]附交末，白头兄弟话平生。

风华才调胜当年，腹满书诗气自妍。
一卷洛阳争纸贵，万家传习谱经弦。

琼楼端合玉人楼，粱孟相庄举案齐。
眉笔新拈画深浅，唱随风韵如诗题。

【注】① 据《兰苑》第七期，上海市昆剧联谊会 1987 年 10 月油印本。原稿题作“徐欣木答谢俞振飞赠书，赋诗四首”，径改。另诗末有“世愚弟定翁徐欣木求是稿，丙寅荷夏六月时年七十有六”。

② 原作“苔芩”，径改。

听振飞兄彩串《八阳》[①]

许姬传

一九八六年十月

余初识振飞兄于武林，时兄年方弱冠，而余痴长一岁，听第一支曲为《千忠戮·八阳》(原名《惨睹》)。丙寅秋，振飞兄率上海昆剧团旅京演出，又聆《八阳》，几度沧桑，幸均无恙，赋此为祝。

六十年前早擅长，家传良辅水磨腔。
重聆雅奏燕台上，一曲难忘是《八阳》。

【注】① 据《许姬传艺坛漫录》（中华书局 1994 年版）。

俞振飞生辰[①]

傅璧园

一九九零年七月

一曲新声酒一巡，荷花生日是良辰。
荷花生日君生日，君是荷花身后身。

追思俞振飞公期曲会[②]

傅璧园

一九九三年八月

八月二十二日上海昆曲研习社假座绍兴路兰馨园大厅为本社故名誉社长俞振飞大师举行“公期”曲会，成绝句二章。

笙鹤钧天返太清，藕花香里度平生。[③]
云车风马归何处？除却芙蓉别有城。

江乡霞鹜绣鞋红，一枕邯郸梦醒中。[④]
法曲水磨薪火事[⑤]，江南头白哭俞翁。

【注】① 据傅璧园《漱红阁诗词曲稿》(上海古籍出版社 2006 年版)。

② 据《新民晚报·夜光杯》1993 年 9 月 7 日。

③ 作者自注:“俞大师生于荷花盛开时,卒于荷花盛开时。”

④ 作者自注:“俞大师六岁即擅唱《邯郸梦·三醉》的【红绣鞋】。今者,亦犹邯郸梦之欠伸而起时也。‘趁江乡落霞孤鹜’为【红绣鞋】首句。”

⑤ 作者自注:“昆腔明初即有,至嘉靖、隆庆间太仓魏良辅创为新声曰‘水磨调’,即今之昆腔。”

即席谢俞振飞大师[①]

鞠国栋

一九九零年一月

京昆绝艺誉寰中,天下谁人不识公。
太白秦王俱往矣,何如当代大师雄![②]

挽俞振飞先生联[③]

鞠国栋

一九九三年七月十八日

京腔昆曲双峰,一代大师乘鹤去;
朗月清风共仰,四方弟子哭灵前。[④]

【注】①③ 据鞠国栋《醉菊诗词》(学林出版社 1999 年版)。

② 1990 年 1 月 14 日,俞老偕夫人李蔷华、老友秦瘦鸥,应邀赴嘉定文化馆,参加梅园业馀京剧社成立庆祝活动。即席致贺词,并清唱《黄鹤楼》。又应嘱,书录

秦瘦鸥所撰联语为贺。联曰：“雅集畷城，威凤祥麟鸣盛世；弘扬剧艺，黄钟大吕奏新声。”国栋遂口占该诗为答。

贺俞老艺术生活七十年[①]

曲润海

一九九一年二月五日

年年桃杏盛开时，尽赞花红作美词。
待到果繁香四溢，满园绿叶绕雄枝。

【注】① 据书作原件，现藏上海图书馆。

敬祝振飞先生舞台生活七十周年[①]

张　庚

一九九一年二月五日

家学深宏一脉传，歌声缭绕印心弦。
如今众口留佳话，儒雅风流一醉仙。

敬挽俞振飞先生[②]

张 庚

一九九三年七月

家学亲传俞氏唱，台上留名李醉仙。
斯人一去成绝响，愿见新秀胜前贤。

【注】① 据书作原件，现藏上海图书馆。
② 据唐葆祥《俞振飞传》，上海文艺出版社 1997 年版。

七律·贺俞振飞兄九十大寿[①]

翁偶虹

一九九一年三月

红牙拍曲度宫商，想见当年徐小香。
柳魄梅魂尊楷范，秋声春梦共新章。
岂从粉墨标儒雅，早饫诗书蕴逸芳。
君身自是神仙骨，添筹海屋寿而康。

【注】① 据《解放日报》1991 年 4 月 1 日。

北中吕【满庭芳】恭祝俞振飞先生九旬大庆[①]

陈宗枢

一九九一年四月七日

江南硕望，词林翰墨，法部琳琅，唱来四大皆空相。曲海沧桑，传绝业声飞逸响，度金针语示周行。庚星朗，笙歌寿觞，共祝鲁灵光。

【注】① 据陈栋玲编《机峰谈曲》，2007 年自印本。

宴山亭·祝贺俞老振飞九十华诞、艺术生活七十周年大庆[①]

邓云乡

一九九一年四月

法曲霓裳，管弦南内，院本新翻佳妙。水磨腔细，马上墙头，人记昔年才调。细数沧桑，几经过、岁时昏晓。长啸！似崔九堂前，龟年未老。　　家学名重金阊，更供奉前朝，再传言笑。氍毹缓步，纨扇簪缨，风流畹华夸好。白发婆娑，看新彦、梨园年少。倾倒。欣枝履[②]，期颐寿考！

浣溪沙·俞振飞去港演出[③]

邓云乡

扶掖登台话菊仙，沧桑而后事如烟。又将彩笔写蛮笺。

法曲，海天舞袖续前缘。百年白发李龟年。

孙菊仙艺名“老乡亲”，是清末民初的名演员，唱老生。许姬传有文章记他民国初年在张勋堂会上听孙菊仙唱《鱼肠剑》，极为苍凉有味。孙菊仙是梨园寿星，活了八十五六岁。在八十三岁时还被人扶掖登台演出，在当年已认为十分稀奇。八十年代后期，俞振飞先生以望九高龄，带团去香港演出，行前有两事值得一述。一是俞老自己在《解放日报》写文，文章一开头就提“老乡亲”八十三岁扶掖登台的话。④二是去港前在中国大剧院预演，俞老望九高龄，还演出了《太白醉写》，⑤那天我和许宝骙丈去看戏，边上坐的就是百岁老画家朱屺瞻。散戏后我和许宝骙丈到后台向俞老祝贺演出成功。后来过了一两天，俞老就带团去港了。俞老在港演出时，我给《大公报》写文介绍过。还用“周简段”的公用笔名在《华侨日报》“京华感旧录”专栏发过短文。诸事历历如昨，俞振飞先生去世也已几年了。俞老行五，人称江南俞五，是苏州昆曲名家俞粟庐哲嗣，大学毕业，原在同济大学作讲师，⑥爱好戏剧，下海唱戏，与一九三零年到北京，经程砚秋介绍，拜程继仙为师。程是名小生，著名小生叶盛兰也是他徒弟。叶后参加程砚秋剧团⑦，打鼓老因他是南方来的，票友下海，使阴招欺侮他，俞一气回到上海，又参加梅剧团，后来走红，十分出名。上海临解放时，俞去了香港，在港一两年⑧，又回到上海。有一次会上，曾详述其去港及归来经过的书。后任上海戏校院长⑨，与言慧珠结婚，同演《墙头马上》，“文革”中言自杀。俞饱经折磨，晚年能以望九之年，又回香港演出，是十分不易。真是劫后白头李龟年了。

【注】①③ 据邓云乡《诗词自话》（河北教育出版社 2004 年版）。《浣溪沙》词未署年月，系《百年梨园沧桑词话》之二十四。

② 编者按：该句疑作“欣杖履”。

④ 编者按：《解放日报》1983 年 10 月 23 日刊俞振飞所作《八十二岁仍登台》一文。

⑤ 编者按：1983 年 9 月 28 日至 10 月 10 日，上海昆剧团参加香港亚洲艺术节预演于中国大戏院，俞振飞演出《贩马记·写状》、《千钟禄·八阳》二折。

⑥ 编者按：俞振飞一生未上过任何学校，皆由其父亲授读。离开程砚秋剧团返沪后，任暨南大学文学院讲师，教授中国戏曲。抗战胜利后，参加梅兰芳剧团。

⑦ 编者按：“叶”字应作“俞”字。

⑧ 编者按：1950 年冬至 1955 年 4 月 1 日，俞振飞寓居香港。

⑨ 编者按：1957 年 5 月 1 日起，俞振飞正式担任上海市戏曲学校校长。

昆曲泰斗俞振飞先生九秩大寿联[①]

王运鸿

一九九一年四月

振玉戛云，明皇雅韵；
飞觞醉月，太白雄风。

观苏州昆剧院演出，追忆俞振飞大师[②]

王运鸿

二零零二年八月

二零零二年八月十六日至二十三日，苏州昆剧院演出《满堂笏》、《荆钗记》及其他折子戏等八场传统昆剧，皆为南昆正宗，“承”、“继”、“弘”、“扬”四代演员同台演出，循规蹈矩，不越雷池，实属难能可贵。较之离经叛道，所谓改革创新某些俞门弟子之流，实有天壤之别。大师泉下有知，亦当含笑。

继承古调不忘规，曲笛焉能信口吹。
喜看苏昆循正道，弘扬雅乐慰先师。

【注】① 据《曲友信息》第十二期，上海昆曲研习社 1991 年 6 月油印。该联嵌入“振”、“飞”二字。

② 据《石城诗存》。

怀 俞 老[1]

沈祖安

橄榄滋味最难忘[2]，酣畅清醇宁有双？
一自谪仙[3]憔悴后，江南何处听俞腔？

敬 挽 俞 老[4]

沈祖安

一九九三年八月七日

昆山曲子水磨腔，雅俗浅深孰擅场？
难得俞公扛鼎力，绵延南北流衍长。

【注】①④ 据沈祖安《江南何处听俞腔——关于俞振飞先生的几件轶事》，《上海戏剧》1993 年第 5 期。第一首未署写作时间。联系文意，其时俞振飞已染恙或去世，因置于此。

② 作者自注：“橄榄腔：系振飞先生结合真假嗓创造的小半唱腔，和他结合京腔和中州韵的唱白——‘雨夹雪’，并为俞派的特色。”

③ 作者自注：“谪仙：指唐诗人李白，俞先生擅长演《醉写》以‘狂’、‘傲’相兼，举世咸称。”

悼俞振飞先生[①]

李望苏

一九九三年七月十九日

一代名宗百代垂，巨星殒落世同悲。
风流倜傥音容在，泰斗京昆更有谁？

清风雅韵入云巅，德艺皆馨老益坚。
流水高山成绝唱，京昆后继赖群贤。

【注】① 据李望苏《梨园新声》（江苏文艺出版社 1993 年版）。

挽俞振飞联[①]

陈以鸿

一九九三年七月

兰苑仰宗师，七十年身教言传，广陵散几曾绝响；
菊坛摧巨擘，二百载金声玉振，大成乐何计重兴。

法曲献仙音·曲社公期纪念俞老[②]

陈以鸿

一九九三年八月二十二日

兰苑宗师，菊坛山斗，共仰江南俞五。水磨腔圆，啭喉声妙，薪传魏家良辅。尽心力，培桃李，芬芳遍寰宇。　　旷今古。溯贤翁、发蒙课子，亘八十馀年现身歌舞。九二享遐龄，叹一夕、骑箕仙去。音像长存，宝经纶、光耀曲谱。趁公期高会，魂魄有知应顾。

清平乐·奉题沛毅方家宏著《俞振飞诗词曲联辑注》[③]

陈以鸿

二零一六年四月

清歌妙舞，绝艺惊寰宇。梁魏宗风谁继武？争说江南俞五。　　先生雅擅词章，毫端珠玉琳琅。更喜后生阐发，从教大放光芒。

【注】①② 据陈以鸿《雕虫十二年》，汉语大词典出版社 2005 年版。

③ 据手书原件。

挽俞振飞联[1]

金陵昆曲学社

一九九三年七月

曲坛宗伯，驾冉冉仙云，直上重霄路；
白下昆迷，倚声声邻笛，谱出九回肠。

唱阳春，歌白雪，为一代师，遽尔仙游，天下知音同一哭；
闻噩耗，想音容，含千古恨，肃然申敬，金陵子弟酹三杯。

【注】① 据《金陵曲讯》第二期，金陵昆曲学社 1993 年编印。

雨霖铃·敬挽俞老[1]

天津昆曲研究会

一九九三年七月

孤商悲彻，望归云路，鹤唳凄切。梨园玉笥谁主？空凭吊处，花间啼鸩。冷落昆山，堕绪賸、遗响残阕。念涤叟、游戏平生，粉黛氍毹誉三绝。　　虹桥蝶梦照残月，听《八阳》、揾泪伤离别。星稀露冷沉寂，浑暗忆、楚兰先折。老去怀庭，长记津门，乐府歌发。抚菊隐、如此江南，一酹清明节。

【注】① 据编者自存抄稿。

敬挽俞振飞先生联[1]

湖南省昆剧团

一九九三年七月

痛失一代师，此日墙头马上、柳下梅边，弱水三千闻哭像；
难穷万里目，何处粟庐衣钵、俞家书卷，洞庭八百赋招魂。

【注】① 据唐葆祥《俞振飞传》，上海文艺出版社 1997 年版。

敬挽俞振飞先生联[1]

北京京剧院

一九九三年七月

忆深情，仰师谊，衷曲顿隔霄壤；
聆金玉，慕蔼容，胸臆犹连北南。

【注】① 据唐葆祥《俞振飞传》，上海文艺出版社 1997 年版。

敬挽俞振飞先生联[1]

陈西汀

一九九三年七月

马嵬驿、牡丹亭，断肠声、离魂曲，共几番夜雨青灯，数歌舞平生，百岁到头犹有恨；
薤露悲、兰坫静，伯牙去、子期存，怕再听阳春白雪，
只风流格调，千秋垂范更无伦。

【注】① 据唐葆祥《俞振飞传》，上海文艺出版社 1997 年版。

敬挽俞振飞先生联[①]

钱法成 沈祖安

一九九三年七月

结五代情谊，关怀传世继盛秀，能宽能容，亦师亦友；
竭毕生心力，兼爱京湘江浙沪，惟诚惟信，弥久弥深。

【注】① 据唐葆祥《俞振飞传》，上海文艺出版社 1997 年版。

敬挽俞振飞先生联[①]

包幼蝶

一九九三年七月

世代结苔岑，源远流长，方庆大年娱舜日；
氍毹垂典范，曲终人杳，顿惊艺苑若晨星。

【注】① 据唐葆祥《俞振飞传》，上海文艺出版社 1997 年版。

敬挽恩师俞振飞先生联[1]

岳美缇

一九九三年七月

无计报师恩，长炷心香，默伺着台上音容、樽前笑语；
有声皆绝响，愧承衣钵，好做个俞门女弟、兰苑幽芳。

【注】① 据唐葆祥《俞振飞传》，上海文艺出版社 1997 年版。

敬挽俞振飞先生联[1]

唐葆祥

一九九三年七月

管领兰苑菊坛，流水高山称绝唱；
师范五湖四海，清风雅韵播千秋。

【注】① 据唐葆祥《俞振飞传》，上海文艺出版社 1997 年版。

敬挽俞老联[1]

王家熙

一九九三年七月

十四载翰墨相随，析京昆、论雅俗，谈笑忘年，想春风化雨；

九二寿仙凡骤隔，怀监酒、叹闻铃，苍茫纵目，杳流水高山。

【注】① 据王家熙《翰墨相随十四年》，《俞粟庐俞振飞研究》，中西书局 2013 年版。

俞振飞大师千古[①]

张　屯

一九九三年七月

三龄学曲，果然演曲教曲一生曲，堪称曲来曲去；

六岁唱生，毕竟名生巨生万古生，方知生贵生高。

【注】① 据张屯《缅怀京昆大师俞振飞》，《八方大舞台》，江苏文艺出版社 1996 年版。

南正宫【倾杯玉芙蓉】挽俞老[①]（集曲）

朱尧文

一九九三年八月

【倾杯序首至六】送大师展翅翱翔[②]赴穹苍，四海同钦仰。想当年推进皮黄，辅佐梅程，发展昆腔，沪浙湘[③]。

【玉芙蓉五至末】继承得粟翁[④]声韵传千古，更有那沈老[⑤]排场不寻常。长江浪，看桃李荣旺。齐协力，把京昆艺术更发扬。

【注】① 据未刊手稿。该曲于 1993 年 8 月 22 日，上海昆曲研习社纪念俞老公期曲会上演唱。

② 作者原注：“展翅翱翔：此四字隐俞老名讳。”

③ 作者原注："沪浙湘：指上海昆剧团、杭州浙江昆剧团、南京江苏省昆剧院、郴州湖南省昆剧团。"
④ 作者原注："粟翁：俞老尊翁粟庐先生精于曲学，俞老自幼从父学曲。"
⑤ 作者原注："沈老：老艺人沈月泉，工小生。传习所学生呼为大先生，俞老从之学习身段。"

岁末怀人绝句·俞丈振飞（十首之一）[①]

周 秦

一九九六年一月

学承名父得机先，昆乱兼祧心薄天。
九十登台万人仰，吹腔一曲唱《团圆》。

【注】① 据周秦《寸心书屋诗草选钞》（未刊本）。

咏 俞 振 飞[①]

冯寿侃

二零零二年七月

京昆泰斗俞振飞，德艺双馨，为传承"百戏之祖"的昆剧，可谓功德无量。其亦擅诗书画，晚与俞老曾有几次交游。近观《百年振飞》影片后，一律以感怀之。

此音天籁昆曲里，馨德振飞一面旌。
承世青箱[②]宏雅乐，知丘[③]竭力救遗声。
诗书有韵交三友，寿栎[④]无私育百音。
未忘朵云邀共赏，饱观山水酒微醒。

【注】① 据冯寿侃《箐磊轩诗选》，中华国际出版社（香港）2006 年版。

② 作者原注："青箱：《宋书·王准之传》：'家世相传，并谙江左旧事，缄之青箱，世人谓之王氏青箱学。'泛指世代相传的家学。"

③ 作者原注："知丘：《孟子·滕文公下》：孟子曰：'世衰道微，邪说暴行有作，臣弑其君者有之，子弑其父者有之。孔子惧，作《春秋》。《春秋》，天子之事也，是故孔子曰：'知我者其惟《春秋》乎！罪我者其惟《春秋》乎？'喻对作者及其作品深为理解。"

④ 作者原注："寿栎：'栎树是不材之木也，故能若是之寿。'喻能全身处世之人。"

中国京剧百美图·俞振飞[①]

赵献一

二零零五年

家学渊源此道精，昆乱不挡享盛名。
宁弃教坛为师专，偏向梨园作优伶。
温柔倜傥《奇双会》，风流蕴藉《牡丹亭》。
晚年著述倾心血，传承薪火苦耕耘。

【注】① 据《中国京剧》2005 年第 10 期。该诗系《中国京剧百美图》之二十七，平仄等多有违格处，姑录。

仙吕【八声甘州】振飞禅境[①]

魏子晨

二零一二年七月

十年大庆，最难忘唐朝拜见“诗仙”。风流千古，嬉笑直面皇权。贵妃捧砚何为贵，奸小窥笔仍是奸。卧地亮高靴，让老李爷脚儿宽宽。

【幺】卅年后津门故里，陪俞老采风，走进“泥人”小店，归真反朴，带回来彩塑《白蛇传》。《断桥》幸遇新生面，“移步”诀别旧孽缘。赠我岳王词，只回报“振飞禅境”参禅。

【大安乐】“激流勇进”佐临导，直言死谏麒麟童，踢开慧眼看菊坛，真性情，诗画两相伴。

【元和令】来自《牡丹亭》，归去《长生殿》，蔷师守望《凤凰山》。一把兰花扇，吟诗作画舞凌霄，何时三梦圆?

【尾】一花拈，一笑禅，心心相印不须言。蓦然回首：中华演剧核心观。

【注】① 据魏子晨《新论“振飞禅境”》，《俞粟庐俞振飞研究》，中西书局 2013 年版。

思　俞[①]

刘　觉

二零一四年

今古小生戏，江南俞振飞。
真书秉意写，玉树望峰依。
起唱舒兰韵，行吟开菊扉。

箫声幽咽处，帘外雨凄欷。

【注】① 据《上海诗词》2015 年第一卷，上海三联书店 2015 年版。

菊坛点将录·地乐星铁叫子乐和俞振飞[①]

锺　锦

二零一六年四月

江南俞五，风流可睹。温文书卷，或非其伍。

俞家正脉得其全，面目潜移程继仙。
演到巾生分一派，江南公子本翩翩。

俞振飞幼从父粟庐学昆曲，极渊博，能戏二百馀折。年近三十，始从程继仙学京剧，皆能以所学昆曲变化其面目，得风流翩翩之致，为一时之重，虽梅兰芳、程砚秋皆欲得其配戏也。唱念得昆曲之根柢，“字、音、气、节”在在讲求，有“俞派”之誉。皆以书卷气许之，然振飞乃潇洒，非书卷也。论京剧之书卷气，以杨宝森为最佳，小生中则姜妙香庶几近之也。

【注】① 据《光影掬尘》微信版。

读昆曲大师俞振飞于一九八一年十一月为苏州昆曲展览所作《百字令》有感，因循原玉而颂[①]

胡晓军

二零一六年十一月

百年往矣，往姑苏义巷，幽长如故。慈父噙兰吹入梦，三载香氛曾度。柳外寻诗，雪中试笛，修得叶堂谱。清工玉线，片云还系少驻。　　一个传字牵连，新翻乐府，挥洒皆生趣。京韵昆腔书卷气，气贯春朝秋暮。淡泊名声，斑斓桃李，祖戏从头赋。千年来也，来人宜仰高处。

【注】① 据作者手稿。

天末怀俞丈振飞兼寄菊笙吟兄[①]

李　昂

二零一六年十一月

江南公子世家光，一曲当年动四方。
郑重箕裘传玉笛，荣华桃李照门墙。
歌阑拍歇人何在？　虎隐龙藏谱未亡。
谁阅荒烟搜旧稿，还须海上问江郎。

【注】① 据作者手稿。

贺新郎·俞老八旬晋九荣寿志庆[①]

江沛毅

一九九零年五月

节令江南候。正东风、熏梅染柳，鹤飞笙奏。欣见南天星芒灿，且进葡萄新酒。齐颂祷、八旬晋九。宣馥衍芬吟商徵，喜先生人共春兰秀。貌似昨，还依旧。　　江郎十载倾心久。共消领、铜琶铁板，翠巾红袖。龙篴雁筝鸲鹆舞，赢得声名如斗。真不愧、昆坛圣手。莫道匆匆朝市换，佩纫兰虔祝彭聃寿。今执拜，惟螓首。

金缕曲·哭俞老

江沛毅

一九九三年七月

鲁殿灵光仰。宝经纶、仙音法乳，正声新唱。云影苍梧曾啸傲，歌起青峰江上。七十载、黍铢辨量。志切扶轮功导轨，庑堂恢四海同钦望。诚不负，老宗匠。　　云间侍座曾随杖。醉池边、新词称寿，风流情况。坛坫宗风凭谁主？差喜芝兰相傍。任风雨、消磨无恙。玉笛朱弦遗韵在，算才名不共吟魂葬。留鹤背，慰精爽。

怀俞老（五首）

江沛毅

一九九三年十月

天道无常夺哲人，荷香时节丧斯文。
伤心私淑程门客，恸泪空馀望白云。

昆冈冷落久伤神，又向炎天哭老成。
灿灿池荷开正好，素馨合与寄先生。

缑山笙鹤共云飘，笛咽高寒失楚骚。
记否当时全盛日，满城争睹大红袍。

大地山河一担装，凄风苦雨怨偏长。
只今无觅俞家唱，独闭柴扉忆《八阳》。

一觉邯郸梦乍醒，吹箫人杳雨霖铃。
西风落木消残影，谁念松楸一尺青。

上海戏剧学院附属戏曲学校筹设“振飞馆”，徐幸捷校长命予主持布展事宜，幸告事蒇，敬题一联[②]

江沛毅

二零零七年元月

振风倡雅弦歌永；

飞笛正声矩矱传。

历时十八载，始著成《俞振飞年谱》，敬题一律

江沛毅

二零一一年七月

忆昔观“双写”[③]，于兹卅一年。
多情推赵令，傲骨仰诗仙。
飞笛弦歌永，振风矩矱传。
瓣香逢圣诞，一卷慰重泉。

自题《俞振飞诗词曲联辑注》[④]

江沛毅

二零一三年二月

呵冻梅轩傍琐窗，寻行数墨几周章。
春风水调歌场趣，秋月磨腔古艳香。
应叹先生诗意好，却惭后学腹肠荒。
效颦附骥生刍祭，但爇心香为奉常。

癸巳除夕前一日，得苏州中国昆曲博物馆馆刊《中国昆曲艺术》总第八期《俞振飞诗词曲联辑注》专刊样书，感赋一绝

江沛毅

二零一四年一月二十九日

重周岁纪惜韶华，伫看琐窗疏影斜。
一卷新刊聊慰想，青毡积冷笔生花。

戴敦邦会长绘俞振飞系列画作捐赠苏州中国昆曲博物馆赋题并序

江沛毅

二零一五年三月

丁亥季春，余代中国昆曲博物馆恭邀戴公敦邦法家作绘，蒙慨允。旋因公右目翳盲，不复搦管。遂持壬午春为俞老百岁冥诞所绘为赠，凡《听曲催眠》、《偶然作歌》、《彩鸾〈望乡〉》、《对镜习笛》、《笛韵连宵》五幅。椽笔载述，觞咏流诵，为不朽也。甲午谷雨前七日，适田笙昆曲研习会十九年之庆，公属余赋诗纪之。赓兹艺事，堪垂佳话，不其快欤？率成俚句，以报雅令。

扢雅扬风百代传，玉笙吹彻几回旋。
瓣香崇礼俞家唱，尺幅丹青证夙缘。

【注】① 本词及以下诗联等，均据未刊手稿。

② 该联由程多多先生书录，悬诸振飞馆壁间。联语首字分别嵌入“振”、“飞”二

字，俗称“凤顶格”。

③ 予于 1980 年，观俞老所演《彩毫记 · 醉写》及《贩马记 · 写状》二折。

④ 该稿后由苏州中国昆曲博物馆作为馆刊《中国昆曲艺术》(总第八期)印行。

跋

刘厚生

江沛毅同志编注的这本《俞振飞诗词曲联辑注》，是为中国文艺界，特别是戏曲界做了一件好事——我更愿意说是一件美事。

为名家诗词进行编集笺注以利欣赏推广和深入研究，在中国有着悠久的历史。比如一部《诗经》，一个杜甫或一个苏东坡，千百年来，多少评论家研究家为之注解探讨，对中国优秀古典文化的正确理解和普及做出贡献，已经形成一种特殊文化传统。从这方面说，沛毅同志为一位当代诗人作辑注，自然不能算是新鲜事。

虽说不新鲜，但不新鲜中又有新鲜：对中国昆剧界、戏剧界乃至文化界，这本书的出版肯定是一件有特殊意义和价值的新鲜美事。

新鲜在哪里？新鲜的是，不是对别人，而本书是对俞振飞俞老的韵文作品的辑注，俞老却是当代昆剧京剧的表演艺术大师。中国戏剧园地中的名家大匠不少，但善于诗词曲联的人却寥寥可数。田汉田老是知名全国的杰出诗家，但他原本是作家，不是表演艺术家。戏曲演员包括昆京以及所有剧种的演员中，热爱诗词者历来多有，而擅长古体诗词曲联并且其数量质量都能达到俞老水平的，我孤陋寡闻，至今还没听说过第二人。我们现在阅读本书，首先是欣赏俞老的美文，同时更要注意，如今学习和研究俞老的表演艺术，就必须深入了解他的全部人生际遇、文化素养，以及性格爱好等等。如果只探讨他的舞台作品，却不熟悉他的诗词书画，那就不可能得到完整的认识，特别是不可能具体领会充盈在他全身心，成为他最优美的表演特色的“书卷气”！而离开了书卷气，就没有了俞振飞。

因此，凡是想学习和研究俞老的戏曲人士，尤其是青年艺徒，本书就应是一本必备必读的书。进一步说，不仅专业同行应读，我希望就是热爱戏曲或者热爱诗词的观众读者，也能一卷在手，时时吟哦诵读，这样必能提高我们的欣赏水平。不要耽心诗词不容易懂，书中还有沛毅同志的笺释，可以说就是能为我们开启俞老园圃的钥匙。

沛毅同志的古代文学素养深厚，本人就是传统诗词作家，热爱昆京艺术，敬仰俞老。在辑注本书之前，他已经编写过研究俞老文论著作，如《〈振飞曲谱〉笺注》、《俞振飞年谱》等。以他的功力和对俞老的了解，辑注本书自然不是难事，但他却前后用了十多年时间才最终完成。因为俞老诗词曲联方面作品虽不算多，但写作时间却延续了几十年。每一作品的时代背景不同，人际关系不同，个人情绪心境不同，为求笺注准确无误，必要用极大极细力量，不惜时间，调查发掘，旁征博引，才能取得良好成果。当然，谁也不能说这样做就百分之百正确，不会有一个字的失误，不许有一个见解的争鸣。但我以为他肯定称得上体现了“板凳甘坐十年冷，文章（笺释）不许一句空”的精神。我们戏剧评论理论界的学风，常见的一种倾向是开放型的，视野开阔，兴趣广泛，做学问多从多方联系入手。这对于我们打破长期闭关自守、自我老大的风气是有益的、必要的，但弄不好也容易流入浮浅，急于求成。也有一种倾向则是深入性的，常是过于专注，不闻外务，自我封闭，但一旦有成，就是一步一个脚印，货真价实，影响深远。两者都是我们需要的，但在当前浮躁风气较盛的状态下，我们更需要倡导后者。沛毅同志的辑注不是系统的理论著作，但自然还是有思想，有论证，下了苦功，走的是深入浅出之路，学术研究之路、正路。

《俞振飞诗词曲联辑注》篇幅不大，意义不小。作为俞老的一个老观众、景仰者，我祝贺俞老优美华彩的韵文作品全部集中团聚，也祝贺沛毅同志辛勤劳作，为让更多的青年理解俞老，热爱昆剧，热爱祖国优秀民族文化做出了贡献！

2015年12月于北京

（作者系原中国戏剧家协会副主席、戏剧评论家）

后　记

江沛毅

予幼随先君虎臣公读诗观剧，于诗词曲之道，深有所嗜。既长，得从上海昆曲研习社及田笙昆曲研习会诸耆宿游，沾溉良多。一九九三年癸酉仲夏，发愿撰著《俞振飞先生年谱》。晨钞冥写，每有发见。至二零一一年辛卯孟春，方克告竣。越五月，由上海文化出版社付梓刊行。内收俞公诗、词、曲、联多首，其后乃肆力征访搜求。尝过某旧书肆，赫然见香岛某刊载俞公《千秋岁》一词，忭喜无任。奈索价过昂，虽再三恳降其值而未果。乃急速默背，归而录之。迩来数载，日夕从事，未敢稍懈。搜采群籍，梳爬甄剔，复得若干。遂作辑订，甲乙互勘，并略加注释。都为一册，计一百零三题，凡一百五十一首（副）。另附录各方题赠，以存交谊之实。

俞公幼习视听，长得薪传。精擅京昆表演外，兼工韵语。一生寝馈于斯，造诣闳洽，驰誉艺林。惜乎早年所作，散佚殆尽。迭经“文革”浩劫，几无存稿。晚岁适值明时，得以从容吟咏。读其诗，家国陵替，遭际顺逆，艺苑沧桑，伉俪绸缪，师友亲昵，以及山川壮美，靡不包罗广博，意趣淋漓。律、绝、古风、长短句、散曲、楹联，诸体皆备，词茂而不事雕琢，情深而不伤大雅，皆出于性灵之真。其格律之谨严，辞藻之丰缛，尤令人击节叹赏，足以见公慷慨歌啸之神态也。

予既知诗之寄托在可言、不可言之间，其指归在可解、不可解之会，故董子曰：“诗无达诂。”予于公，高山景行，终生服膺。爰不揣谫陋，略作笺注疏讲，俾后之览者，有取资焉。倘他日有能，当捃集所遗，期有采获，荟为全集，庶几存遗泽，垂不朽云尔。率成俚句一律，谨录于后，聊志仰企之忱。诗云：

呵冻梅轩傍琐窗，寻行数墨几周章。
春风水调歌场趣，秋月磨腔古艳香。
应叹先生诗意好，却惭后学腹肠荒。
效颦附骥生刍祭，但爇心香为奉常。

斯编既毕，出版无由。会曩昔代苏州中国昆曲博物馆征画于戴敦邦教授，先生以绘制《辛亥人物百图》，用力过勤，致右目翳盲，不复搦管。遂属以壬午春为俞老百岁冥诞所绘《听曲催眠》、《偶然作歌》、《彩鬟〈望乡〉》、《对镜习笛》、《笛韵连宵》五幅为赠，皆初刊于《昆剧泰斗俞振飞》者。馆方额手雀跃，复知拙编，乃慨允印行，列为馆刊《中国昆曲艺术》特辑（总第八期），诚幸事也。

承李蔷华太师母殷勤指授，吴新雷教授撰序，戴公抱疴题签赐绘并作序，陶慕渊、江巨荣二教授审阅全稿，指疵导窍，嘉惠殊隆！复蒙陈以鸿、岳美缇、费三金、浦海涅、包宏达、赵卫、唐吉慧、范珺、苏嵘、陈为瑀、简建诸师友濡煦，感佩无已。拉杂书此，聊志端末。癸巳寒露前二日，再传门弟子江沛毅菊笙谨记于梅花书屋，时卌五初度。

再　　记

江沛毅

是稿初由苏州中国昆曲博物馆刊行，倏忽三载矣。其间，萧斋书掩，若与世忘。偶与二三子往还，开轩度曲，继轨兰亭；临水题襟，嗣音金谷。汲泉烹茶一百十一题，谭艺论道，足以忘忧。辱承诸师友襄助，复增补诗词八首，凡一百五十九首（副）。重加董理增删，汇为一编，交由中西书局付梓。

毅本鲰生，学殖荒落，弇陋无文。暗中摸索，垂三十余年，恨未窥径，敢曰知津？偶有所得，但凭兴趣，遑论根基。虽勤求敏辑，难免遗珠之憾；细注详笺，深惭添足之诮。一字解释，旬日踟蹰。幸恕率真，毋嗤浅薄，不以为佛头着粪否耶！

予藏《〈俞振飞自传〉编写意图》二叶，原系陆兼之先生遗稿。内述编纂内容，其中第六项为“附《涤盦八十自叙诗》八十首及《涤盦韵语》诗词二百多首”云云。乃知俞公诗词存世约三百首，今仅得其半耳。补其罅漏，有待后来。昔读龚定庵《乙亥杂诗》，其一云：“著书何似观心贤，不奈厄言夜涌泉。百卷书成南渡岁，先生续集再编年。”若为予今日所作者，遂次韵成此：“才尽江郎那复贤？诗心蹇涩不流泉。残丛旧稿勤搜集，合辑芸编待纪年。”

猥蒙吴新雷、戴敦邦二教授增写序文，郑培凯教授重为题耑，陈以鸿先生书赐《清平乐》新词。刘厚老不惮九十五高龄，强抑悼亡之痛，惠锡跋语。谆谆勖勉，殷殷跂望，堪铭肺腑！ 奖饰逾恒，无任惭悚。诸公以提倡风雅为己任，士林翕然从之。且皆长于予数十岁，折节与为忘年交。耳提面命，功匪细也。信是翰墨有缘，诗文相契，倍感欣幸！又承上海市教育委员会之“内涵建设”专项基金资助，校部多方借箸。责编唐少波道兄，排比校核，用力尤勤。一书之成，岂区区个人之力可蒇其功哉？爰缀数语，敬致谢忱，兼志鸿爪云尔。不察之误，待正通雅，敬祈匡谬是幸。二零一六年岁次丙申荷月，海门江沛毅寿椿谨识于莘西寓舍之双红豆馆。